FANETTE

De la même auteure

Le Fort *intérieur*, Libre Expression, 2006 ; collection « 10 sur 10 », 2012.

THÉÂTRE

La Nuit des p'tits couteaux, Leméac, 1987.

Suzanne Aubry

FANETTE

TOME I

À la conquête
de la haute ville

Roman

Catalogage avant publication de Bibliothèque et Archives nationales du Québec et
Bibliothèque et Archives Canada

Aubry, Suzanne

Fanette

Éd. originale: 2008-
L'ouvrage complet comprendra 6 v.
Sommaire: t. 1. À la conquête de la haute ville -- t. 2. La vengeance du Lumber Lord -- t. 3.
Le secret d'Amanda -- t. 4. L'encre et le sang.

ISBN 978-2-7648-0787-3 (v. 1)
ISBN 978-2-7648-0788-0 (v. 2)
ISBN 978-2-7648-0789-7 (v. 3)
ISBN 978-2-7648-0790-3 (v. 4)

I. Titre. II. Titre: À la conquête de la haute ville. III. Titre: La vengeance du Lumber Lord.
IV. Titre: Le secret d'Amanda. V. Titre: L'encre et le sang.

PS8551.U267F36 2012   C843'.54   C2012-941573-1
PS9551.U267F36 2012

Édition: Monique H. Messier
Révision linguistique: Céline Bouchard
Correction d'épreuves: Carole Mills
Couverture: Chantal Boyer
Maquette intérieure: Chantal Boyer
Mise en pages: Louise Durocher
Photo de l'auteure: Sarah Scott
Illustration de couverture: Jean-Luc Trudel

Remerciements
Nous reconnaissons l'aide financière du gouvernement du Canada par l'entremise du Fonds du
livre du Canada pour nos activités d'édition. Nous remercions le Conseil des Arts du Canada et la
Société de développement des entreprises culturelles du Québec (SODEC) du soutien accordé à
notre programme de publication.
Gouvernement du Québec – Programme de crédit d'impôt pour l'édition de livres – gestion SODEC.

Les Éditions Libre Expression
Groupe Librex inc.
Une société de Québecor Média
4545, rue Frontenac
3e étage
Montréal (Québec) H2H 2R7
Tél.: 514 849-5259
libreexpression.com

Dépôt légal – Bibliothèque et Archives nationales du Québec et Bibliothèque et Archives Canada, 2008

ISBN : 978-2-7648-0787-3

Distribution au Canada
Messageries ADP
2315, rue de la Province
Longueuil (Québec) J4G 1G4
Tél.: 450 640-1234
Sans frais: 1 800 771-3022
www.messageries-adp.com

Diffusion hors Canada
Interforum
Immeuble Paryseine
3, allée de la Seine
F-94854 Ivry-sur-Seine Cedex
Tél.: 33 (0)1 49 59 10 10
www.interforum.fr

À ma nièce Geneviève.
À ma sœur, Danielle, et à mon frère, Alain.
À Robert.

Le point de départ de cette saga historique est un événement tragique, celui de la famine de la pomme de terre qui a contraint des dizaines de milliers d'Irlandais à l'exil, aux États-Unis, en Australie et au Canada, au milieu du XIXe siècle.

La région de Québec a été une importante terre d'accueil pour les orphelins irlandais dont les parents sont morts du typhus ou du choléra dans les « bateaux cercueils » qui les menaient vers la Grosse Isle, où les immigrants étaient mis en quarantaine dans des conditions difficiles à imaginer aujourd'hui.

Quoique inspirée par ces faits historiques, *Fanette* est une œuvre de fiction. J'ai donné à mon héroïne le nom de mes ancêtres, les O'Brennan, mais tous les personnages sont nés de mon imagination, mis à part le père Bernard McGauran, le père Elzéar-Alexandre Taschereau et le docteur George Mellis Douglas, qui ont vraiment existé et à qui je prête des actions et un dialogue fictifs. J'ai inventé un journal, *L'Aurore de Québec*, pour les besoins de mon roman ; en réalité, il existait à cette époque deux journaux, *L'Aurore* et *L'Aurore des Canadas*, qui parurent à Montréal entre les années 1820 et 1840. Le village de La Chevrotière et la seigneurie Portelance sont fictifs. J'ai fait parfois allusion à des personnes qui ont marqué la première moitié du XIXe siècle : monseigneur Signay, les hommes politiques Louis-Hippolyte La Fontaine et Robert Baldwin, monseigneur Turgeon, pour ne nommer que ceux-là, par souci de crédibilité.

« De ma fenêtre où je me suis perchée en
rentrant, je voyais toutes les étoiles aux clartés
profondes qui jetaient l'apaisement sur la terre
endormie, et dans l'ombre, tout en bas,
j'ai recommencé le rêve qui me console.
Être malheureuse quand hier a
existé, que demain va venir ? Le chagrin
et la tristesse d'aujourd'hui,
comme c'est fini tout cela ! »

Henriette Dessaulles, *Journal.*

Première partie

L'exil

I

— *A Fhionnuala* !

Elle tourna la tête en direction de la voix et aperçut son père qui l'appelait. Sa grande silhouette se découpait dans le ciel bleu gris chargé d'orage. Son estomac se noua soudain. Elle eut peur qu'il lui annonce une autre mauvaise nouvelle. Elle voyait encore le petit corps de son frère Kevin, emmailloté dans un linge blanc, ses yeux clos, sa bouche pâle et figée, comme la poupée de chiffon qui appartenait à Felicity, la fille du maire. Sa mère tenait Kevin contre elle, le berçait en chantant une mélopée aux paroles incohérentes. Son père avait mis sa tête dans ses mains, il pleurait sans larmes, la bouche si étirée qu'elle avait d'abord cru qu'il riait. Après, il était sorti de la maison et avait fabriqué une petite boîte avec des planches mal ajustées. Il avait déposé la boîte sur la table de cuisine et y avait mis le corps inerte du bébé, tandis que sa mère priait en silence, les yeux fermés sur sa douleur.

— *A Fhionnuala* !

Délaissant la charrette miniature qu'elle avait fabriquée avec quelques branches et des brindilles sèches, elle courut vers son père. Il était encore trop loin pour qu'elle puisse déchiffrer l'expression sur son visage. Elle s'arrêta un moment pour reprendre son souffle. Des champs de pommes de terre s'étendaient à perte de vue. Les feuilles étaient noirâtres et rabougries. Son père lui avait expliqué que les récoltes avaient été décimées par une maladie, elle ne se rappelait plus le nom. C'est pour cette raison qu'elle avait souvent mal au ventre, une sorte de tiraillement qui n'arrêtait jamais. Parfois, un grand voilier provenant de l'Angleterre accostait au port de Skibbereen. Tous les habitants se précipitaient vers le quai et se bousculaient pour s'emparer de la nourriture que des débardeurs hâves et sales avaient à peine le temps de transporter sur la terre ferme. Son père était revenu à la maison une fois avec un œil au beurre noir. Il avait été attaqué par un voisin, monsieur Fitzpatrick, pour la possession d'un sac de farine. Elle avait du mal à comprendre que ce fût le même monsieur Fitzpatrick qui la laissait chiper des pommes dans son verger sans sourciller et qui lui donnait des bonbons à la cannelle un peu collants qu'il sortait de sa poche.

Fionnualá se remit à courir et s'approcha de plus en plus de son père. À son grand soulagement, elle constata qu'il souriait. Il la prit dans ses bras et la souleva de terre. Elle était légère comme une plume et de petite taille, même pour une fillette de sept ans. Les yeux gris de son père se confondaient avec le ciel et ses cheveux roux semblaient jeter des flammes autour de sa tête.

— *Conas a tá tú, a chailín ?* Comment vas-tu, ma fille ?

Son père s'adressait toujours à elle en gaélique, refusant de parler anglais, la langue de l'ennemi, comme il l'appelait, même s'il avait été obligé de l'apprendre à l'école.

— *Tá ocras orm.* J'ai faim.

Il la déposa sur le sol poussiéreux. Son visage était devenu grave.

— *Táimid chun turas fada a dhéanamh, a Fhionnuala.* On va faire un grand voyage, Fionnualá. *Ní bheidh ocras ort a thuilleadh.* Tu n'auras plus jamais faim.

Fionnualá leva des yeux émerveillés vers le géant aux cheveux rouges. Faire un grand voyage, ne plus avoir faim… Son père était-il soudain devenu un magicien, comme celui qu'elle avait vu à la foire du village, et qui sortait des foulards de son chapeau ?

Quelques jours auparavant, Ian O'Brennan et sa femme Maureen avaient reçu la visite de Thomas Flanagan, un agent d'immigration irlandais qui prétendait être un représentant officiel du gouvernement britannique. En réalité, ce petit homme au ventre proéminent et aux joues rebondies, que la famine ne semblait pas avoir affecté, travaillait plutôt à son propre compte et profitait de la misère de ses compatriotes en leur vendant l'espoir d'un avenir meilleur. Flanagan s'installa à une table en bois bancale, non sans avoir vérifié si la chaise était propre avant de s'y asseoir, et se mit à parler anglais avec un accent affecté qui fit sourire Maureen sous cape. Fionnualá s'était réfugiée dans un coin, mordillant une guenille pour tromper sa faim. Elle entendait les cris de ses frères Arthur et Sean qui se pourchassaient dehors. Amanda, sa sœur aînée, aux cheveux d'un roux cuivré et aux yeux gris comme leur père, déposa une tasse de thé fumant devant lui. Helena, la jumelle de Kevin, l'enfant mort, dormait dans une caisse en bois déposée contre le mur.

L'homme parlait vite. Fionnualá ne comprenait que des bribes : voyage, océan, Canada. Sa mère, les mains sur son ventre tout rond, semblait suspendue à ses lèvres. Son père le fixait avec intensité, puis se tournait vers la fenêtre comme s'il s'imaginait déjà ailleurs, loin de Skibbereen, de la misère et de la faim qui y sévissaient depuis des mois. Flanagan continua à pérorer, décrivant avec de larges gestes le confort du *Rodena*, le voilier qui les conduirait vers un monde meilleur. Le voyage durerait au plus trois semaines, disait-il, la nourriture serait abondante, les couchettes confortables. Au Canada, les terres étaient immenses et riches, on pouvait les obtenir pour une bouchée de pain. Des milliers de leurs compatriotes avaient entrepris la traversée de l'Atlantique et vivaient maintenant une existence heureuse et comblée.

Un silence suivit le discours de l'agent d'immigration, dont les joues s'étaient empourprées comme s'il avait oublié de respirer entre chaque phrase. Ian leva les yeux vers Maureen, qui lui fit un faible sourire. Ses cheveux noirs faisaient ressortir la blancheur nacrée de sa peau ; une lueur d'espoir brillait dans ses yeux bleus cernés de mauve. Après un moment, Ian se tourna vers Flanagan et lui dit en gaélique :

— *Cé mhéad ?* Combien ?

Flanagan eut un sourire suave.

— *Three pounds per traveller.*

Ian calcula mentalement. Trois livres par personne, et ils étaient sept, sans compter l'enfant à naître. Ça faisait plus de vingt livres.

— *Tá tú as do mheabhair !* Vous êtes fou !

Maureen mit une main sur le bras de son mari pour l'enjoindre au calme. L'agent haussa les épaules, imperturbable. Le montant était fort raisonnable, expliqua-t-il, les lèvres ourlées en un sourire qui se voulait rassurant. Les capitaines de navire avaient considérablement augmenté les coûts de transport. Les places s'envolaient aussi rapidement que les rares denrées que l'Angleterre envoyait à sa colonie à prix d'or ; il ne restait qu'une vingtaine de couchettes sur le *Rodena*, qui pouvait embarquer tout au plus deux cent cinquante personnes. Fionnualá, le pouce dans la bouche, regardait celle de l'agent d'immigration qui s'ouvrait et se fermait, ressemblant aux grenouilles que ses frères pêchaient parfois dans l'étang derrière la maison. Ian secoua la tête, révolté, puis se leva, désigna le mobilier misérable, la huche vide. Comment trouver une somme pareille, alors qu'ils n'avaient même pas les moyens d'acheter un pain de trois *pences* ? Ils avaient plus de six mois de retard pour le paiement de la location de la terre !

Flanagan eut un petit rire suffisant. Justement, les *landlords* étaient aux abois. Avec l'imposition de la *Poor Law* par l'Angleterre, chaque propriétaire était tenu de subventionner les locataires dont le loyer annuel était inférieur à quatre livres. Il était convaincu que leur *landlord* ne demanderait pas mieux que de se débarrasser de ses locataires insolvables afin de reprendre sa terre. Ian le regarda, tâchant de comprendre. Pour la première fois, il lui parla dans un anglais laborieux :

— *You mean… Our landlord would accept to pay for our voyage ?*

Le sourire de Flanagan s'accentua.

— *Exactly !*

Ian jeta un coup d'œil à sa femme, qui acquiesça, l'air optimiste. L'agent d'immigration, sentant qu'il avait réussi à capter l'intérêt du couple, leur conseilla de rendre visite à leur *landlord* au plus tôt. Ils avaient le choix : ou bien ils obtenaient l'argent du voyage, ou bien ils restaient en Irlande et y crevaient de faim.

Flanagan se leva, faisant craquer ses genoux. Il reviendrait dans deux jours. La somme devait être payée en un seul versement, plus dix pour cent qui lui reviendraient.

— *Ten per cent ? What for ?* s'écria Ian.

— *My fee. Do you think I work for nothing ?* répliqua Flanagan, indigné.

En réalité, l'agent d'immigration touchait déjà un pourcentage payé par le capitaine du *Rodena* pour chaque passager qu'il lui emmenait, mais quoi, lui aussi était père de famille, il avait cinq bouches à nourrir, une bonne et un valet à payer… Il prit une pipe dans sa poche, l'alluma et sortit, laissant une volute de fumée derrière lui. La porte grinça sur ses gonds et resta légèrement entrouverte. Un rayon de soleil traça un rai sur le sol en terre battue et fit briller le pendentif en jade que Maureen portait au cou. Elle se tourna vers son mari.

— *A Iain, cad a dhéanfaidh tú ?* Ian, que vas-tu faire ?

Il fixait le rai de lumière, la mine sombre. Helena se mit à geindre. Maureen se leva, la main posée sur son ventre, et se dirigea à pas pesants vers la caisse en bois, prit l'enfant de huit mois dans ses bras et le consola en lui murmurant des mots doux en gaélique. Fionnualá regardait son père avec inquiétude : il semblait fâché et elle ne savait pas s'ils allaient faire ce grand voyage.

La journée même, Ian sella son cheval dans l'intention de rendre visite à Bernard Crombie, le *landlord* anglais qui avait acheté les terres de son propre père, Manus O'Brennan. Son visage s'assombrit en pensant à son père. Depuis cinq ans, jour pour jour, ils ne s'adressaient plus la parole, ce qui était un exploit, étant donné qu'ils habitaient seulement à quelques maisons l'un de l'autre. Lorsque, d'aventure, ils se croisaient sur la route ou au magasin général, ils se regardaient en chiens de faïence. Ian ne lui avait jamais pardonné d'avoir vendu le domaine familial à Lord Crombie. La famille O'Brennan habitait Skibbereen depuis six générations et leurs terres avaient toujours été léguées de père en fils. Comment Manus avait-il pu sacrifier l'intérêt de ses propres enfants au profit d'un lord anglais qui ne parlait pas un mot de gaélique et qui était protestant par-dessus le marché ? Manus avait balayé les arguments de ses fils, prétendant qu'il vendait ses terres au bon moment ; il prévoyait qu'en quelques années elles ne vaudraient plus un shilling. Personne, ses fils les premiers, ne voulut le croire. L'Irlande mangeait à sa faim grâce à la culture de la pomme de terre. Le tubercule, facile à cultiver et adapté au climat tempéré du pays, avait attiré bon nombre d'immigrants. La population irlandaise avait doublé en l'espace de quarante ans, passant de quatre à huit millions d'âmes. Il fallait avoir l'esprit chagrin ou le cœur noir pour prédire l'épuisement de cette manne… Mais Manus s'obstinait : « À force de mettre tous nos œufs dans le même panier, il va finir par percer », disait-il à qui voulait l'entendre. Ou bien : « Un jour, lorsque je serai six pieds sous terre et que vous recevrez votre part d'héritage, vous me remercierez à genoux d'avoir fait preuve d'une telle sagesse ! »

En attendant que ce jour arrive, Manus s'était mis ses quatre fils à dos en les plaçant devant le fait accompli : il avait vendu ses terres, que ça leur plaise ou non. À l'incrédulité avait succédé la colère. Leur père était devenu fou. Leur mère, Lorna, avait bien tenté de plaider en leur faveur, mais c'était une femme timide et résignée, et elle n'avait guère d'influence sur les décisions de son mari. Même l'abbé Callaghan, qui s'était mis en frais de rendre visite à Manus pour tenter de lui faire entendre raison, revint bredouille. Le pauvre abbé avait cité un extrait de l'un des deux Épîtres de saint Paul à Timothée : « Un père de famille qui ne pourvoit pas aux besoins de ses proches renie sa propre foi et devient pire qu'un incroyant… » Manus O'Brennan avait écouté les exhortations de l'abbé sans broncher, puis lui avait dit :

— *Déanann sparán trom croí éadrom.*

« Une bourse bien garnie rend le cœur plus léger », avait répété l'abbé Callaghan aux quatre frères réunis au presbytère pour connaître les résultats de sa démarche auprès de leur père. Les frères avaient échangé un regard sombre. Ou bien Manus avait perdu la tête, ou bien le diable avait pris possession de son âme et l'avait incité à faire passer l'appât du gain avant le bien-être de sa propre famille. Cette nuit-là, les quatre frères avaient noyé leur peine et leur colère au Clover Leaf, le seul pub des environs. En revenant chez lui, Ian avait trébuché et s'était frappé contre un arbre devant la maison. Il était entré dans la grange, s'était emparé d'une hache et avait abattu l'arbre.

Lord Crombie avait divisé les acres en petits lopins qu'il louait à des immigrants ou à des cultivateurs de Skibbereen. Ian s'était résigné à devenir locataire d'une terre qui aurait dû lui revenir de plein droit. Les charges foncières étant trop importantes par rapport aux modestes profits générés par la culture de la pomme de terre, Ian s'était endetté et ne parvenait même plus à rembourser les intérêts. Maureen l'avait supplié de demander de l'argent à son père pour acquitter ses dettes, mais Ian s'y refusait obstinément, par fierté mais surtout par orgueil. Son frère cadet, Nathan, s'était engagé comme matelot sur un voilier long-courrier et avait perdu la vie au cours de son naufrage. Ses deux autres frères avaient trouvé des emplois comme travailleurs agricoles et gagnaient péniblement de quoi faire vivre chichement leurs familles. Mais le véritable cauchemar commença en la funeste année 1845, lorsque le mildiou fit son apparition. La maladie se répandit à la vitesse de l'éclair et décima jusqu'à un tiers des récoltes de pommes de terre. L'année suivante, les fermiers, convaincus qu'un tel malheur ne pouvait se produire une deuxième fois, s'étaient obstinés à ressemer des pommes de terre. Les pertes furent encore plus dévastatrices ; bientôt, il n'y eut plus rien à manger. C'était la famine. Manus avait eu raison : à force de mettre tous les œufs dans le même panier, il finit par percer. Les petits fermiers comme Ian furent les premières victimes du fléau. On voyait de plus en plus de gens s'effondrer sur les chemins et y mourir de faim. Le choléra et le typhus firent leur apparition. La mère d'Ian, qui s'était portée volontaire pour soigner les malades, fut atteinte de fièvre typhoïde et mourut dans d'atroces souffrances après seulement quelques jours. Manus ne versa pas une larme à son enterrement, non par indifférence, mais parce qu'il avait eu raison, et que ses prédictions avaient fait le malheur des siens.

ℂ

Ian caressa la tête de son cheval, si maigre qu'on voyait ses côtes sous sa livrée. La main de Maureen se posa sur la sienne.

— *Bí go deas leis an Tiarna Crombie.* Sois aimable avec Lord Crombie.

Ian se tourna vers elle, lui sourit.

— *Ná bí buartha, a chroí!* Ne t'inquiète pas, mon cœur.

Il mit le pied à l'étrier et enfourcha sa monture. Fionnualá sortit de la maison et courut rejoindre son père.

— *A Dhaidí!* Papa!

Il se tourna vers sa fille, le front plissé par l'inquiétude.

— *Cad a tá mí-chearr leat, a chailín?* Qu'y a-t-il, ma fille?

Fionnualá s'arrêta à sa hauteur, renversant la tête en arrière pour pouvoir le regarder, car il était bien haut perché et avait soudain l'air immense, comme le roi Arthur, dont Amanda lui racontait les exploits avant qu'elle s'endorme.

— *A Dhaidí, tóg leat mé!* Papa, emmène-moi avec toi!

Il fut sur le point de refuser, mais Fionnualá avait l'air si suppliant qu'il n'en eut pas le cœur. Il tendit un bras. Elle s'y accrocha et se sentit aussitôt soulevée dans les airs avec une force étonnante. Son père souffrait lui aussi de privations. Elle l'avait souvent vu donner sa part d'un quignon de pain noir ou de gruau de maïs que Maureen réussissait parfois à se procurer au magasin général, après avoir fait la queue pendant des heures, mais il avait gardé une énergie peu commune. Elle atterrit sur la selle, derrière son père, et s'agrippa à son dos. Le cheval se remit en route. Elle se laissa bercer par le trot, par l'odeur rassurante de foin et de sueur qui l'entourait d'un halo protecteur et par la douceur de la brise de mai. Son cœur se serra de joie et elle poussa de petits cris. Ian se mit à rire. Ils poursuivirent leur route pendant quelques milles. Les sabots du cheval soulevaient une fine poussière. Des champs arides se succédaient à perte de vue. La maison de Lord Crombie apparut au faîte d'une colline verdoyante. Ian immobilisa sa monture. C'était là, dans cette immense maison bâtie sur le dos des Irlandais affamés, que se joueraient son avenir et celui de sa famille.

II

Deux ans plus tard
Chemin du Roy, Québec
Le 12 juin 1849

Installée sur la banquette de son boghei, Emma Portelance tenait fermement les rênes à cause des nombreux nids-de-poule dans lesquels les roues s'enfonçaient, au risque de se briser. Les chemins étaient impraticables. *Il ne faut surtout pas compter sur le comité des chemins pour y remédier !* se dit-elle, mécontente. C'était une femme bien en chair au visage rond et jovial, mais dont les yeux noirs vous transperçaient d'un seul regard. Son chapeau large et garni de rubans, d'allure très féminine, faisait un étrange contraste avec la redingote qu'elle portait toujours en voyage. Elle revenait d'une visite hebdomadaire à son métayer, Isidore Dolbeau, un grand gaillard au visage tanné par le soleil et dont ni l'âge ni les durs travaux de la ferme n'avaient entamé le bagout et la pugnacité. Il n'avait jamais digéré que le seigneur Portelance lègue son domaine à une femme, fût-elle sa fille aînée. Sa femme avait beau lui répéter que le fils aîné de la famille, qui comptait cinq filles, était dans les ordres, monsieur Dolbeau n'en démordait pas : « Chacun à sa place, et les moutons seront bien gardés », avait-il coutume de dire à tout propos. Emma se retenait de le corriger : « À chacun son métier et les vaches seront bien gardées. »

Emma se rendait chaque semaine à la seigneurie, à quelques milles du village de La Chevrotière, pour discuter avec monsieur Dolbeau d'achat d'équipement, du prix des céréales, de la mise bas d'un animal ou des réparations à effectuer. À chacune de ses visites, il ne se gênait pas pour lui faire sentir, par de petites remarques assassines dites d'un air faussement bonasse, que la place d'une femme n'était pas à la tête d'une seigneurie. Cette fois, c'était au sujet du livre de comptes dans lequel chaque transaction devait être soigneusement notée, et que madame Portelance avait demandé à voir :

— Votre père, le seigneur Portelance, Dieu ait son âme, avait coutume de dire : « Si le travail a été bien fait, j'vois pas pourquoi j'perdrais mon temps à le faire une deuxième fois ! »

Madame Portelance fut sur le point de répliquer sèchement, puis se remémora les conseils que lui avait donnés Eugénie avant son départ : « Surtout, reste calme. Ne prends pas ses commentaires, même désobligeants, au pied de la lettre. Sois au-dessus de tes affaires. N'oublie pas que c'est toi la patronne... » Elle prit une grande inspiration et leva ses yeux noirs vers son métayer :

— Monsieur Dolbeau, je n'ai pas l'intention de faire votre travail à votre place, je veux tout simplement vérifier les comptes.

Elle ajouta avec une ironie bienveillante :

— L'erreur est humaine.

Le métayer maugréa une phrase incompréhensible et entra dans la maison, laissant Emma plantée sur la galerie, sans même lui offrir d'entrer ou lui donner quelque chose à boire. Contenant une exclamation de dépit, la seigneuresse, sentant soudain la fatigue du voyage, décida de s'asseoir sur une chaise berçante orientée vers les champs. La vue des peupliers oscillant sous la brise de juin et l'air chargé des parfums de foin et d'herbe lui redonnèrent sa bonne humeur. Les terres s'étendaient jusqu'au fleuve. Elle fut envahie par une sorte de sérénité qui ressemblait au bonheur. La vie pouvait être douce parfois, comme si chaque parcelle éparse qui la composait formait soudain un tout harmonieux, sans heurts, ni doutes, ni regrets.

Le claquement des sabots de monsieur Dolbeau sur le plancher de la galerie brisa sa rêverie. Il portait un gros registre dans ses bras. Il le lui remit sans prononcer un mot et repartit en direction des écuries où, prétendit-il, il devait surveiller une jument qui mettait bas. Madame Portelance retint un commentaire cinglant et installa le livre sur ses genoux. Elle l'ouvrit et commença à examiner minutieusement chaque entrée. Après un moment, la porte de la maison s'ouvrit avec un grincement. Une femme menue au visage ridé comme l'écorce d'un arbre et aux yeux vifs sortit, un verre à la main.

— Vous prendrez bien un rafraîchissement, ma'me Portelance. On a beau être juste à la fin du printemps, le soleil tape dur.

Emma prit le verre avec reconnaissance.

— Merci, madame Dolbeau.

Le liquide était ambré. Elle le huma. C'était du cidre, l'un des meilleurs de la région. Elle en but une gorgée avec délices. Les deux femmes échangèrent un regard de connivence. Puis madame Dolbeau retourna dans la maison, tandis qu'Emma se replongeait dans l'examen du registre. Après une heure de travail, ne trouvant pas une seule erreur, elle dut s'avouer à elle-même que, malgré son caractère bougon et ses manières brusques, monsieur Dolbeau était un homme honnête, et que son père avait eu toutes les raisons de lui faire confiance. La voix ironique du métayer la fit tressaillir malgré elle.

— Puis, ma'me Portelance, je gage que vous avez trouvé plein d'erreurs ?

Emma arbora alors l'air le plus digne de son répertoire :

— Tout était parfait, monsieur Dolbeau.

Le métayer contint mal un sourire de triomphe.

— Comme disait votre père, feu seigneur Portelance, si le travail a été bien fait…

Madame Portelance se leva pour couper court à son sermon.

— Excusez-moi, je dois partir, j'ai un bon bout de chemin à faire. À la semaine prochaine.

— C'est ça, ma'me Portelance, à la revoyure.

Il toucha le rebord de son chapeau de paille avec le bout de l'index. Madame Portelance remit son verre vide à madame Dolbeau, qui était debout sur le seuil de la porte.

— Merci encore, madame Dolbeau. Ça aide à faire passer le reste.

Madame Dolbeau ne put s'empêcher de sourire. Emma Portelance se dirigea vers sa voiture, dont le cheval avait été attaché à la clôture, sentant le regard caustique de monsieur Dolbeau dans son dos. Elle reprit les rênes, grimpa sur le siège en ahanant sous l'effort. La cuisine d'Eugénie, aussi délicieuse fût-elle, lui faisait gagner du poids. Elle avait beau avoir une volonté de fer, résister à sa tarte au sucre était au-dessus de ses forces. Elle claqua la langue, secoua les rênes et le cheval se mit au pas. Elle avait hâte de rentrer chez elle.

III

Skibbereen
Mai 1847

Maureen était en train d'étendre sur l'herbe jaune des vêtements qu'elle venait de laver, comptant sur le soleil pour les blanchir, car il y avait longtemps qu'elle n'avait plus les moyens d'acheter du savon. La petite Helena dormait dans la caisse en bois que Maureen avait posée près d'elle, à l'ombre d'un tilleul. En se redressant péniblement, elle aperçut son mari et Fionnualá qui revenaient sur la route. Elle ferma les yeux et se mit à prier. Elle n'aimait pas prier pour demander une faveur, mais Dieu les avait tant éprouvés depuis quelque temps qu'il ne lui semblait pas déraisonnable d'espérer un peu de sa miséricorde. Elle ouvrit les yeux. Ian descendit de sa monture, puis prit Fionnualá dans ses bras et la déposa par terre, la mine indéchiffrable. Fionnualá vit un papillon et se mit à courir pour tenter de l'attraper.

Ian s'arrêta à quelques pieds de sa femme. Il fouilla dans une poche de son pantalon, en sortit trois billets. Bernard Crombie n'avait accepté de lui verser que trois livres. Il avait eu beau lui expliquer que cette somme ne payait que pour une place sur le *Rodena*, qu'il n'était pas question qu'il parte sans sa famille, le *landlord* n'avait rien voulu entendre, lui répondant qu'il devait se compter chanceux de recevoir trois livres au lieu d'un huissier pour tous les arrérages qu'il lui devait ! Ian dut soutenir sa femme, qui semblait sur le point de s'évanouir. Elle se laissa choir par terre, près de la caisse où dormait toujours Helena, et se mit à pleurer à gros sanglots désespérés qui lui raclaient la gorge. Après un moment, elle se calma. Ses joues encore mouillées de larmes, elle détacha son pendentif et le tendit à son mari. C'était un joli bijou en forme de trèfle que sa mère, Ada, lui avait donné sur son lit de mort. Ian secoua la tête. Elle s'obstina : c'était leur seule chance.

C'est à ce moment précis qu'Ian prit une décision, probablement la plus difficile qu'il avait eu à prendre dans toute son existence. Il rattacha lui-même le pendentif au cou de sa femme.

⁓

Manus O'Brennan, portant un vieux chapeau de paille troué, tenait son percheron par la bride et l'aidait à tirer la charrue munie d'un socle. Il était droit comme un chêne et sa vigueur était étonnante pour un homme de soixante-dix-neuf ans. Il était si absorbé par son travail qu'il ne vit pas son fils tout de suite, mais tourna la tête d'un mouvement instinctif. Ian se tenait debout devant lui, dans la lumière orangée de cette belle fin d'après-midi, les bras croisés sur sa poitrine amaigrie. Les deux hommes restèrent debout face à face, ne laissant transparaître aucune émotion. Après un long moment, Manus parla :

— *Ba mhaith leat imeacht ?* Tu veux partir ?

Ian ne fut pas surpris que son père soit au courant de son intention de quitter l'Irlande. Les rumeurs couraient vite à Skibbereen. Manus O'Brennan tendit la bride à son fils et se dirigea vers sa maison, une bicoque en planches qu'il n'avait jamais retapée, malgré l'argent de la vente de ses terres. Il n'avait gardé que ce lopin et s'obstinait à y planter de la pomme de terre, en dépit du bon sens, comme s'il tentait de défier le destin qui lui avait enlevé sa femme et l'estime de ses enfants. Ian le regarda s'éloigner sans comprendre ce que le vieux avait en tête.

Après avoir attendu plus d'une quinzaine de minutes, Ian était sur le point de retourner chez lui lorsqu'il vit la porte s'ouvrir. Son père descendit les marches et s'avança dans sa direction. Ses yeux, du même gris que ceux de son fils, semblaient fixer un point sur l'horizon, comme si Ian n'avait pas été là. Il s'arrêta à sa hauteur, fouilla dans une poche de son pantalon couvert de poussière, et en sortit une liasse de billets.

— *Daichead punt.* Quarante livres. *Do chuid oidhreachta.* Ta part d'héritage.

Manus aurait voulu dire à son fils, ne pars pas, ne quitte pas l'Irlande, tout redeviendra comme avant, ce cauchemar prendra fin, et les terres de notre pays finiront par nous redonner le pain et l'espoir que nous avons perdus. Mais il n'avait pas l'habitude de la parole. Il reprit les rênes et se remit au travail. Ce fut la dernière vision qu'Ian eut de son père.

Thomas Flanagan revint le surlendemain, comme il l'avait promis. Fionnualá le vit arriver dans une voiture élégante tirée par deux chevaux. Son cocher l'aida à descendre en prenant soin de placer une planche sur le marchepied, afin que l'agent d'immigration ne salisse pas ses souliers fraîchement cirés, que le soleil faisait briller.

Flanagan compta chaque billet sur la table de la cuisine, qu'il déposait l'un par-dessus l'autre dans une pile bien droite. Il plaça ensuite soigneusement l'argent dans un coffret et leur souhaita bon voyage avec l'air d'un chat qui venait d'avaler une souris.

Ian, avec l'aide d'Amanda et des garçons, avait terminé d'empiler leurs maigres possessions dans la charrette : quelques vêtements, des couvertures rongées par les mites, des casseroles déformées par l'usage, son vieux violon, qu'il tenait de son père. Il aida sa femme à s'installer et déposa ensuite Helena sur ses genoux. Puis ce fut au tour de Fionnualá, qui tint à grimper toute seule dans la charrette. Arthur et Sean furent les derniers à monter, poussant des cris d'excitation à la perspective du voyage. Ian s'installa sur le siège du conducteur avec Amanda, et la charrette se mit en route. Ian se retourna une seule fois. La cabane grise se détachait sur le ciel bleu. La mer, en contrebas, se jetait sur les rochers blanchis par l'écume.

IV

Chemin du Roy, Québec
Le 12 juin 1849

La fillette marchait lentement sur la route poussiéreuse, tenant une tasse ébréchée dans sa main, sa frêle silhouette ployant sous la chaleur. Elle s'arrêtait de temps en temps, tâchant de reprendre son souffle. Le soleil de juin blanchissait le chemin devant elle et l'aveuglait. Elle avait très mal aux pieds. Soudain, elle vit apparaître un point sombre au bout du chemin. Le point grossissait, elle crut distinguer un cheval qui tirait une voiture, mais la chaleur créait une sorte d'onde qui montait de la route et l'empêchait de distinguer les traits du conducteur. Elle mit une main au-dessus de ses yeux pour leur faire un écran contre la lumière. Elle aperçut des rubans qui voletaient sous la brise, puis se rendit compte qu'ils étaient attachés à un chapeau à large bord. L'espoir faillit lui faire perdre l'équilibre. Son cœur se mit à battre la chamade. Se pouvait-il que ce soit… *Oh mon Dieu, faites que ce soit elle !*

— Amanda… Amanda !

Sa gorge était tellement serrée qu'aucun son ne sortait de sa bouche. Elle se précipita vers la voiture, trébucha sur une pierre et roula au milieu du chemin, laissant tomber sa tasse qui se cassa sous le choc.

Perdue dans ses pensées, Emma Portelance aperçut à la dernière minute une petite forme affalée sur la route. Elle tira brusquement sur les rênes et réussit à immobiliser la voiture, l'évitant de justesse. Emma sauta par terre et, son chapeau tout de travers, courut jusqu'à la forme immobile. C'était une fillette ; elle ne devait pas avoir plus de huit ou neuf ans. Elle gisait sur le dos. Un filet de sang s'écoulait d'une narine ; son visage et ses vêtements étaient couverts de poussière. Emma sortit un mouchoir de sa manche, essuya doucement le visage de l'enfant.

— Pauvre petite... Tu n'es pas blessée, au moins ?

La fillette était si étourdie qu'elle entendit la voix comme dans un rêve. Puis elle ouvrit les yeux et vit une dame avec un drôle de chapeau penché sur sa tête, comme une tour qu'elle avait vue sur une gravure dans *L'Ami des campagnes*. La dame la regardait avec inquiétude.

— As-tu mal quelque part ? Peux-tu bouger ?

La fillette se souleva lentement sur ses coudes, soutenue par la dame. Puis elle tenta de se mettre debout et poussa un cri de douleur.

— Aïe ! mon pied !

Emma regarda l'enfant du coin de l'œil. Au moins, elle n'était pas muette...

— Le pied droit ou le gauche ? s'enquit-elle.

L'enfant désigna son pied droit. Emma se pencha, lui enleva doucement son sabot sale et usé ; elle remarqua que le pied était enflé et rouge.

— Je ne crois pas qu'il soit cassé. C'est sûrement une foulure.

Elle se redressa, soutenant toujours la fillette.

— Comment tu t'appelles ?

L'enfant leva de grands yeux bleu outremer vers la dame sans dire un mot.

— Où habites-tu ?

Elle garda le silence. Emma tenta de sourire.

— Tu as sûrement un nom. Tout le monde en a un. Moi, je m'appelle Emma Portelance.

L'enfant continua à la regarder, muette. Emma contint un soupir. Il commençait à se faire tard, elle ne voulait pas qu'Eugénie s'inquiète. Elle tenta une autre stratégie.

— Dis-moi où vivent tes parents, et je vais t'y reconduire. Ils ne doivent pas être loin d'ici.

La fillette ne répondait toujours rien. Emma jeta un coup d'œil à la ronde, mais n'aperçut aucune maison.

— Enfin, tu n'habites pas toute seule ! s'exclama-t-elle.

Elle avisa la tasse, dont les morceaux gisaient non loin de l'enfant, sur le bord de la route.

— La tasse est à toi ? J'ai bien peur qu'elle ne serve plus à grand-chose…

Toujours pas de réponse. Emma sentit l'impatience la gagner, mais se raisonna : *Allons, ce n'est qu'une enfant, elle est encore sous le choc.* Voyant qu'elle ne tirerait rien de la fillette pour le moment, elle prit une décision.

— Je t'emmène chez moi. Tu seras soignée par le docteur Lanthier, un bon ami. Mais je t'avertis : je te ramène chez toi dès que je saurai qui sont tes parents.

L'enfant maintint le même silence obstiné. Emma la regarda de plus près. Ses cheveux étaient emmêlés et remplis de brindilles ; elle portait une jupe en lin grossier si sale et usée qu'on n'en distinguait plus la couleur. On voyait les os de ses clavicules saillir sous sa blouse déchirée. Un sentiment de pitié l'étreignit : de toute évidence, cette petite fille n'était pas bien traitée. Elle fit un mouvement pour la soulever dans ses bras.

— Accroche-toi bien à mon cou, lui dit-elle.

La fillette ne se fit pas prier. Elle se serra contre la poitrine généreuse de la dame. Elle ferma les yeux, se laissa envahir par l'odeur de pain et de violette qui s'en dégageait.

Emma la transporta sans effort vers son boghei. *Pauvre petite, elle pèse une plume,* se dit-elle en l'installant sur le siège. Puis elle prit une couverture qu'elle cala sous le pied blessé de l'enfant pour amortir les soubresauts de la route. Elle grimpa à son tour dans la voiture et poussa un « mmhph » en atterrissant sur le siège. La voiture se remit en route. Après un moment, la fillette tourna la tête vers la conductrice.

— Je m'appelle Fanette.

— Fanette. C'est un joli prénom. J'imagine que t'as un nom de famille qui va avec ?

Fanette détourna la tête et ne dit rien.

Il y avait une bonne heure que la voiture avait quitté le chemin du Roy et roulait sur le chemin des Foulons. Le soleil commençait à descendre à l'horizon, jetant des reflets fauves sur le fleuve. Fanette s'était endormie, sa tête contre l'épaule de madame Portelance. Cette dernière faisait le moins de mouvements possible pour ne pas la réveiller. Elle aperçut enfin les contreforts de Québec, qui se dressaient dans le ciel strié de nuages gris. Une vague de joie la submergea, comme chaque fois qu'elle revenait dans sa ville après une visite à la seigneurie. Elle avait beau être née à Portelance et y avoir passé la plus grande partie de son enfance, c'est Québec qui avait fait sa conquête, avec ses remparts, ses églises, ses rues tortueuses et même les ruines du château Saint-Louis, qui dominaient le fleuve comme un vieux monarque refusant d'abdiquer.

La voiture entra dans la ville par la porte Hope et s'engagea sur la côte Dambourgès. La rue Sous-le-Cap se profilait à distance, dominée par la falaise. Étroite, en terre battue, la rue était bordée de maisons en bois ou en brique modestes mais bien tenues. Des cordes à linge étaient suspendues d'une maison à l'autre, et des vêtements de toutes les couleurs séchaient sous la brise du soir qui tombait. Des enfants jouaient à la balle, soulevant un nuage de poussière. Un chien aboya au passage du boghei de madame Portelance, mais Fanette dormait profondément, comme seuls les jeunes enfants en sont capables. La voiture passa devant la maison du marchand de chaussures, monsieur Lavoie, dont la façade était couverte de modèles en bois sculpté afin de séduire la clientèle. *Il faudra lui acheter des souliers décents*, songea Emma. La voiture s'arrêta enfin devant une coquette maison de trois étages, dont les longues fenêtres étaient festonnées de dentelle. Ce n'est que quand la voiture fut immobilisée que Fanette s'éveilla. Elle bâilla à s'en décrocher la mâchoire, ce qui fit sourire Emma.

— Tu as dormi comme un loir ! dit-elle avec sa voix forte.

Fanette se rencogna sur le banc, légèrement effrayée. Emma s'en rendit compte.

— Il ne faut pas avoir peur. J'ai une grosse voix, mais je ne ferais pas de mal à une mouche…

Fanette ne répondit pas, mais elle sembla rassurée par ces paroles. Madame Portelance descendit de la voiture, sortit un trousseau de sa poche, se dirigea vers la porte cochère de la maison, qui était fermée par une clôture. Elle l'ouvrit avec une des clés, la repoussa contre un mur en brique, puis remonta dans la voiture et l'engagea dans l'allée en terre battue qui menait à une cour intérieure et à un hangar qui servait également d'écurie. Une porte donnant sur le jardin s'ouvrit. Une femme d'allure chétive sortit sur le seuil, portant une lanterne qui éclairait son visage au regard vif et intelligent.

— Dieu merci, te voilà, je commençais à m'inquiéter.

Emma grommela :

— J'ai été retardée.

— Tu t'es pas encore disputée avec monsieur Dolbeau, toujours ?

C'est alors qu'elle vit une petite silhouette sombre recroquevillée sur le siège de la voiture. Elle s'en approcha et aperçut un petit visage sale avec de grands yeux. Elle se tourna vers Emma, abasourdie.

— Qu'est-ce que…

— Elle s'appelle Fanette. J'ai failli la frapper sur le chemin du Roy, près du village de La Chevrotière. Il faudrait faire venir le docteur Lanthier.

Eugénie, habituée aux manières un peu abruptes d'Emma, ne s'en formalisa pas.

— J'espère que le docteur sera chez lui.

Elle retourna dans la maison pour chercher un châle et une lanterne, laissant la porte de la cuisine ouverte. Madame Portelance prit Fanette dans ses bras, l'entourant de la couverture pour qu'elle ne prenne pas froid, car le temps avait fraîchi. Elle porta son léger fardeau vers la maison.

Eugénie marchait à petits pas vifs dans la rue Sous-le-Cap, tenant la lanterne devant elle. De gros tonneaux étaient adossés ici et là contre les murs ; des lumières brillaient aux fenêtres des maisons collées les unes sur les autres. Le docteur habitait dans la rue Saint-Paul, à quelques minutes à pied de la maison d'Emma Portelance. Eugénie s'engagea dans le passage de la Demi-Lune.

❧

Fanette avait été étendue sur un divan dans la salle de couture. Le docteur Henri Lanthier, assis sur un tabouret, avait déposé son pied blessé sur un coussin et le palpait doucement. Heureusement, il était chez lui quand Eugénie avait frappé à sa porte.

Emma et Eugénie étaient debout près du divan, regardant avec attention les gestes du docteur, l'air anxieux. Fanette étouffa un cri de douleur. Le docteur releva la tête. Ses lunettes cerclées d'or se déplacèrent dans le mouvement. Il avait le regard doux et un peu vague des myopes.

— Je ne vois pas de fracture. Il s'agit d'une entorse ou d'une simple foulure. J'aurais besoin de bandages propres.

Eugénie fit un mouvement pour sortir, mais Emma l'en empêcha.

— Laisse, j'y vais.

Emma revint quelques minutes plus tard avec des bandages d'un blanc immaculé sur le bras. Le docteur sortit un pot de sa sacoche. Il s'adressa gentiment à Fanette.

— C'est un onguent à base d'écorce de pin. Ça va réduire l'inflammation.

Le docteur Lanthier enduisit le pied d'onguent, puis l'entoura d'un des bandages qu'Emma avait apportés. Fanette réprima une grimace.

— J'ai fait un bandage bien serré pour diminuer l'enflure. Refaites-le demain. Elle ne devra pas marcher sur son pied pendant quelque temps et doit le garder surélevé lorsqu'elle est couchée.

Les deux femmes acquiescèrent en même temps. Le docteur Lanthier se leva, non sans avoir replacé délicatement le pied de Fanette sur le coussin. Sans qu'il ait besoin de dire un mot, Eugénie se dirigea vers la fillette et s'installa à son tour sur le tabouret, maintenant le linge bien en place. Le docteur sortit, suivi par Emma, qui referma la porte derrière eux. Il enleva ses lunettes et les nettoya avec un mouchoir.

— Où l'avez-vous pêchée, celle-là ? Au refuge du Bon-Pasteur ? dit-il avec un sourire en coin.

Le docteur Lanthier connaissait la propension d'Emma à ramener des enfants ou des jeunes femmes en détresse à la maison, lorsque le refuge était trop plein ou leur misère, trop grande. C'est ainsi qu'elle avait recueilli Eugénie, il y avait dix ans. Trouvée par une religieuse dans la rue, en plein hiver, presque morte de froid, Eugénie avait été emmenée au refuge, mais, faute de lits, on avait demandé à Emma de la prendre pendant quelques jours, le temps qu'une place se libère. Eugénie avait tout juste vingt ans et était encore plus mal en point que Fanette. Elle était maigre à faire peur et n'avait pas mangé depuis des jours, sans compter une mauvaise fièvre et des gerçures profondes causées par le froid. Emma avait fait venir le docteur Lanthier, qui lui avait fait boire une décoction d'écorce de saule et avait soigné ses gerçures avec des onguents et des bandages propres. Emma l'avait veillée sans relâche durant une semaine. Lorsque sa protégée prit du mieux, elle n'eut pas le cœur de la ramener au refuge du Bon-Pasteur et décida de la garder avec elle. Emma la considérait comme sa propre fille.

— Pour une fois, non.

Emma lui expliqua qu'elle avait trouvé Fanette sur le chemin du Roy.

— J'ai bien failli lui rouler sur le corps, dit-elle, encore remuée par l'incident.

Le docteur remit ses lunettes, l'air songeur.

— Cette fillette ne mange pas à sa faim, elle a la gale et quoi d'autre encore… Faites sa toilette et brûlez tous ses vêtements.

Donnez-lui à manger en petites quantités pendant quelques jours.

Emma se rembrunit.

— Pauvre enfant…

— Qu'allez-vous faire d'elle ?

Elle secoua la tête.

— Je ne sais pas. Elle est muette comme une carpe, pas moyen de savoir où elle vit et qui sont ses parents.

Le docteur Lanthier s'assombrit à son tour. Il avait vu tant de misère dans sa profession, et il n'arrivait toujours pas à s'y faire complètement.

— Si vous avez besoin de moi à nouveau, vous savez où me trouver…

Emma fit un mouvement pour le raccompagner. Le docteur l'arrêta d'un geste.

— Je connais le chemin…

Il s'engagea dans l'escalier. Emma retourna dans la salle de couture.

Eugénie était toujours assise sur le tabouret, veillant sur Fanette. Elle leva la tête en voyant Emma s'avancer vers le divan.

— L'enflure a déjà diminué, murmura-t-elle.

Emma jeta un coup d'œil à Fanette. Elle s'était à nouveau endormie. Une sorte de sourire soulevait la commissure droite de sa bouche et lui creusait une fossette sur la joue.

Le soir même, Emma et Eugénie entreprirent de laver Fanette, qui en avait visiblement besoin. Quand Eugénie approcha sa main pour lui enlever sa chemise, l'enfant eut un mouvement de recul comme si elle craignait d'être frappée. Elle regarda la fillette, songeuse : au refuge, les enfants battus avaient ce réflexe.

— Je ne veux pas te faire de mal, dit Eugénie doucement.

Emma était allée chercher un seau d'eau chaude, des linges et un savon pendant qu'Eugénie déshabillait l'enfant. La jeune femme remarqua aussitôt deux marques rougeâtres légèrement boursouflées sur son dos. Elle leva la tête vers Emma, qui venait de déposer le seau à côté de la fillette.

— Jette un coup d'œil.

Emma suivit le doigt pointé d'Eugénie. Elle vit les marques.
Ses joues devinrent cramoisies :

— Les méchantes gens ! Ils ne l'emporteront pas au paradis.

Eugénie avait apporté une chemise en dentelle blanche qu'elle
fit enfiler à Fanette après l'avoir enduite d'un onguent à la camo-
mille pour soulager les démangeaisons causées par la gale. Déjà la
fillette avait repris une figure un peu plus humaine. Eugénie la
trouva même jolie, malgré sa tignasse tout emmêlée et ses bras si
maigres qu'ils ressemblaient à des allumettes. Sa peau était douce
et blanche, là où la gale n'avait pas laissé de petites bosses rouges.

Eugénie et Emma n'étaient pas au bout de leurs peines : il
fallait maintenant démêler sa tignasse… Eugénie, qui avait
l'habitude de soigner des indigents, remarqua tout de suite les
minuscules bestioles noires qui gambadaient dans la chevelure
de Fanette. Des poux. Elle prit un peigne fin en écaille et, avec
une patience d'ange, le passa méthodiquement, mèche par mèche,
tâchant de ne pas trop tirer les cheveux en bataille. Fanette s'écria
en gaélique :

— *Ó, tá sé sin nimhneach !*

Les deux femmes échangèrent un regard à la fois surpris et
amusé. Eugénie s'adressa à Fanette.

— Qu'as-tu dit ? Dans quelle langue parlais-tu ?

Fanette se referma aussitôt comme une huître.

Il fut décidé que la fillette partagerait le lit d'Eugénie. Après,
on aviserait. De toute façon, avait dit Emma, il faudrait retrouver
ses parents.

V

Ville de Cork
Mi-mai 1847

Les O'Brennan arrivèrent dans la ville de Cork, à l'est de Skibbereen, suivis d'une longue procession de familles qui avaient
décidé, elles aussi, de s'embarquer pour l'Amérique. En chemin,
ils avaient croisé des villages entiers dévastés par la disette. Des
femmes en haillons se jetaient sur la route et leur tendaient de
l'argent pour acheter de la nourriture. L'argent ne manquait pas
au pays ; le problème était qu'il n'y avait plus de nourriture à
vendre. Au village de Clonakilty, Fionnualá aperçut les membres
d'une famille entière installés sur le balcon d'une coquette maison
en bois peinte en jaune clair et dont les volets étaient d'un vert
pimpant. Elle leur envoya la main, mais se rendit compte que
personne ne bougeait.

— *A Mhamaí, an bhfuil siad ina gcodladh ?* Maman, est-ce qu'ils
dorment ?

Maureen regarda dans cette direction. Elle mit une main
sur sa bouche, les yeux écarquillés d'horreur. Puis elle couvrit
les yeux de Fionnualá en murmurant « bien sûr qu'ils dorment ».
Ils étaient tous morts, du premier au dernier. Un jeune homme
de bonne taille, au visage avenant et aux cheveux blonds, gisait
parmi eux, les yeux grands ouverts, tournés vers le ciel. Personne n'osait s'approcher des corps pour leur donner une sépulture décente par crainte de la contagion. Dans un autre village,
un homme sans âge, tremblant de fièvre et les yeux injectés de
sang, se jeta sur leur carriole, les suppliant de lui donner un
peu d'eau. Ian ordonna à l'homme de rester où il était, puis lui

jeta une gourde à moitié remplie d'eau. Maureen protesta faiblement. L'eau potable était précieuse, et il ne leur en restait presque plus. Ian haussa les épaules : cet homme n'en avait plus pour longtemps, aussi bien adoucir ses derniers moments. En passant devant le cimetière, ils virent des hommes transporter un cercueil, l'ouvrir, décharger un corps dans une fosse commune et remettre le cercueil vide dans une charrette. *C'est sûrement en Irlande que les cercueils munis de gonds qui permettent de les réutiliser à volonté furent inventés*, se dit Ian, submergé par un sentiment d'horreur et d'impuissance.

⌇

La charrette suivit le chemin qui menait vers le port mais dut s'immobiliser derrière une file de voitures. Ian demanda à Amanda de tenir les rênes et se rendit à pied jusqu'au quai pour aller aux nouvelles. Le port grouillait de monde, un va-et-vient continuel de débardeurs, de marins, de filles de joie, de voyageurs. Quelques pêcheurs vendaient des poissons à des prix extravagants. Leurs cris se mêlaient à ceux des ménagères, qui tentaient désespérément de marchander afin de pouvoir offrir un repas décent à leurs enfants affamés. La plupart des denrées comestibles étant vendues et expédiées en Angleterre, il ne restait presque plus rien pour les Irlandais. Ian s'approcha de la rade et constata que le *Rodena* n'était pas encore arrivé. Il retourna vers la charrette et apprit la mauvaise nouvelle à Maureen, qui s'inquiéta. *Pourvu que Thomas Flanagan tienne parole…*

Ian fit le tour des auberges à proximité du port ; aucune n'avait de chambres libres. Ils durent improviser un campement de fortune, utilisant une vieille couverture montée sur un balai afin de couvrir la charrette et d'avoir ainsi un peu d'intimité. Amanda réussit à dégoter quelques légumes ramollis par la chaleur et un pain rance, sans dire à ses parents qu'elle les avait volés sur un étal dans le marché public installé non loin de l'église.

Quelques semaines passèrent. Le *Rodena* n'était toujours pas en rade. Les rumeurs allaient bon train : le *Rodena* avait sûrement fait naufrage ; ou bien le capitaine, alléché par une meilleure offre, avait décidé de remplacer les passagers par des marchandises. En attendant, les O'Brennan avaient été obligés de dépenser une bonne partie de leur pécule pour acheter de la nourriture. Il ne restait presque plus rien de la somme que Manus avait donnée à son fils. Ian se résigna à vendre leur cheval. De toute façon, les chevaux étaient interdits à bord des bateaux ; aussi bien s'en séparer maintenant. Il négocia avec un charretier qui refusa de prendre la bête pour plus de quatre shillings et trois pences. C'était une somme dérisoire, mais après avoir fait le tour des aubergistes et marchands locaux, Ian comprit qu'il n'en tirerait pas un penny de plus.

Le lendemain, Maureen perdit ses eaux et sentit ses premières contractions. Ian l'installa au fond de la charrette, sur des sacs en jute qu'il avait trouvés près d'un bateau de marchandises, puis lui caressa le front, masquant son inquiétude :

— *Tá mé chun dochtúir a fháil duit.* Je vais te chercher un médecin. *Beidh gach rud go maith, a stór.* Tout ira bien, ma douce.

Ian se mit fébrilement à la recherche d'un médecin. Maureen ne portait l'enfant que depuis huit mois et il se rappelait qu'il y avait quelques années, elle avait accouché d'un bébé prématuré qui était mort à la naissance. Lorsqu'il finit par trouver un médecin, ce dernier exigea huit shillings. Ian lui montra les quelques pièces qui lui restaient, mais le médecin secoua la tête. Ian eut beau le supplier d'avoir pitié de sa femme et de l'enfant à naître, il fut intraitable. Ian revint vers la charrette, le visage contracté par la colère. Il fit un effort sur lui-même pour recouvrer son calme.

Les contractions de sa femme étaient de plus en plus rapprochées. Il prit la main de Maureen, lui murmura des mots doux à l'oreille. Une femme à la mine patibulaire s'approcha d'eux. Elle avait d'énormes mains et une verrue sur l'arête du nez. Elle dit à Ian qu'elle était sage-femme et offrit ses services pour délivrer sa femme. Ian secoua la tête, disant qu'il n'avait pas d'argent pour la payer. Elle eut un petit rire à la fois cynique et bon enfant, et répondit avec l'accent chantant du comté de Cork :

— *Níl mé ag lorg airgid.* Je ne veux pas d'argent. *Is ionann cás ∂úinn ar fa∂, nach ionann ?* On est tous dans le même bateau, pas vrai ?

Ian jeta un coup d'œil inquiet à Maureen, qui gémissait sur sa couche improvisée. Puis il se tourna à nouveau vers la femme et accepta son offre. Elle acquiesça, puis lui demanda de trouver de l'eau et des linges propres. Ian, l'air décidé, s'empara d'une bassine qui traînait au fond de la charrette et partit en quête d'eau fraîche, ce qui n'était pas une mince tâche. Quelques âmes charitables en distribuaient une fois par jour dans des tonneaux disposés sur des tréteaux, mais il fallait s'armer de patience. Il joua des coudes, expliquant que sa femme allait accoucher. Il y eut quelques protestations, mais on le laissa passer devant sans faire trop d'histoires.

Lorsque Ian revint avec sa bassine remplie d'eau, Maureen était déjà en plein travail. La sage-femme lui fit signe de déposer la bassine près d'elle, puis lui ordonna de les laisser tranquilles. Ian s'éloigna à contrecœur.

Quelques heures plus tard, des cris stridents s'élevèrent. Ian se précipita vers la charrette. Il vit la sage-femme brandissant un minuscule corps blanc qui vagissait à qui mieux mieux. Elle le regarda, lui fit un sourire édenté :

— *Gearrchaile beag álainn !* Une belle petite fille !

Ian déposa doucement le bébé sur le flanc de Maureen. Elle était épuisée, mais fit un pâle sourire lorsqu'elle serra son enfant contre elle. Fionnualá, qui avait entendu des cris ressemblant à ceux d'un animal pris au piège, s'approcha de la charrette. Quand elle aperçut sa mère qui gisait sur les sacs en jute ensanglantés et l'eau rougie dans la bassine, elle fut sur le point de pleurer, mais son père lui frotta la tête en riant, ce qui la rassura. Elle jeta un coup d'œil intrigué à la petite chose enveloppée de linge dont les minuscules mains rouges s'agrippaient à sa mère et cherchaient déjà son sein. Maureen lui fit un faible sourire :

— *Do ∂heirfúirín.* Ta petite sœur.

Maureen décida de la nommer Ada en l'honneur de sa mère.

Fionnualá courut rejoindre Amanda, qui s'amusait à faire des ricochets dans l'eau avec des pierres plates. La fillette suivit la trajectoire d'un caillou qui s'enfonça dans l'eau sans rebondir, puis elle regarda la mer, agitée par une légère brise. Elle eut l'impression que des milliers de cristaux brillaient sur les vaguelettes. Un navire de la taille d'un pois apparut à l'horizon. Bientôt, se dit Fionnualá, elle monterait à bord d'un bateau et flotterait sur les cristaux de la mer jusqu'à l'autre bout du monde.

❧

Le 15 juin, le *Rodena* fit enfin son entrée dans le port. Il y eut des murmures de soulagement dans la foule qui s'était amassée près du quai d'embarquement.

— *The* Rodena *! It's the* Rodena *!*

Les trois mâts du voilier se détachaient sur le ciel gris. Des marins allaient et venaient sur le pont. On entendait des ordres lancés par le capitaine à ses hommes. Des passagers munis de sacs en jute, de coffres, de valises en carton bouilli et de provisions entassées dans des caisses en bois se précipitèrent vers la passerelle. Ian s'était glissé parmi eux pour aller aux nouvelles. Des soldats qui surveillaient l'embarquement les empêchèrent de passer. Des cris de protestation s'élevèrent. Un soldat, pour calmer la foule, tira un coup de pistolet en l'air. Robert Erwin, le capitaine du navire, un homme de taille moyenne mais bâti tout en muscles, exhorta les passagers au calme. L'embarquement se ferait plus tard, une fois les marchandises déchargées. Il ne servait à rien d'attendre en queue devant le bateau, chaque passager en règle aurait une bonne place à bord.

Ian rejoignit Maureen pour lui faire part de l'arrivée du *Rodena*. Même si elle relevait à peine de ses couches, elle avait hâte de s'embarquer enfin. Elle rêvait au confort promis par Thomas Flanagan, à la nourriture en abondance, aux couchettes décentes… Depuis quelques jours, ils ne mangeaient que des galettes de maïs rance distribuées par le gouvernement britannique en quantité insuffisante. Elle avait quelques montées de lait, mais pas assez pour nourrir la petite Ada, qui pleurait beaucoup. La nouveau-née, Dieu merci, avait été baptisée quelques jours plus tôt, en même temps qu'une demi-douzaine de nourrissons. Ian commença à rassembler leurs effets avec l'aide d'Amanda.

Vers la fin de l'après-midi, Arthur et Sean coururent avertir leurs parents que l'embarquement des passagers avait commencé. Il fallait faire vite, dirent-ils, car les gens se bousculaient pour franchir la passerelle. Ian fit signe à ses deux fils de pousser la charrette par derrière tandis qu'il la tirerait par les brancards.

La charrette s'immobilisa à une centaine de pieds du navire. La foule était devenue compacte ; il n'y avait plus moyen d'avancer d'un pouce. Arthur, qui ne tenait plus en place, réussit à se faufiler comme une anguille à travers la cohue et parvint jusqu'à la passerelle. Il sortit un mouchoir de sa poche et fit des signes triomphants à son père. Puis il s'engagea sur la passerelle. Ian mit sa main en porte-voix :

— *A Artúir, a Artúir, tar ar ais !* Arthur ! Arthur ! reviens !

Mais le garçon disparut à l'intérieur du navire.

Après des heures d'attente, quelques bousculades entre des passagers et des dockers qui chargeaient des bagages et des provisions à bord, les cris déchirants d'une femme qui avait été refoulée parce que ses billets n'étaient pas valides, la famille O'Brennan réussit finalement à franchir la passerelle du *Rodena*. Amanda tenait Fionnualá fermement d'une main et Sean, de l'autre. Ce dernier avait le diable au corps et tentait toujours de se dégager. Amanda dut l'agripper à plusieurs reprises par le collet pour éviter qu'il grimpe sur le bastingage ou tente d'escalader le grand mât. Ian, tout en soutenant Maureen qui portait la petite Ada emmitonnée dans un châle, tenait Helena dans ses bras. Il chercha anxieusement Arthur des yeux. Pas de traces du petit chenapan ! Où avait-il bien pu passer ? Il craignait qu'il soit retourné à terre et que le bateau parte sans lui. Soudain, il l'aperçut en train de courir sur le pont.

— *A Artúir !* Arthur !

Le second du capitaine Erwin, un petit homme au visage chafouin, se tenait debout en haut de la passerelle. Ses cheveux sales et hirsutes dépassaient d'une casquette usée. Il mâchait sa chique de tabac en laissant entrevoir les quelques dents noirâtres qui lui restaient. Maureen constata avec horreur que des poux se promenaient sur sa barbe. Il s'adressa à Ian avec un accent de Liverpool très prononcé :

— *Your tickets, sir.*

Il prononçait « *sawer* ». Ian lui tendit les billets. Après les avoir soigneusement examinés, le second leva des yeux méfiants vers lui.

— *How many passengers are you ?* demanda-t-il en écrasant un pou entre ses doigts et en le jetant d'une chiquenaude.

— *Seven, I mean… eight.*

— *Are you seven or eight ?*

Ian avait de la difficulté à comprendre son accent. Des passagers derrière eux commençaient à s'impatienter. Amanda s'avança. Elle avait appris un anglais passable à l'école de rang.

— *We are eight.*

Il montra les billets.

— *There's only seven places been payed for.*

Il désigna le bébé que Maureen tenait enroulé dans son châle.

— *What about the baby ?*

— *The baby was born ashore a few days ago, after the tickets were purchased. Is there a problem ?* dit-elle, affichant une assurance qu'elle n'éprouvait pas.

Le second la regarda de haut en bas, les yeux soudain brillants de convoitise. Amanda était grande, pour ses douze ans, et les privations n'avaient pas altéré sa beauté encore juvénile. Il lui sourit, découvrant ses dents gâtées. Il cracha le morceau de chique qui s'écrasa sur le sol.

— *If you're nice with me, love, there won't be no problem at all,* susurra-t-il.

Ian se tourna vers Amanda, voulant comprendre ce que l'homme lui avait dit. Des passagers se mirent à pousser derrière eux. Amanda les fusilla du regard, puis se tourna à nouveau vers le second.

— *I want to see the captain, please.*

Le second ravala. Il remit les billets à Ian en maugréant, non sans avoir jeté un regard mauvais à Amanda.

— *Go on. Hurry up.*

La famille O'Brennan put enfin s'avancer sur le pont. Des marins poussaient les passagers sans ménagement vers les deux escaliers menant aux cales. L'un d'eux bouscula Maureen, qui dut s'agripper à Ian pour ne pas tomber. Ian, furieux, le prit par le col et le souleva de quelques pouces. Il avait beau avoir beaucoup maigri, sa stature était encore impressionnante. Il exigea qu'il fasse des excuses à son épouse. Le matelot protesta en jurant, puis finit par obtempérer. Ian le déposa par terre. Le marin battit en retraite sans demander son reste. Ian aperçut alors Arthur qui galopait près du grand mât. Il le rejoignit en plusieurs longues enjambées, non sans marcher sur quelques pieds au passage, et le saisit par le fond de culotte. Il le gronda en gaélique, l'adjurant de rester tranquille, sinon le diable allait lui tirer les pieds durant la nuit !

La famille O'Brennan emprunta l'une des deux écoutilles qui menaient à la cale. Ian, qui était le premier à descendre, ne vit rien, au début, tellement l'intérieur du bateau était sombre. Il mit un moment avant de s'habituer à l'obscurité, puis distingua peu à peu des formes. Sur chaque côté de la cale, on avait superposé deux rangées de couchettes bâties à la hâte en planches grossières. Un marin poussa les passagers vers le fond du bateau, expliquant que chaque couchette devait accommoder au moins deux personnes. C'était là les fameuses couchettes confortables et spacieuses promises par le sieur Flanagan ! Il n'y avait pas de places assignées. Chaque famille dut s'approprier un espace, ce qui ne se fit pas sans quelques cris et grincements de dents. Ian, jouant du coude, dégota un coin près de la deuxième écoutille, à la proue du bateau, le seul endroit où il y avait un peu d'air et de lumière. Il y avait à peine l'espace pour coucher quatre personnes alors qu'ils étaient huit, mais il faudrait s'en contenter. Maureen, sans se plaindre, s'allongea sur la couchette du bas et donna le sein à Ada en lui chantonnant une comptine en gaélique. Ian installa la petite Helena à côté d'elle. Puis il prit Fionnualá par la taille et la souleva dans les airs pour l'aider à s'asseoir sur la couchette du haut, qu'elle partagerait avec Amanda. Arthur et Sean furent obligés de loger avec une autre famille, faute de places. Cela ne les dérangea guère, car ils n'avaient pas l'intention de dormir beaucoup sur le bateau, brûlant plutôt du désir de l'explorer sous toutes les coutures. Fionnualá, assise sur sa couchette, les pieds se balançant dans le vide, tourna la tête en direction de l'écoutille et vit les derniers rayons du soleil qui se glissaient à travers la descente. Un sentiment d'excitation s'empara d'elle. Bientôt, ce navire tout en bois les conduirait de l'autre côté de l'océan, vers leur nouvelle vie.

⁓

Il y avait une semaine que le *Rodena* avait quitté le port de Cork. Aucune des promesses de Thomas Flanagan ne s'était matérialisée. La nourriture consistait en un brouet infect où flottaient parfois de minuscules morceaux de lard grisâtre. Les nuits étaient froides, même en juin. La coque du bateau n'était pas parfaitement étanche et de l'eau finissait par s'infiltrer, mouillant les vêtements et glaçant les os. Des vents plus puissants s'étaient levés depuis deux jours et des vagues frappaient dru la coque. La plupart des passagers avaient le mal de mer et vomissaient dans des écuelles qu'ils n'avaient pas toujours la force de vider.

Ian faisait tout en son pouvoir pour adoucir la traversée à Maureen, Ada et Helena : il avait fabriqué un éventail avec un morceau de toile et l'agitait devant leur visage pour les rafraîchir le jour quand le soleil tapait trop dur et que la chaleur dans la cale devenait intolérable. Le soir, il se couchait près d'elles pour les réchauffer. Maureen continuait de donner le sein à son bébé, mais elle constatait avec inquiétude qu'Ada perdait du poids.

Arthur et Sean réussissaient parfois à se glisser jusqu'à la cabine du capitaine et subtilisaient un quignon de pain ou un saucisson sans se faire pincer. Ils émiettaient le pain et tentaient d'en donner à Ada, comme on nourrit un oiseau, mais elle détournait la tête en pleurant.

La huitième nuit, un violent orage éclata. Le navire tanguait d'un côté à l'autre. Fionnualá, étendue sur sa couchette, les yeux grands ouverts, entendait le claquement des voiles, le grincement des palans et les cris des matelots. Le tonnerre éclata. Amanda se réveilla brusquement, tourna instinctivement la tête vers sa petite sœur et vit qu'elle ne dormait pas.

— N'aie pas peur, chuchota-t-elle.

— Je n'ai pas peur, mentit Fionnualá.

Puis, après un court silence, elle lui demanda :

— Raconte-moi l'histoire du roi et des cygnes.

Amanda ne put s'empêcher de sourire. Chaque fois que Fionnualá n'arrivait pas à dormir à cause du ronflement des passagers, des pleurs d'Ada ou des contorsions d'Helena, Amanda lui racontait l'histoire du roi Lir. Fionnualá ne se lassait jamais de l'entendre.

— Il y a bien longtemps vécut un roi appelé Lir. Il vivait avec son épouse et ses quatre enfants, Fhionnuala, Aodh, Fiachra et Conan, dans un château au milieu d'une forêt. Lorsque l'épouse de Lir mourut, ses enfants furent bien tristes. Il se maria alors avec une femme jalouse nommée Aoife. Elle détestait les enfants et était convaincue que Lir aimait les siens davantage qu'il ne l'aimait elle.

À ce moment du récit, Fionnualá poussait toujours un soupir.

— La méchante Aoife entraîna les enfants vers un lac et les transforma en cygnes, avec leurs plumes aussi blanches que la neige. Aoife leur dit en ricanant : « Vous serez des cygnes pendant neuf cents années, jusqu'à ce que vous entendiez le son d'une cloche chrétienne. » Elle retourna au château et dit à Lir que ses enfants s'étaient noyés. Lir se précipita vers le lac et vit quatre beaux cygnes. L'un d'eux s'adressa à lui.

— Fhionnuala ! s'exclama la fillette, excitée.

— Chut… Tu vas réveiller tout le monde, murmura Amanda. Elle poursuivit son récit en chuchotant :

— Fhionnuala apprit à son père le mauvais sort qu'Aoife leur avait jeté. Il fut très fâché et transforma Aoife en mite.

Fionnualá se mit à rire. Son père se réveilla, leva la tête vers elle, les yeux embrouillés par le sommeil. Puis il se tourna sur le côté et se rendormit. À voix basse, Fionnualá supplia Amanda de finir son récit.

— Mais tu connais la fin par cœur, dit Amanda à mi-voix.

— Raconte quand même.

Amanda contint un soupir et continua à voix basse.

— Au bout de neuf cents ans, les quatre frères et sœurs ont atteint Inish Glora. Ils ont alors entendu le son d'une cloche chrétienne et ont retrouvé leur forme humaine. Saint Patrick en personne les a aspergés d'eau bénite et ils sont morts de leur belle mort. On les a enterrés en terre chrétienne. Si tu aperçois quatre cygnes voler dans le ciel, tu sauras que ce sont les enfants de Lir, qui ont rejoint leurs parents au paradis.

Amanda se tourna vers sa petite sœur et vit qu'elle dormait à poings fermés. Elle remarqua qu'elle souriait dans son sommeil, et qu'une petite fossette s'était formée sur sa joue droite.

Un premier cas de fièvre typhoïde se déclara après trois semaines de traversée. Il y avait un médecin à bord, le docteur Philpot, mais il passait plus de temps à la table du capitaine Erwin qu'à soigner les passagers. Il finit par se résigner à descendre dans la cale pour examiner le passager malade, escorté par deux matelots à la mine patibulaire. Le passager en question, un homme d'une soixantaine d'années, était étendu sur une couchette, à quelques pieds des O'Brennan. Une femme portant un fichu sur la tête lui tenait la main, le visage anxieux. Le docteur Philpot lui palpa l'abdomen, anormalement gonflé. L'homme poussa un gémissement de douleur. Sa langue était blanchâtre. La femme leva des yeux angoissés vers le médecin.

— *Will he be allright ?* murmura-t-elle.

Le médecin hocha la tête.

— *Your husband is quite sick.*

En vérité, le médecin savait que le pauvre homme était atteint de fièvre typhoïde, mais il ne voulait pas effrayer les autres passagers. Il se redressa, prit les deux marins à part, leur parla à mi-voix :

— *Bring him up on deck. He's dying.*

L'homme mourut effectivement le lendemain. Son corps fut enveloppé d'une toile attachée sommairement avec de la corde de chanvre et fut jeté à la mer après de vagues prières marmonnées par des marins ivres de fatigue. Sa femme tomba malade quelques jours après. Les rumeurs d'épidémie allaient bon train. Le docteur Philpot commençait à regretter de s'être embarqué sur le *Rodena*. Huit passagers étaient maintenant atteints de fièvre. Les autres, épuisés par le manque de sommeil et la mauvaise nourriture, ne prenaient même plus la peine de vider les seaux d'aisance. Des déjections étaient répandues partout dans la cale et même sur le pont.

Lorsqu'un marin eut la fièvre à son tour, le capitaine Robert Erwin réunit son équipage dans le carré. Il fallait mettre le matelot malade en quarantaine. Le *Rodena* se trouvait à environ dix jours de navigation de la Grosse Isle. Pas question de voir les marins tomber malades un à un avant l'arrivée au Canada !

Le lendemain, à l'aube, Maureen s'apprêtait à donner le sein à Ada quand elle se rendit compte que son enfant ne bougeait plus. Son petit visage était pâle et glacé. Elle poussa un cri étouffé. Ian, qui dormait à côté d'elle, se réveilla. Il comprit tout de suite que quelque chose n'allait pas en voyant la lueur de panique dans les yeux de sa femme, qui se mit à frotter le dos du bébé :

— *A Ada, múscail mo stór !* Ada ! Réveille-toi, ma petite fée…

Ian se pencha sur Ada, plaça sa grande main devant sa bouche. Rien, pas un souffle. Il se mit à pleurer à gros sanglots silencieux. Fionnualá se réveilla à son tour, vit son père secoué de pleurs, sa mère qui murmurait sans cesse le prénom d'Ada en la berçant.

Sans réfléchir, Amanda prit Fionnualá dans ses bras et l'entraîna vers l'écoutille. Des vents frisquets venant du nord balayaient le pont et faisaient claquer les voiles. Amanda, tenant sa petite sœur serrée contre elle, ferma les yeux et respira l'air marin à pleins poumons. L'odeur d'iode couvrait les miasmes de maladie et de mort qui avaient envahi tout le navire.

Amanda se rendit à l'arrière du bateau, tenant la petite main de Fionnualá très fort dans la sienne. Sa crinière rousse flottait au vent. La grande cloche de la dunette annonça un changement de quart. Des marins, les yeux ensommeillés et les cheveux hirsutes, sortirent par une écoutille sous les ordres du lieutenant de quart. Un timonier en vareuse, la casquette sur l'oreille, l'œil rivé sur le compas, tenait fermement la barre. Il mit vaguement le doigt sur sa casquette pour saluer Amanda. Le soleil perçait à peine le brouillard qui commençait à s'effilocher. La grand-voile formait un immense carré blanc, découpé par les ombres des cordages. Fionnualá se mit à pleurer.

— Ada…

Amanda lui montra un goéland qui faisait une tache blanche sur le ciel cendré.

— *Tá Ada sna flaithis*. Ada est au ciel.

VI

Québec
Le 13 juin 1849

Emma Portelance, comme c'était son habitude, se leva dès l'aurore. Elle mit du bois dans le poêle et alluma le feu à l'aide d'étoupe imbibée d'huile. C'était un poêle en fonte à deux ponts fabriqué aux forges du Saint-Maurice qu'elle avait rapporté de la seigneurie Portelance. Eugénie entra dans la cuisine, étouffant un bâillement.

— Tu te lèves de bonne heure, dit Emma.

Eugénie haussa les épaules.

— J'avais plus sommeil. La petite gigote comme un ver à soie.

Eugénie prit un broc, puisa de l'eau dans un baril placé dans le fond de la cuisine et la versa dans un canard en fer-blanc qu'elle déposa sur le poêle. Emma prit place au coin de la table et regarda la lumière qui commençait à poindre à travers la fenêtre.

— J'ai trouvé Fanette près du village de La Chevrotière. Il doit sûrement y avoir des fermes dans les environs, dit Emma, songeuse.

Eugénie vint s'asseoir en face d'elle, arborant un air neutre.

— Sûrement.

Emma leva les yeux vers elle.

— Qu'est-ce qui te tracasse ?

Eugénie hésita, puis dit le fond de sa pensée.

— On pourrait garder Fanette pendant quelques jours. Le temps qu'elle reprenne du poil de la bête.

— Cette petite a des parents, c'est notre devoir de les retrouver.

— Des parents qui maltraitent leur enfant, qui ne la soignent pas et qui ne lui donnent pas assez à manger ! ne put s'empêcher de s'écrier Eugénie, sortant de sa placidité habituelle. Notre devoir, c'est de la protéger !

Emma hocha la tête.

— Ce sont ses parents tout de même. Ils doivent s'inquiéter, à l'heure qu'il est.

— S'ils avaient été si inquiets, ils ne l'auraient pas laissée toute seule, à des milles de chez elle !

Emma jeta un regard attendri à la jeune femme.

— S'il fallait accueillir tous les chats perdus…

Eugénie leva les yeux vers elle.

— Tu m'as bien accueillie, moi.

Les yeux d'Emma s'embrumèrent, comme chaque fois qu'Eugénie faisait allusion à cet événement. Quelque chose, chez sa protégée, son regard à la fois profond et mélancolique, ses traits ingrats pris séparément mais harmonieux mis ensemble, cette façon qu'elle avait de vous regarder dans les yeux avec franchise mais sans impudence, la bouleversait. D'une certaine manière, malgré leurs profondes différences de caractère, elles se ressemblaient : le même besoin de défendre les plus démunis et, en même temps, un appétit de vivre, une curiosité insatiable de tout ce qui compose l'existence.

— Et il n'y a pas un jour où je ne regrette pas ma folie…

Eugénie ne put s'empêcher de sourire. Emma faisait allusion aux ragots qui avaient couru dans le quartier sur leur compte, depuis qu'Eugénie vivait sous le même toit que sa bienfaitrice. À telle enseigne que même le curé Grondin avait rendu visite à Emma, sous prétexte de lui reprocher son manque d'assiduité à la messe.

— Vous connaissez la propension des gens, même les mieux disposés, à voir le mal partout…

Emma avait fait une colère dont le pauvre curé se souvenait encore : « Ce sont les mauvaises langues qui ont l'esprit mal tourné. Vous devriez avoir honte d'accorder du crédit à ces niaiseries ! »

lui avait-elle lancé. Le curé était parti sans demander son reste. Les commérages n'avaient pas cessé pour autant, mais Emma les balayait du revers de la main.

— Laissons les gens caqueter.

Eugénie se leva, retourna vers le poêle, prit un pot en grès sur une tablette en bois au-dessus du poêle. Elle l'ouvrit et jeta des feuilles de thé dans une théière. Emma se leva à son tour, s'approcha d'Eugénie, posa tendrement une main sur son épaule.

— Je serai de retour avant la tombée de la nuit.

Eugénie acquiesça en silence. Elle savait bien qu'Emma avait raison, mais acceptait mal qu'il faille renvoyer cette enfant à sa misère.

❦

D'immenses vagues se fracassent sur le pont. Le bateau tangue à tel point que Fanette croit qu'il va chavirer. Les mâts craquent sous les bourrasques et l'eau salée lui fouette le visage. Elle aperçoit soudain Amanda, qui s'avance vers elle en lui tendant les bras.

— Fionnualá ! Fionnualá !

Elle veut courir vers sa sœur, mais ses jambes sont lourdes, si lourdes qu'elle a l'impression d'être paralysée. Les cheveux roux d'Amanda sont balayés par le vent et la lueur vacillante des lanternes sur le pont. Amanda met ses mains en porte-voix, lui crie quelque chose, mais le sifflement du vent couvre ses paroles. Soudain, elle aperçoit des marins qui transportent quelqu'un. Une main blanche pend dans le vide. Elle reconnaît son père. Son visage est d'une pâleur de cire et ses yeux sont fermés. Elle court vers lui et s'agrippe à sa main. La main est froide et rigide comme du bois. Une vague déferle sur le pont. Elle est séparée de son père. Les marins l'enroulent dans une lisière de tissu. Pourquoi font-ils cela ? Pourquoi lui cachent-ils le visage ? Puis les marins jettent son père à la mer. Elle veut crier, mais aucun son ne sort de sa bouche.

Elle se précipite vers le bastingage et se penche par-dessus. Une vague soulève son père comme un fétu de paille et l'entraîne dans l'eau sombre.

— A Dhaidí ! Papa !

Une douleur fulgurante traverse son pied droit.

Fanette se réveilla, se rendit compte qu'elle était par terre, à côté du lit. Elle était en nage et son cœur battait fort. Son pied droit la faisait souffrir. Elle jeta un coup d'œil autour d'elle, ne sachant plus où elle était. Les murs de la chambre étaient couverts d'un crépi blanc; des rideaux en dentelle agités par une légère brise garnissaient la fenêtre. Puis elle se souvint: l'accident, la grosse dame gentille au drôle de chapeau, le monsieur vêtu de noir aux sourcils froncés mais aux gestes doux, et l'autre dame plus jeune, au regard profond comme un étang… Elle tenta de bouger mais en fut incapable. Soudain, la porte s'ouvrit. Eugénie, alertée par le bruit, entra dans la chambre, s'aperçut que le lit était vide, puis vit Fanette par terre.

— Mon Dieu…

Elle se précipita vers elle, la souleva doucement.

— T'es-tu fait mal?

Fanette fit non de la tête, la bouche un peu serrée, ce qu'elle faisait toujours lorsqu'elle se râpait un genou ou qu'elle avait de la peine. Eugénie la tint par les épaules et réussit à la relever.

— Tiens-toi bien après moi. Il ne faut surtout pas t'appuyer sur ton pied.

Eugénie réussit à l'asseoir sur le lit.

— Qu'est-ce qui s'est passé? Tu as fait un mauvais rêve?

La fillette se tint coite.

— As-tu faim?

Elle acquiesça.

≈

Il y avait peu de voitures sur le chemin du Roy. Une pluie nocturne avait rempli les ornières d'une eau boueuse qui collait aux roues. Madame Portelance calcula qu'elle avait déjà parcouru quatre milles. Il lui restait tout au plus une heure de route pour arriver jusqu'au village de La Chevrotière, situé à une trentaine de milles à l'ouest de Québec. Le temps de découvrir où habitait

Fanette et de refaire le chemin en sens inverse jusqu'à Québec, elle ne serait pas de retour avant la fin de la journée. Elle aperçut de gros nuages sombres qui roulaient dans le ciel d'est en ouest et se reflétaient dans le fleuve. *Pourvu qu'il ne pleuve pas,* se dit-elle. *Les routes sont déjà assez mauvaises comme ça…*

Comme prévu, elle arriva à La Chevrotière un peu avant midi. Quelques charrettes à main couvertes de bâches étaient tirées par des cultivateurs. Des fermières, sabots aux pieds et munies de gros paniers, se rendaient au marché public, situé derrière le presbytère ; quelques femmes habillées avec une certaine coquetterie, probablement des épouses de notables, poussaient des landaus sur des trottoirs en bois. Grimpé à une échelle, un ouvrier était en train de réparer le clocher de l'église.

Madame Portelance immobilisa sa voiture devant le magasin général. Un écriteau en bois sur lequel on avait peint en lettres noires Accommodation Dubreuil & Fils se balançait dans le vent avec un léger grincement. Emma attacha son cheval à une clôture et poussa la porte du commerce. Une clochette retentit. Une femme bien portante, debout derrière le comptoir, leva la tête et lui sourit machinalement tout en versant du sel sur une balance pour une cliente. Madame Portelance jeta un coup d'œil à la pièce. Le sol était fait de planches de pin sur lequel on avait répandu du bran de scie ; les murs étaient tapissés de tablettes remplies à craquer de marchandises de toutes sortes, de la farine aux clous en passant par des remèdes d'apothicaire. Des barils de mélasse et de sucre jouxtaient des ballots de tissu déposés sur un comptoir, dans l'arrière-boutique. La cliente paya et déposa le sac de sel au fond de son panier.

— Merci, madame Dubreuil.

— Y a pas de quoi, madame Blondin. À la revoyure.

La dame bien portante s'adressa à Emma :

— Qu'est-ce que je peux faire pour votre service, ma chère dame ?

Emma avait réfléchi en chemin à la façon dont elle s'y prendrait pour retrouver les parents de Fanette. Le silence obstiné de l'enfant, lorsqu'elle avait voulu connaître son nom de famille, les marques trouvées sur son dos, la réticence d'Eugénie à la laisser partir, l'avaient troublée. Elle décida de tâter prudemment le terrain.

— Je voudrais acheter un bon cheval de trait. Savez-vous où je pourrais en trouver un dans les environs ?

La caissière réfléchit.

— Les Marchessault ont un beau percheron à vendre, mais leur ferme est à cinq milles d'ici, en aval de la rivière Sainte-Anne.

Elle pianota sur le comptoir, comme si ce geste l'aidait à mieux réfléchir.

— Y a aussi la ferme des Biron, pas loin d'ici, dans le rang des Érables, mais à ma connaissance, y ont rien à vendre.

La clochette du magasin retentit à nouveau. Madame Dubreuil tourna la tête dans cette direction. Elle ne voulait surtout pas perdre une cliente. Emma insista :

— Il doit bien y avoir d'autres fermes pas loin d'ici.

Madame Dubreuil hésita, puis se pencha vers Emma, l'air d'une conspiratrice.

— Y a la ferme des Cloutier, au bout du rang du Sablon, en amont de la rivière, mais à votre place, je leur achèterais pas un clou usagé…

La cliente qui venait d'entrer passa à côté de la caisse, puis se dirigea vers les ballots de tissu. Emma attendit patiemment que la caissière poursuive.

— À la fin de l'hiver, un pauvre homme a été assassiné, un marchand de bois des Trois-Rivières. Ça lui arrivait d'arrêter ici en revenant de Québec. On tient auberge, en plus du magasin.

— Quel rapport avec les Cloutier ?

La patronne cacha mal un sourire d'excitation.

— On n'a jamais retrouvé l'assassin mais… Le bruit court que c'est le fils aîné des Cloutier. Un vrai gibier de potence, celui-là. Déjà qu'il avait engrossé la fille de Rosaire Bertrand… La pauvre Catherine l'a marié obligée…

Emma enregistrait ces renseignements sans trop savoir où ils la mèneraient. La caissière poursuivit sur sa lancée :

— Le jour du meurtre, il a disparu sans laisser de traces. Mais le plus étrange de toute l'histoire, c'est qu'Amanda a disparu en même temps que lui.

Emma lui jeta un regard interrogateur.

— Amanda ?

— Une Irlandaise. Les Cloutier l'ont recueillie avec sa petite sœur quand y a eu la grande famine, y a deux ans.

— Comment s'appelait sa petite sœur ? demanda Emma, affectant un air neutre.

— Fanette.

Emma acheta un demiard de mélasse pour la forme et s'empressa de sortir. Ses tempes battaient légèrement.

Le chemin du Sablon qui menait à la ferme des Cloutier était étroit et plein de nids-de-poule, mais Emma était tellement bouleversée par sa conversation avec madame Dubreuil qu'elle ne remarqua même pas les soubresauts qui agitaient sa voiture. Ainsi, Fanette et sa sœur étaient irlandaises et avaient été adoptées par des fermiers, comme des centaines d'enfants dont les parents avaient succombé au typhus ou au choléra. Elle hocha la tête. Le refuge du Bon-Pasteur avait lui aussi accueilli des dizaines d'Irlandais qui avaient miraculeusement échappé au typhus, mais dont personne ne voulait. Le docteur Lanthier s'était porté volontaire pour aller à la Grosse Isle, soigner les immigrants que les autorités y avaient mis en quarantaine. Ses lettres lui avaient donné froid dans le dos. Il décrivait les navires au mouillage sur le Saint-Laurent, dont les passagers étaient pour la plupart atteints de choléra ou de fièvre typhoïde, les tentes blanches dressées sur le rivage qui servaient d'abris de fortune pour les familles, l'hôpital rempli à craquer de lits cordés, le bruit incessant des clous qui fermaient les cercueils des victimes. Après quelques semaines, le docteur avait lui-même contracté le typhus et avait dû revenir à Québec pour se soigner. Il était passé à un cheveu de succomber à la fièvre.

Emma aperçut soudain une maison au détour du chemin. D'apparence vétuste, elle avait été bâtie avec des planches que le soleil et les intempéries avaient décolorées. Une grange et une étable en mauvais état la flanquaient. Un chien maigre et teigneux courut vers la voiture en aboyant comme un perdu et se jeta presque dans les roues. Emma dut tirer fermement sur les rênes pour ne pas l'écraser. Le chien s'enfuit en gémissant de peur et alla se réfugier sous la galerie. *Pauvre bête*, se dit-elle. Cela n'était pas de bon augure, car elle savait d'expérience que les gens qui traitaient mal leurs animaux faisaient souvent de même avec les humains.

Madame Portelance descendit de la voiture, jeta un coup d'œil à la ronde. La ferme semblait déserte. Elle aperçut à bonne distance un cheval qui tirait une charrue munie d'un soc. Quelques silhouettes se découpaient à l'horizon. Emma attacha son cheval à un poteau chambranlant, puis s'avança vers la galerie vermoulue. Au moment où elle s'apprêtait à frapper à la porte, une femme sans âge sortit de l'étable, tenant un seau dans une main. Un enfant d'environ quatre ans, les cheveux hirsutes et le visage barbouillé de poussière, la suivait, tirant sur sa jupe. La femme jeta un coup d'œil méfiant à madame Portelance. Ses traits étaient tirés, ses cheveux négligemment enfouis dans un bonnet bordé de dentelle grisâtre. Emma crut distinguer une forme ronde sous sa robe de coton. *Elle porte un enfant*, se dit-elle, l'œil aiguisé à force de voir des filles désespérées se rendre au refuge du Bon-Pasteur, essayant maladroitement de cacher leur grossesse sous des jupes trop grandes. La femme déposa le seau, s'essuya le front avec sa manche. Emma fit quelques pas vers elle.

— On m'a dit au village que vous aviez un cheval à vendre.

La femme écarquilla les yeux de surprise, puis une lueur d'ironie brilla dans ses prunelles un bref instant.

— On en a juste un, une vraie picouille, mais on en a besoin pour les labours.

Emma acquiesça sans répondre. Puis elle décocha un sourire à l'enfant qui avait tourné la tête vers elle.

— Comment elle s'appelle ?

— Jean-Baptiste. C'est un garçon.

Emma sentit que sa méfiance avait légèrement fondu. Elle renchérit :

— Vous avez combien d'enfants ?

— Trop ! répondit la femme sans réfléchir.

Elle regretta aussitôt ses paroles, mais Emma ne put s'empêcher de rire.

— Je vous blâme pas. Les enfants, on a beau les aimer, c'est une grosse charge.

La femme eut un faible sourire, son premier. Emma en profita pour lui tendre la main :

— Emma Portelance. J'habite à Québec.

La fermière s'essuya la main sur sa jupe, puis la tendit timidement à son tour.

— Je m'appelle Pauline Cloutier.

Voyant que la conversation était bien engagée, Emma poursuivit :

— Au village, on m'a aussi dit que vous aviez recueilli deux orphelines. Vous aviez déjà une grosse famille, c'était bien généreux de votre part.

Le visage de Pauline Cloutier se ferma à nouveau. Une ligne de contrariété barra son front.

— C'est un prêtre, qui est venu nous voir. Un Irlandais, avec un nom à coucher dehors, Macgoran ou Macgolan… Il avait fait le tour de plusieurs fermes, personne voulait d'elles. Faut dire qu'elles étaient maigres comme des piquets de clôture, sans compter qu'elles parlaient pas un mot de français. Les p'tites Irlandaises, comme on les appelait. C'est sûr qu'on aurait préféré des garçons.

Sentant le regard aigu de madame Portelance sur elle, elle sentit le besoin de se justifier :

— Il faut nous comprendre. Avec tous les travaux de la ferme, des bras d'homme, c'est plus utile. Mais ça nous a pas empêchés de les prendre avec nous autres.

Elle ajouta, la mine sombre :

— On l'a bien regretté.

Emma fit un effort pour avoir l'air neutre.

— Pour quelle raison ?

Pauline Cloutier jeta un regard méfiant à madame Porte-lance, dont le visage au teint rose et les vêtements propres tra-hissaient à ses yeux l'opulence, mais ne put résister à son besoin de se confier.

— Amanda s'est sauvée avec le premier venu. Une vraie petite traînée qui faisait tout pour aguicher les hommes.

Emma la regarda, pensive. Madame Dubreuil lui avait parlé de la disparition d'une certaine Amanda et des soupçons de meurtre qui pesaient sur l'un des fils Cloutier. Elle posa sa prochaine question avec l'impression de marcher sur des œufs :

— Comment s'appelle l'autre fillette que vous avez accueillie ?

Le visage de Pauline Cloutier s'éclaira un bref instant, comme un rayon de soleil sortant d'un nuage.

— Fanette. Son vrai nom, c'était Fionnualá, mais mon mari avait de la misère à le prononcer.

C'était la première fois que la fermière montrait un peu de chaleur. Mais aussitôt après, la méfiance revint au galop.

— Pourquoi vous voulez savoir ça ?

Madame Portelance hésita. Il fallait qu'elle dise à Pauline Cloutier que Fanette était chez elle. C'était son devoir de ramener la fillette à son foyer, fût-il un foyer d'adoption ; mais les paroles d'Eugénie lui revinrent à l'esprit : « Notre devoir, c'est de la proté-ger. » Fanette était maltraitée, battue, n'avait pas assez à manger. Et tout ce qu'elle avait vu et entendu jusqu'à présent semblait confirmer ses pires inquiétudes. Après un moment de réflexion, elle décida de prendre le taureau par les cornes :

— Fanette est chez moi. Je l'ai trouvée sur le chemin du Roy, à quelques milles d'ici.

La fermière ravala. Elle sentait le regard perçant de la dame braqué sur elle.

— Je me demandais bien où elle était passée, celle-là... Je l'avais envoyée chercher de l'eau au puits pas plus tard qu'hier, pis elle est pas revenue.

Emma perçut son malaise. Elle était convaincue que la femme mentait.

— Vous ne l'avez pas cherchée ? dit Emma, bouillant d'indignation.

— Comme si j'avais juste ça à faire !

Emma eut du mal à ne pas éclater. Cette femme n'avait montré aucune inquiétude concernant le sort de Fanette, aucun signe de joie ou même de soulagement à l'idée de savoir où elle était.

— Je l'ai fait voir par un médecin. Il l'a trouvée mal nourrie.

La fermière se rembrunit.

— On la traite sur le même pied que nos enfants. Elle a pas à se plaindre.

— Elle a des marques sur le dos. Vous la battez ?

La fermière la toisa :

— En quoi c'est vos oignons ?

— Je m'occupe d'un refuge pour personnes nécessiteuses. Je ne laisserai pas Fanette revenir dans un foyer où on la bat.

La femme hésita, mais voyant la mine déterminée d'Emma, poussa un soupir résigné.

— Mon mari la... corrige, des fois. Mais juste quand c'est nécessaire.

— Et à quel moment c'est nécessaire ? dit Emma, ne la quittant pas des yeux.

— C'est facile de juger, rétorqua la fermière. Vous êtes une dame de la ville, vous savez pas ce que c'est d'avoir une grosse famille. Fanette pouvait se compter chanceuse d'avoir un toit sur la tête !

Emma saisit la perche que Pauline Cloutier venait de lui tendre sans le savoir.

— Où dort-elle ?

Elle répondit, excédée :

— Dans le grenier.

Les prunelles de madame Portelance étaient devenues si sombres qu'elles semblaient taillées dans l'onyx. Pauline Cloutier balbutia :

— Elle est pas à plaindre, je vous dis. Bien au chaud l'hiver, au frais l'été…

Emma leva les yeux vers la maison de ferme, puis se tourna à nouveau vers la femme, une note d'ironie dans le regard.

— Si c'est un tel paradis, vous aurez sûrement pas d'objection à me le montrer.

Le visage de la fermière se durcit.

— Y a rien à voir.

Emma observa la mine butée de la femme. Rien ne la ferait changer d'idée. À moins que… Elle se résolut à faire le seul geste qui pourrait adoucir Pauline Cloutier. Elle plongea la main dans la poche intérieure de sa redingote, en sortit une bourse. Elle l'ouvrit, prit un billet de deux dollars qu'elle tendit à la fermière.

— Les temps sont durs. Ça peut toujours aider à mettre du beurre sur son pain.

Pauline Cloutier s'empara prestement du billet et l'examina, les yeux brillants de convoitise : il avait été émis par la Quebec Bank. Sans dire un mot, elle glissa l'argent dans son corsage, reprit son seau et se dirigea vers la maison avec le petit Jean-Baptiste accroché à ses jupes. Le chien sortit soudain de sous la galerie, se mit à japper frénétiquement. La femme lui assena un coup de pied impatient sur le museau. Il poussa un hurlement et retourna se réfugier dans sa cachette. Madame Portelance avait observé la scène en silence. La femme entra dans la maison. Le plancher était fait de lattes de bois au grain grossier dont les interstices laissaient paraître la terre battue. Un poêle à bois était placé au fond de la pièce. Une table réfectoire et un bahut en pin composaient le modeste mobilier. Un escalier étroit montait à l'étage. La fermière déposa le seau sur la table. Jean-Baptiste se mit à pleurnicher.

— J'ai faim !

Elle se tourna vers le petit, l'air las. Elle prit une tasse qu'elle plongea dans le seau rempli de lait, tendit la tasse à l'enfant qui s'en empara et but goulûment. Puis elle se dirigea vers l'escalier, suivie par Emma.

L'escalier donnait directement sur une pièce assez grande que l'on avait divisée en posant des cloisons à claire-voie. Plusieurs lits étaient collés les uns aux autres. Un ber vide avait été mis près d'un lit plus grand, visiblement celui des maîtres de maison. La fermière se dirigea vers le fond de la pièce, s'immobilisa près d'une échelle dont l'extrémité se perdait dans la pénombre. Elle leva la main, désignant l'échelle.

— C'est en haut.

Madame Portelance regarda l'échelle avec une pointe d'anxiété : celle-ci avait au moins douze pieds de hauteur. Après l'avoir examinée un moment, Emma prit son courage à deux mains et se mit à grimper. L'échelle grinça sous son poids, à tel point qu'elle eut peur qu'elle se brise. *Ne regarde pas en bas*, se dit-elle tout en se morigénant pour sa couardise. Soudain, à une dizaine de pieds, elle perdit l'équilibre et dut s'accrocher à une poutre pour éviter de dégringoler. Elle réussit de peine et de misère à retrouver sa stabilité. Son cœur battait si fort qu'elle avait l'impression qu'il sortirait de sa poitrine, et elle soufflait comme une forge. Pauline Cloutier la scrutait avec anxiété.

— Vous êtes correcte, madame Portelance ?

Celle-ci tentait de respirer normalement.

— Il y a… un échelon… brisé… S'il vous plaît… tenez… l'échelle…

La fermière obtempéra à contrecœur. Elle avait hâte de se débarrasser de cette grosse femme trop curieuse qui l'empêchait de vaquer à ses nombreuses tâches. C'était bientôt l'heure du dîner, et la soupe n'était même pas au feu !

Madame Portelance parvint enfin au faîte de l'échelle. Elle fit un valeureux effort pour se hisser à travers l'étroite ouverture qui donnait sur les combles et dut presque ramper pour y parvenir. Elle se redressa, sortit un mouchoir de sa poche, s'épongea le front tout en reprenant son souffle, puis jeta un coup d'œil à la ronde. Des rayons de soleil filtraient ici et là à travers des bardeaux du toit mal ajustés. Deux lits composés de planches étaient installés côte à côte. Une couverture sale et trouée avait été jetée par-dessus. Une lanterne éteinte était accrochée à une poutre. Une petite lucarne au fond de la pièce laissait entrer un peu de lumière. La misère de l'endroit lui serra le cœur. Dieu qu'il devait faire froid ici, l'hiver ! Elle fit quelques pas, courbant la tête pour ne pas se frapper sur l'une des poutres qui traversait la pièce de part en part. Elle avisa un sac de jute dans un coin, s'en approcha, s'accroupit pour le prendre et y jeta un coup d'œil. Il y avait quelques coquillages, des pierres colorées, les menus objets dont sont composés les trésors d'enfants. Au fond du sac, elle extirpa quelques pages de journal qui y avaient été enfouies. Il y avait plusieurs éditions de *L'Ami des campagnes*, un hebdomadaire auquel elle était elle-même abonnée. Les feuilles jaunies étaient maculées par endroits, mais elles avaient néanmoins été précieusement conservées. En les regardant de plus près, elle fut frappée d'y voir des lettres maladroitement tracées dans la marge de certaines d'entre elles : surtout des « o » et des « i ». Il y avait aussi des dessins assez habilement faits : un chien, des fleurs, des oiseaux qui ressemblaient à des cygnes ; puis plusieurs visages, ceux d'une jeune fille qui semblait avoir quatorze ou quinze ans, dessinés sous des angles différents. Emma, sans trop comprendre pourquoi elle le faisait, prit les pages, les plia soigneusement et les glissa dans sa manche. Puis elle se releva lentement, se cogna le front sur la soupente, pesta entre ses dents. Elle redescendit péniblement l'échelle, soufflant sous l'effort. Pauline Cloutier l'attendait, l'air anxieux.

— J'ai fait mon possible, vous savez.

Emma fut incapable de se contenir davantage.

— Votre possible ? Loger un enfant dans un trou à rats ?

— Où vouliez-vous que je la loge ? C'est grand comme ma poche, ici ! Je pouvais quand même pas la placer dans les lits des garçons, ç'aurait été inconvenant !

Madame Portelance réussit à reprendre son calme. Elle sortit les pages de sa manche, les montra à la fermière.

— J'ai trouvé ça dans le grenier.

Pauline Cloutier hocha la tête. Son regard s'était adouci.

— C'est Fanette qui les gardait. Elle y tenait comme à la prunelle de ses yeux.

Madame Portelance la regarda, surprise.

— Elle sait lire ?

La fermière haussa les épaules.

— Je leur donnais des leçons de français de temps à autre, à elle pis sa sœur. J'étais institutrice dans mon jeune temps, vous savez.

Madame Portelance ne put s'empêcher d'éprouver de la compassion pour cette femme aux traits tirés dont la vie se résumait à faire des enfants et à accomplir les travaux harassants de la ferme. Pauline Cloutier ajouta, le visage soudain animé :

— Fanette apprenait vite. C'était une bonne petite fille. Pas comme l'autre.

Son regard s'était à nouveau durci. Elle s'engagea en silence dans l'escalier menant à la cuisine. Emma Portelance la suivit, intriguée malgré elle par l'animosité palpable que Pauline Cloutier éprouvait à l'égard de la sœur aînée de Fanette. Pourquoi détestait-elle Amanda à ce point ? Qui était ce marchand de bois dont madame Dubreuil prétendait qu'il avait été assassiné ? Était-il vrai qu'un des fils Cloutier l'avait tué, et pourquoi ? Qu'était devenue Amanda ? *Il faudra démêler cet écheveau*, se dit Emma, qui n'aimait pas les zones d'ombre qu'elle sentait planer autour de cette maison. Pas étonnant que Fanette ait refusé de lui révéler où elle habitait et lui ait caché jusqu'à son nom de famille. Elle s'empressa de sortir, retrouvant l'air frais de la campagne avec soulagement. Pauline Cloutier l'attendait devant la maison.

Emma la fixa de ses yeux noirs.

— Vous m'avez toujours pas dit le nom de famille de Fanette.

La fermière haussa les épaules.

— J'ai oublié. De toute manière, les orphelins en ont pas besoin.

Emma sentit la colère lui monter à nouveau à la gorge. Elle fit un mouvement vers sa voiture. La fermière la retint.

— Ramenez-moi Fanette. C'est mon seul rayon de soleil.

Emma ne sut plus que penser. Cette femme laissait une fillette dormir dans un grenier ouvert aux quatre vents, ne la nourrissait pas à sa faim, la laissait marcher pieds nus et, pourtant, elle semblait éprouver une sorte d'attachement pour elle.

— C'est Fanette qui va décider, finit-elle par dire, regardant Pauline Cloutier droit dans les yeux.

La fermière, debout devant la porte de sa maison, la main en visière pour ne pas être aveuglée par les rayons de soleil, regarda la voiture d'Emma Portelance s'éloigner sur le chemin, laissant une traînée de poussière.

— Bon débarras, murmura-t-elle.

De quoi se mêlait cette femme de la ville, bien habillée et qui mangeait visiblement plus qu'à sa faim ? Elle attendit que la voiture disparaisse à un tournant, puis se dirigea à pas lents vers le poulailler que son mari Norbert avait installé dans la grange, une main sur son ventre. Un autre petit qui serait à terme cinq mois plus tard. Ça ne finirait donc jamais ? Elle ouvrit le grillage qui fermait l'enclos, alla vers des cageots où des poules couvaient leurs œufs, en prit quatre qu'elle enfouit dans son tablier, indifférente aux caquètements furieux qui accueillirent son geste. Un bruit la fit sursauter. Elle retint les œufs de justesse avant qu'ils ne tombent par terre, leva la tête, aperçut une grande silhouette qui sortait de l'ombre. C'était son fils. Ses vêtements étaient sales et déchirés, et une barbe de plusieurs semaines lui couvrait le visage.

— Doux Jésus, tu m'as fait peur. Je t'ai demandé de pas revenir !

— Elle est partie ?

— Qui ?

— La femme qui était là.

Pauline Cloutier acquiesça en silence. Elle était devenue pâle et frissonnait, malgré la chaleur qui régnait dans l'enclos.

— C'était qui ? Qu'est-ce qu'elle voulait ? demanda le jeune homme entre ses dents. Son visage semblait taillé au couteau.

— Emma Portelance. Une dame de la ville. Elle voulait acheter un cheval, mais… elle a posé plein de questions sur Fanette et Amanda.

Il s'approcha d'elle, le visage menaçant.

— Qu'est-ce que tu lui as dit ?

— Rien !

Il la prit par les épaules.

— Parle !

Les œufs qu'elle portait dans son tablier tombèrent sur le sol. Elle essaya de se dégager, la mine effrayée, mais il la tenait fermement.

— J'y ai juste dit qu'Amanda était partie avec un homme. J'ai pas donné de nom. J'te donne ma parole, Jacquot !

Celui qu'elle avait appelé Jacquot la scruta pendant un moment, puis la relâcha, soulagé. Sa mère essuya ses mains moites sur son tablier, humecta ses lèvres sèches.

— Jacques, tu peux pas revenir ici. C'est trop dangereux. Si y fallait que ton père te voie… Il serait capable de te dénoncer.

Il eut l'air désespéré.

— J'ai faim. J'ai pas dormi ni mangé depuis trois jours.

Elle hésita, puis prit de son corsage le billet de deux dollars qu'Emma Portelance lui avait donné.

— Ça devrait te permettre de tenir un bout de temps.

Elle jeta un regard nerveux derrière elle, craignant que son mari revienne des champs.

— Y faut que tu partes, dit-elle dans un souffle.

༄

Fanette se précipita sur la soupane qu'Eugénie avait déposée devant elle et commença à manger avec ses mains. Eugénie intervint gentiment :

— Ce serait plus commode de manger avec ta cuillère.

Fanette continua à dévorer la soupane comme si elle n'avait rien entendu. Eugénie regarda l'enfant avec compassion. Au refuge du Bon-Pasteur, elle en avait vu si souvent, de ces enfants affamés, le regard fixe et hébété, engouffrant tout ce qu'ils pouvaient, craignant qu'on leur arrache leur nourriture.

— Fanette, tu as tout ton temps pour manger, lui dit-elle. Je t'enlèverai pas ton bol tant que t'auras pas terminé.

La petite releva la tête, scrutant le visage d'Eugénie avec un mélange de méfiance et d'espoir. Son sourire sembla la rassurer ; après un moment, elle sourit à son tour. Il lui manquait une dent de lait. Eugénie sentit une bouffée d'affection lui gonfler la poitrine. Fanette replongea son nez dans le bol et continua à manger bruyamment. *Ma petite sauvageonne*, se dit Eugénie en la regardant avaler sa nourriture. *Au moins, elle mange à sa faim. On aura bien le temps de lui apprendre les bonnes manières.* Elle se rendit compte à ce moment précis que du temps, il n'y en aurait plus. Fanette devrait retourner chez elle. La peine qu'elle en ressentit la surprit elle-même.

Emma tint promesse et revint à la maison avant le coucher du soleil. Elle était harassée par sa longue journée et avait l'estomac dans les talons. En ramenant le cheval dans son enclos, elle aperçut Fanette assise sagement dehors sur une chaise, près du petit potager qu'Eugénie avait aménagé dans un coin du jardin. Son pied droit était posé sur un tabouret. Elle chassait une mouche de la main, le nez levé vers le ciel. Emma décida de ne pas la déranger et entra dans la maison par la porte de la cuisine, qui était restée légèrement entrouverte pour laisser passer la fraîcheur. Un délicieux parfum de ragoût l'accueillit. La table était mise avec soin. Le chandelier en étain à trois branches réservé aux jours de fête, trônait sur le manteau de la cheminée. Eugénie était penchée au-dessus d'une casserole en fonte qui fumait sur le poêle.

— Ça sent divinement bon, ici ! s'écria Emma de sa voix de stentor.

— Tu as fait bon voyage ? dit Eugénie, le visage tendu malgré elle.

Emma la regarda du coin de l'œil

— Disons que ç'a été… instructif.

Emma s'approcha du poêle, se pencha au-dessus de la casserole et en huma le contenu.

— Ça sent bon. J'ai une faim de loup !

Eugénie la regarda avec gravité. La lumière des chandelles faisait briller ses yeux sombres.

— J'ai beaucoup réfléchi pendant ton absence. Fanette ne partira pas d'ici, même si un régiment doit me passer sur le corps.

Emma fut prise de court par la réplique d'Eugénie.

— En voilà une façon de m'accueillir !

Eugénie poursuivit avec une passion contenue :

— Je sais ce que tu vas me dire : Fanette a des parents, on ne peut pas arracher un enfant à sa famille, mais…

Emma l'interrompit, à la fois amusée et agacée.

— Comment sais-tu ce que je vais dire ? Tu ne m'as pas laissée placer un mot !

Eugénie ravala, penaude. Emma lui raconta sa conversation avec la patronne du magasin général de La Chevrotière ainsi que sa visite à la ferme. Eugénie hocha la tête, plus triste qu'indignée.

— Pauvre enfant. Quelle misère…

Emma lui montra les feuilles de journal qu'elle avait rapportées. Eugénie y jeta un coup d'œil, intriguée.

— *L'Ami des campagnes*…

— Je les ai trouvées dans le grenier.

— Tu crois qu'elle sait lire ?

Emma haussa les épaules.

— Pauline Cloutier a prétendu qu'elle lui avait donné des leçons de français. D'après elle, Fanette tenait à ses feuilles comme à la prunelle de ses yeux.

Eugénie acquiesça, émue. Elle tourna la tête en direction de la fenêtre et vit la fillette, qui semblait suivre le vol d'un oiseau dans le ciel.

— On va la garder ? Dis-moi qu'on va la garder, Emma.

Emma l'enlaça affectueusement.

— Crois-tu que je laisserais cette pauvre enfant retourner chez des gens sans cœur qui la battent et la laissent dormir dans le grenier ?

Eugénie soupira de soulagement. Puis l'inquiétude revint sur son visage :

— Et si les Cloutier veulent la ravoir ?

Emma Portelance eut l'air déterminé.

— Ils vont me trouver sur leur chemin. De toute façon, ils n'ont aucun droit sur elle.

Emma s'installa sur une chaise, comme si la fatigue de son voyage s'était soudain fait sentir.

— Tu sais ce qu'elle m'a dit quand je lui ai demandé le nom de famille de Fanette ? Qu'elle s'en rappelait pas, puis que, de toute façon, les orphelins en avaient pas besoin !

Elles gardèrent le silence un moment. Puis Eugénie dit calmement, comme si c'était une évidence :

— On va trouver son nom. Ça doit pas être sorcier. Et si on le trouve pas, on va lui en donner un. Fanette Portelance. Avec un nom pareil, elle se laissera pas manger la laine sur le dos !

Emma plaça une main sur la sienne, touchée.

VII

La Grosse Isle
Le 12 juillet 1847

Le père McGauran, debout près d'un rocher, sa soutane noire soulevée par le vent du large, mit sa main en visière et regarda en direction de la côte. Un navire venait de jeter l'ancre et attendait la visite des médecins. Une vingtaine de bateaux mouillaient déjà sur le Saint-Laurent et attendaient l'aval des autorités afin de pouvoir débarquer leurs passagers. Qu'attendait le gouvernement britannique pour envoyer de la nourriture et des renforts ? Qu'attendait monseigneur Signay pour envoyer d'autres prêtres à la Grosse Isle ? En une seule matinée, il avait administré les derniers sacrements à huit mourants. Les baraques qui servaient d'hôpitaux étaient remplies à craquer de malades, parfois entassés jusqu'à deux ou trois par couchette, quand ils n'étaient pas tout simplement couchés à même le sol. Et voilà qu'un autre bateau apportait son lot de misère et de mort ! Il tourna le dos à la rive et se mit à marcher en direction de l'hôpital.

Loin de la rive, la chaleur redevint accablante. Le prêtre sortit un mouchoir de sa poche et s'épongea le front. Des tentes blanches servant d'abri pour les immigrants avaient été dressées sur le rivage. Des marins transportaient des brancards vers des barques en bois qui faisaient office d'hôpitaux ou de dispensaires. Il entendit le bruit lancinant des clous plantés dans des cercueils et le bourdonnement des mouches. « Mon Dieu, venez au secours des vivants », murmura le prêtre. Pas plus tard que le 24 mai, il avait écrit une lettre désespérée à monseigneur Signay :

Si on ne débarque pas les malades, ce que l'on ne peut faire dans les circonstances actuelles, tous les bâtiments de l'Isle étant pleins, il faudrait autant de prêtres ici que de bâtiments. Ils sont généralement quatre ou cinq cents personnes à bord, j'ai passé aujourd'hui cinq heures dans la cale d'un de ces navires où j'ai administré cent personnes.

Je n'ai pas ôté mon surplis aujourd'hui, on ne rencontre partout que des gens à administrer, ils expirent sur les rochers, sur la grève où ils sont jetés par les matelots qui, à la vérité, ne peuvent suffire à les transporter aux hôpitaux.

Il y a à présent cinq nuits que je ne me suis pas couché. Le spectacle, Monseigneur, est des plus déchirants, une fois que ces infortunés sont atteints de cette étrange maladie, ils perdent toute capacité intellectuelle et physique et meurent dans les souffrances les plus aiguës.

Monseigneur Signay n'avait jamais répondu à sa lettre. Pourtant, le docteur Douglas, le médecin en chef de la Grosse Isle, l'avait assuré que l'archevêque n'était pas insensible au sort de ses infortunés compatriotes. Il avait même écrit aux évêques d'Irlande pour les prévenir de la situation catastrophique des immigrants à la Grosse Isle, et les exhorter de faire cesser l'exil des paysans exploités par des agents d'immigration sans scrupules. Le père McGauran, d'un naturel pondéré, avait réagi avec une colère blanche : « Si monseigneur Signay nous envoyait des prêtres au lieu d'envoyer des lettres aux évêques, les paysans irlandais ne mourraient pas par milliers sur les côtes du Canada ! »

Le père McGauran marchait à grands pas. Il ne vit pas le docteur Douglas qui venait en sens inverse.

— Père McGauran !

Il leva la tête, aperçut le visage blême de fatigue du docteur. *Tous les médecins et les prêtres ont le même air hagard et presque halluciné*, se dit-il. Le docteur Douglas s'arrêta à sa hauteur. Ses manches étaient relevées et la sueur faisait de larges cernes sous ses aisselles.

— Le *Rodena* est arrivé, dit-il, la voix enrouée par le manque de sommeil.

Le père McGauran acquiesça.

— Je l'ai vu jeter l'ancre.

— Le pavillon vert vient d'être hissé, il y a des malades à bord.

Le prêtre réprima une moue de lassitude.

— J'y vais tout de suite.

Il tourna les talons et retourna en direction de la rive. Le docteur Douglas suivit sa longue silhouette noire des yeux. *Il faudrait des dizaines de prêtres dévoués comme Bernard McGauran pour soulager toute cette souffrance. Et d'autres médecins. Beaucoup d'autres.* Le docteur Benson, natif de Dublin, avait succombé au typhus en dix jours à peine. *Ce ne serait ni le premier ni le dernier,* soupira le médecin en se dirigeant vers le dispensaire.

Le père McGauran s'approcha du *Rodena.* Il franchit la passerelle et s'engagea sur le pont. Un étrange silence régnait sur le bateau, comme si les passagers dormaient. Il se dirigea vers la cabine du capitaine. Un homme au visage émacié gisait sur le sol, près du bastingage, les yeux mi-clos. Lorsqu'il aperçut le père McGauran, il tendit la main vers lui.

— *Water... Please...*

Le père McGauran prit la gourde qui pendait à la ceinture de sa soutane, se pencha, versa quelques gouttes d'eau dans la bouche entrouverte du pauvre homme. Il le bénit, puis avisa une cabine située sur le pont. Il se rendit dans cette direction.

Le capitaine Robert Erwin était allongé sur sa couchette. Il délirait. Le docteur Philpot était penché près de lui et l'examinait. Il se tourna vers le prêtre.

— Fièvre typhoïde. Il n'en a plus pour longtemps.

— Combien y a-t-il de passagers à bord ?

— D'après le registre, il y en avait deux cent cinquante-quatre. Une vingtaine sont morts durant la traversée. Une centaine d'autres sont malades.

Le prêtre se rembrunit. Il s'avança vers le capitaine, se pencha au-dessus de lui, lui prit la main. L'homme le regardait, les yeux brillants de fièvre, le teint cireux. Le docteur soupira.

— Il est catholique. Il a exprimé le souhait de recevoir l'extrême-onction.

Après avoir administré le viatique au capitaine, le père McGauran décida de se rendre dans la cale. Il descendit l'escalier à tâtons. Une odeur d'excréments et de corps non lavés le prit à la gorge. Il avait visité beaucoup de navires depuis son arrivée à la Grosse Isle, mais n'arrivait pas à s'y habituer. Son cœur se serra. De la nourriture décente et de l'eau potable en quantité adéquate auraient suffi à enrayer l'épidémie. Le mois précédent, il était monté à bord d'un bateau en provenance d'Allemagne. Tous les passagers étaient propres et pimpants de santé, visiblement bien nourris. Aucune trace de fièvre typhoïde, encore moins de choléra. Le navire était d'une propreté irréprochable. Pourtant, ses compatriotes irlandais avaient payé un prix d'or pour acheter une place sur un bateau qui allait devenir leur cercueil. Il s'efforça de ravaler sa révolte. À quoi bon ? À défaut de soigner les malades, il lui fallait sauver les âmes.

Arrivé dans la cale, il fut surpris du spectacle qui l'y attendait. Des hommes, des femmes et des enfants se tenaient debout docilement, leur chapeau dans les mains. Ils avaient mis leurs plus beaux habits afin d'être présentables pour leur terre d'accueil. Des larmes lui montèrent aux yeux. Il connaissait le prix que ces efforts vestimentaires avaient coûté à ces passagers épuisés par le voyage, affamés, assoiffés, malades. En voyant le prêtre, des sourires timides apparurent sur les visages pâles et amaigris. Des voix s'élevèrent, demandant quand ils pourraient descendre à terre, où trouver de la nourriture, de l'eau… Il tâcha de se faire rassurant.

— Le bateau doit être inspecté avant le débarquement. Il faudra encore faire preuve d'un peu de patience.

Il s'en voulut de ces paroles qui, sans être fausses, masquaient la vérité. Les effectifs n'étaient pas assez nombreux sur l'île pour faire l'inspection du bateau rapidement. Ces pauvres gens devraient rester à bord pendant des jours, voire des semaines, avant d'avoir la permission de débarquer. Et ceux qui étaient encore en santé auraient tout le temps de tomber malades à leur tour.

Il s'avança vers le fond de la cale. Il aperçut une petite fille. Elle devait avoir tout au plus sept ou huit ans. Elle était assise à côté d'une femme et lui tenait la main. L'enfant leva les yeux vers lui. Ils étaient bleu foncé, comme les siens. Il s'accroupit près d'elle.

— *What's your name ?* demanda-t-il avec douceur.

Elle le regarda sans comprendre. Le père McGauran, qui était originaire du village de Ballisodare, dans le comté de Sligo, avait appris le gaélique dans son enfance et en avait gardé quelques notions.

— *Cad is ainm duit ?* Quel est ton nom ?

— *Fhionnuala O'Brennan.*

La femme étendue à côté d'elle était très malade. Son visage avait pris une étrange teinte jaune, comme de la cire. Ses yeux étaient fermés. Elle tremblait de fièvre. Fionnualá murmura :

— *A Mhamaí...* Maman...

Maureen ouvrit les yeux. Elle sourit faiblement en voyant sa fille. Une voix s'éleva derrière elles.

— *Our mother has fever. Please help her.*

Il vit une jeune fille aux cheveux roux flamboyants debout à quelques pieds de lui. Elle était accompagnée de deux garçons et tenait un enfant d'environ un an dans ses bras. Elle avait souffert de la faim, ses vêtements étaient sales et déchirés, mais elle semblait être en bonne santé. Il avait vu assez de malades pour reconnaître les symptômes du typhus, de la diphtérie ou du choléra.

— *Where's your father ?* demanda-t-il à la jeune fille aux cheveux roux.

Elle se rembrunit.

— *He died on the ship,* murmura-t-elle, le regard voilé par la peine.

Le père McGauran fut touché au vif par le courage de cette jeune fille, par ses efforts pour ne pas pleurer. La révolte devant tant de malheur lui serra la gorge. Il fallait que ces enfants quittent ce navire de la mort avant de tomber malades à leur tour. Il le fallait ! Quand bien même il ne réussirait à sauver que ceux-là...

Il obtint une réunion du comité médical composé entre autres de l'abbé Elzéar Taschereau, du docteur Douglas, de lui-même et d'une infirmière, Odélie Marquette, une jeune novice envoyée par les sœurs de la Charité. Il plaida sa cause pendant une bonne heure. Les objections fusaient :

— L'hôpital et les abris sont déjà surpeuplés. On ne pourrait même pas y glisser une tête d'épingle ! s'exclama le docteur Douglas, dont les yeux rouges trahissaient l'épuisement.

— Nous en construirons d'autres ! s'écria le père McGauran.

— Avec quels effectifs ? Quel argent ? s'objecta Douglas. Je n'ai eu aucune réponse à mes dernières demandes. Je devrais dire, à mes supplications, ajouta-t-il, amer.

Le père Taschereau intervint :

— On pourrait y assigner des matelots du *Rodena* en bonne santé, suggéra-t-il.

Le père McGauran lui jeta un regard reconnaissant. Le docteur Douglas hocha la tête.

— Nous n'avons pas le personnel nécessaire pour inspecter le bateau pour le moment. On ne peut prendre le risque de faire débarquer des passagers, même ceux qui ne sont pas encore malades. Il y a des lois !

— Les lois ! Nous ne sommes même plus en mesure de les respecter, et vous le savez mieux que personne ! s'exclama McGauran. Les navires ne cessent d'arriver depuis le mois de mai sans que Londres ait levé le petit doigt pour nous venir en aide !

Le docteur Douglas le regarda, une lueur de reproche dans l'œil. Le père McGauran se radoucit.

— Doit-on attendre qu'ils meurent tous, y compris ceux qui ont encore la santé ?

Un long silence suivit sa réplique. Puis le docteur Douglas se racla la gorge. Il se tourna vers le père McGauran.

— Très bien. Vous vous chargerez du débarquement.

Il ajouta, avec une note d'ironie :

— Et vogue la galère !

Il y eut quelques sourires. Le père Taschereau se leva.

— J'accompagne Bernard.

Odélie Marquette se leva à son tour.

— Moi aussi.

Le docteur Douglas contint un soupir, puis les imita.

— Allons-y, avant qu'il fasse nuit.

Le père McGauran, escorté du père Taschereau, d'Odélie Marquette et du docteur Douglas, retourna à bord du *Rodena*. Le docteur Douglas réquisitionna des matelots pour transporter les cadavres à terre, afin d'éviter l'aggravation de l'épidémie. Il se chargea lui-même, avec l'aide d'Odélie, de repérer les passagers épargnés par la maladie et de leur trouver un abri temporaire. Quant aux prêtres, ils furent chargés d'identifier les passagers mourants et de leur donner le viatique.

Le premier geste du père McGauran fut de retourner dans la cale. Il vit tout de suite Fionnualá et sa mère. La fillette lui tenait toujours la main, mais elle s'était endormie, et sa tête reposait sur le flanc de sa mère. La sœur aînée, debout à quelques pieds de là, berçait Helena qui pleurait à chaudes larmes. Le prêtre s'adressa à Amanda à mi-voix pour ne pas réveiller Fionnualá. Il lui expliqua qu'il pouvait les emmener à terre, mais que leur mère devait rester à bord jusqu'à ce que l'ordre d'évacuation du *Rodena* soit donné. Amanda se rembrunit.

— *We can't leave her here. She will…*

Elle s'interrompit, incapable de poursuivre. Le prêtre la prit gentiment par les épaules. Il promit à la jeune fille qu'il demanderait au docteur Douglas d'examiner sa mère en priorité. Après un temps de réflexion, Amanda acquiesça à contrecœur. Ses yeux gris étaient remplis de larmes, ce qui les rendait presque transparents.

Elle se tourna vers Fionnualá.

— *Can you carry my little sister ?*

Il fut saisi par la maturité et la force de cette enfant d'au plus quatorze ans. Il lui sourit.

— À vos ordres, dit-il en français.

Il se pencha à son tour, dégagea le plus doucement possible la main de Fionnualá qui serrait toujours celle de sa mère, prit délicatement la fillette dans ses bras, la souleva. Elle était légère comme une plume.

Lorsque Fionnualá s'éveilla, elle ne sut pas tout de suite où elle était. Un mince filet de lumière filtrait à travers une ouverture au faîte d'une sorte de toit en forme de cône. Elle se releva sur ses coudes, jeta un coup d'œil autour d'elle. Elle était installée sur des planches couvertes de paille, comme dans le bateau. Juste à côté d'elle, une femme qu'elle ne connaissait pas était étendue et ronflait. Elle eut envie de pleurer, puis eut le vague souvenir d'un monsieur habillé en noir qui la transportait dans ses bras, comme son père le faisait lorsqu'ils vivaient de l'autre côté de l'océan. Elle ravala ses larmes et se leva. Elle s'avança à tâtons, buta contre quelque chose : c'était un pied qui dépassait d'une mince couverture. Un homme hirsute releva soudain la tête, poussa un juron en gaélique, puis retomba sur sa couche.

Fionnualá regarda autour d'elle, cherchant une issue pour sortir de cet étrange endroit. Elle remarqua une ouverture de l'autre côté de la tente, y glissa la main, puis la tête : elle vit un bout de ciel bleu et blanc. Elle rabattit le pan de tissu blanchâtre, se retrouva dehors. Elle huma la brise marine avec délices, aperçut les reflets de l'eau de ses yeux mi-clos. Sans réfléchir, elle se mit à courir vers le fleuve, contournant les tentes blanches dressées un peu partout sur la rive. Ses petits pieds laissaient à peine une marque sur la plage caillouteuse et humide. Une voix masculine s'éleva :

— Fionnualá !

Elle vit un goéland qui planait à distance. Elle courut dans cette direction, ses bras maigres levés vers le ciel. Elle buta tout à coup sur ce qui semblait être un arbre noir, leva la tête, vit la longue silhouette du prêtre. Il sourit. Il avait des ombres violettes sous les yeux.

— Fionnualá, où cours-tu comme ça ?

Elle comprit instinctivement ses paroles et désigna le goéland en souriant.

— *M'athair.* Mon père. *Tá sé ar neamh.* Il est au ciel.

VIII

Québec
Le 14 juin 1849

Il était six heures du matin. Madame Portelance, qui venait d'allumer le poêle, ouvrit la porte de la cuisine qui donnait sur la cour et se dirigea vers un quart à eau placé sous la gouttière qui recueillait la pluie. Le petit tonneau était rempli, car il y avait eu une grosse averse la veille. Elle saisit le quart en bois et le souleva à bras-le-corps. Elle entendit soudain la voix d'Eugénie qui avait ouvert les volets de sa chambre et se penchait au-dessus du rebord de la fenêtre.

— Emma, je t'en prie, c'est trop lourd pour toi, tu vas t'esquinter le dos ! Si le docteur Lanthier te voyait…

— Le docteur Lanthier a d'autres chats à fouetter que de surveiller mes faits et gestes. Toi aussi, d'ailleurs !

C'était un sujet de contentieux entre elles. Eugénie trouvait qu'Emma faisait des tâches trop exigeantes et même dangereuses pour sa santé. Chaque fois qu'elle s'offrait à lui donner un coup de main, Emma refusait.

— Tu n'es pas ma domestique.

— Et toi, tu n'es pas la mienne ! répliquait Eugénie.

Emma était allergique aux frontières qui séparaient les riches des pauvres. Même si elle était fille de seigneur, elle considérait les êtres humains comme égaux. À ses yeux, un porteur d'eau ou un serf n'avait pas moins de valeur qu'un avocat ou un évêque. Eugénie admirait profondément cet esprit généreux et sans préjugés, mais déplorait les excès auxquels il portait parfois sa protectrice.

— Va te recoucher ! dit Emma, péremptoire.

Elle retourna vers la cuisine avec le quart dans ses bras, faisant un effort pour se tenir droite afin de ne pas laisser Eugénie s'imaginer que le fardeau était trop lourd pour elle. Une fois dans la cuisine, elle déposa le quart avec un gros soupir de soulagement. Elle essuya son front en nage avec un linge et dut s'asseoir pour reprendre son souffle. *Pourvu qu'Eugénie ne me voie pas dans cet état*, se dit-elle. *Elle serait capable d'aller déranger le docteur Lanthier...* Autant elle affectionnait le docteur, autant elle se méfiait de la plupart des membres de sa confrérie.

Sa mère était morte des suites d'une septicémie en donnant naissance à sa sœur Marie. Elle revoyait encore le vieux docteur Barbeau, les mains ensanglantées, les yeux injectés de sang. Tout le village savait que le docteur était un ivrogne impénitent, mais comme c'était le seul médecin à des milles à la ronde, on s'en contentait. C'est Emma, en tant qu'aînée, qui avait dû s'occuper de ses quatre sœurs plus jeunes, ce qui n'était pas une tâche facile pour une jeune femme à peine sortie de l'adolescence. Elle avait dû abandonner le pensionnat des Ursulines, tandis que son frère aîné avait poursuivi ses études au séminaire de Québec. Toutes ces années à soigner des bambins, à faire leur éducation, à diriger la maisonnée alors qu'elle aurait pu parfaire ses connaissances en latin, apprendre l'espagnol, s'initier à la botanique et aux sciences, à la harpe et au clavecin... Elle avait beau consacrer ses rares moments de répit à lire tous les livres qui lui tombaient sous la main, rien ne pourrait jamais remplacer ces études sacrifiées. Elle avait des bouffées de colère et de révolte en y songeant, même après tout ce temps.

Emma déposa la cafetière un peu trop brusquement sur la plaque en fonte du poêle. Elle entendit un petit cri derrière elle, se retourna et aperçut Fanette, toute menue dans sa robe de nuit un peu trop grande pour elle, assise sur un banc près de la fenêtre, un morceau de pain entamé sur ses genoux. La fillette la fixait de ses grands yeux bleus, visiblement apeurée. Madame Portelance s'approcha d'elle. La petite se crispa sur son siège, une main devant le visage, comme si elle craignait d'être battue. Emma s'arrêta à sa hauteur, avisa le pain émietté sur sa robe de nuit.

— Puis, c'était bon ?

Fanette la regarda, surprise de ne pas recevoir de punition. Après un temps, elle fit timidement oui de la tête. Emma s'accroupit à sa hauteur, non sans étouffer une grimace de douleur : ses articulations la faisaient toujours souffrir, tôt le matin. Elle lui sourit :

— T'as perdu ta langue ?

Fanette secoua à nouveau la tête.

— Ah bon. Dans ce cas, peux-tu me la montrer ?

Fanette hésita un instant, puis sortit sa langue. Emma éclata de rire.

— En voilà, une belle langue toute rose. Je suis certaine que tu es capable de bavarder comme une pie, avec un instrument pareil.

Fanette la regarda sans mot dire, mais la peur avait quitté ses yeux. Emma pointa un doigt vers le pain :

— Par exemple, qu'est-ce que tu manges ?

Fanette se concentra, puis répondit :

— Du... du pain.

Emma approuva. Elle désigna la cafetière.

— Et ça, qu'est-ce que c'est ?

Fanette jeta un coup d'œil dans cette direction.

— C'est... c'est pour faire le... café.

— Une ca-fe-tière. Très bien.

Après un moment, elle poursuivit :

— Attends-moi ici, j'aimerais te montrer quelque chose.

Emma se dirigea vers une armoire en pin qui servait à ranger la vaisselle et le linge de maison, ouvrit un tiroir, en sortit des pages de journaux. Elle revint vers Fanette, prit place à côté d'elle sur le banc.

— Hier, je me suis rendue à la ferme des Cloutier.

En entendant ce nom, Fanette se raidit. Emma fit semblant de ne pas le remarquer et lui tendit les feuillets jaunis et sales.

— J'ai trouvé ces journaux dans le grenier. Ils sont à toi ?

Les yeux de Fanette brillèrent lorsqu'elle reconnut les exemplaires de *L'Ami des campagnes*. Elle fit un mouvement spontané pour s'en saisir. Puis elle se ravisa. Il ne fallait pas que la dame sache que ces journaux étaient à elle. Il ne fallait pas qu'elle sache qu'elle habitait à la ferme des Cloutier, sinon elle l'obligerait à y retourner. Fanette se croisa les bras et secoua la tête. Emma observait l'enfant en silence, devinant sans peine le débat qui se faisait dans son esprit. Son cœur se serra pour elle.

— N'aie pas peur, Fanette. Je ne veux pas te forcer à retourner chez les Cloutier. C'est à toi de décider.

Fanette leva les yeux vers elle. Emma y vit une telle gravité, pour un enfant de son âge, qu'elle en fut bouleversée.

— Tu as ma parole. Et quand je donne ma parole à quelqu'un, c'est sérieux.

Fanette hésita longuement, puis prit les journaux. Elle les serra contre sa poitrine maigre. Emma, qui en avait pourtant vu d'autres, sentit des larmes lui picoter les yeux.

— Je sais que tu n'étais pas bien traitée là-bas. Si tu le veux, Eugénie et moi, on souhaiterait te garder avec nous.

Jamais Emma n'oublierait ce regard rempli d'allégresse et de soulagement, comme un condamné à mort qui apprendrait la commutation de sa peine. Après un moment, Emma lui demanda :

— Dis-moi Fanette, quel est ton nom de famille ?

Cette fois, elle ne lut aucune appréhension ni méfiance dans le regard de la fillette.

— O'Brennan.

— Alors tu garderas ton nom de famille. Fanette O'Brennan. Qu'en dis-tu ?

Fanette lui sourit de toutes ses dents, révélant l'absence d'une dent. Emma comprit que le sort de cette enfant était à jamais lié au sien, quoi qu'il advienne. Elle hésita avant de lui demander :

— Madame Cloutier m'a dit que tu as une grande sœur, Amanda, qui a été accueillie en même temps que toi à la ferme. Sais-tu ce qu'elle est devenue ?

Une telle souffrance se peignit sur le visage de l'enfant qu'Emma décida de ne pas poser d'autres questions. Avec le temps, Fanette finirait bien par se confier.

Ce soir-là, avant de se coucher, Fanette contempla longuement les différents dessins du visage d'Amanda qu'elle avait faits dans les marges de *L'Ami des campagnes*. Sa peine était toujours aussi vive. Pourquoi Amanda n'était jamais revenue la chercher, comme elle l'avait promis ? Elle voyait encore la *sleigh* de monsieur Bruneau s'éloigner sur le chemin, la tête rousse d'Amanda qui s'était tournée vers elle une dernière fois avant de disparaître dans la nuée blanche… Elle plaça les journaux sous son oreiller et s'endormit, la joie et la peine au cœur.

෮

Quelques jours plus tard, en fin d'après-midi, le docteur Lanthier leur rendit visite après sa tournée de patients afin d'examiner Fanette. Il constata qu'elle se portait beaucoup mieux. Il n'y avait presque plus de traces de gale, l'entorse était en bonne voie de guérison et elle avait meilleure mine. Il remarqua également que la salle de couture avait été réaménagée en une véritable chambre, avec un lit, une commode et un petit secrétaire que le docteur Lanthier, menuisier à ses heures, avait fabriqué sur mesure pour Eugénie, quelques années auparavant. Une fois installé dans la cuisine, avec un café arrosé de cognac qu'Emma lui avait offert, il aborda délicatement le sujet :

— Si je comprends bien, vous avez décidé de garder Fanette ? Et ses parents ?

— Elle est orpheline, s'empressa de répondre Eugénie, comme pour se justifier. Les fermiers qui l'ont accueillie la maltraitaient.

Le docteur Lanthier ne put s'empêcher de sourire devant sa vivacité. Emma lui expliqua que Fanette était d'origine irlandaise, qu'elle avait perdu ses parents pendant la grande famine; puis elle parla de sa visite à la ferme Cloutier, des conditions révoltantes dans lesquelles Fanette avait vécu. Elle bouillait encore d'indignation en évoquant le grenier, avec ses bardeaux disjoints et les grabats en paille.

— Fanette a beaucoup de chance, conclut le médecin, ne pouvant s'empêcher de songer à tant d'autres orphelins qui ne trouveraient pas des personnes dévouées comme Emma ou Eugénie sur leur route pour les sauver de la misère. Savez-vous ce qu'il est advenu du reste de sa famille?

Emma se rembrunit.

— D'après ce que j'ai pu savoir, elle a une sœur aînée, Amanda, qui vivait elle aussi à la ferme. Madame Cloutier prétend qu'elle s'est enfuie avec un inconnu et qu'elle n'a plus jamais donné de nouvelles.

Ils gardèrent un silence pensif. Puis Emma se pencha vers le médecin.

— Vous avez été bénévole à la Grosse Isle. Le nom O'Brennan ne vous dit rien?

Le docteur Lanthier haussa tristement les épaules:

— Il y avait des milliers de pauvres gens en quarantaine sur l'île… Par contre, je me rappelle fort bien d'un prêtre irlandais, le père McGauran. Un homme hors du commun, d'un dévouement exemplaire.

— Qu'est-il devenu? demanda Emma.

— Il paraît qu'il songe à s'installer à Québec et à ouvrir un nouveau refuge pour les Irlandais nécessiteux. L'épiscopat lui met des bâtons dans les roues, prétextant qu'il y a suffisamment de refuges. Mais tel que je le connais, il parviendra à ses fins…

IX

La Grosse Isle
Le 12 juillet 1847

Le père McGauran, son surplis sur les épaules et le viatique dans sa besace, se rendit sur le *Rodena* pour faire la tournée des malades et des mourants. Il administra l'extrême-onction à trois passagers, puis se rendit vers le fond de la cale, où Maureen O'Brennan était toujours étendue. Il avait trouvé son nom et celui des autres membres de la famille sur la liste des passagers, ainsi que le nom de leur village d'origine, Skibbereen. L'état de la mère de Fionnualá s'était dégradé. Elle respirait de plus en plus difficilement; une sorte de râle sortait de sa gorge. Le docteur Douglas l'avait examinée la veille, à sa demande. Sans surprise, il avait diagnostiqué une fièvre typhoïde et ne lui donnait guère plus que quelques jours à vivre. Le prêtre déposa doucement sa main sur la sienne. Elle ouvrit les yeux, le regarda comme si elle ne le voyait pas. Ses yeux, d'un bleu presque mauve, étaient voilés. Il lui fit boire quelques gorgées d'eau, très lentement pour qu'elle ne s'étouffe pas. Puis elle prononça quelques mots, à peine audibles :

— *Mo pháistí!* Mes enfants ! *Ba mhaith liom mo pháistí a fheiceàil.* Je veux voir mes enfants.

Pour lui indiquer qu'il avait compris, il serra la main de Maureen dans la sienne.

Fionnualá, Amanda et leurs deux frères, Arthur et Sean, se tenaient debout près de leur mère, collés les uns sur les autres. La petite Helena dormait dans les bras d'Amanda. Le père

McGauran venait d'administrer l'extrême-onction à leur mère. Amanda se mordait les lèvres pour ne pas pleurer. De grosses larmes d'enfant roulaient sur les joues de Sean, sans qu'il songe à les essuyer.

Maureen avait de la difficulté à ouvrir les yeux. Même lorsque le père McGauran se pencha vers elle pour lui dire que ses enfants étaient là, ses paupières restèrent closes, comme si elles étaient devenues trop lourdes. Mais elle les ouvrit soudain, comme mue par un sentiment d'urgence. Elle trouva le moyen de sourire en voyant ses enfants alignés devant elle. Elle murmura des mots presque inaudibles, comme s'il y avait des bulles dans sa gorge. Fionnualá, intimidée, s'avança vers elle. Elle tenait un bouquet de myosotis dans son petit poing. Elle les avait cueillis dans un champ surplombant la plage. Elle s'accroupit à côté de sa mère et lui tendit le bouquet. Les yeux de Maureen se mirent à briller à la vue des fleurs. Pendant un court moment, son visage retrouva un semblant de couleur. Le père McGauran eut l'impression qu'elle se redressait. Il vint vers elle, la soutint. Maureen prit le bouquet de fleurs, les porta à sa bouche. Elle murmura quelque chose d'inaudible. Le prêtre crut distinguer les mots *forget me not*. Puis elle tâta fébrilement son cou, comme si elle cherchait quelque chose. Amanda comprit qu'il s'agissait de son pendentif, un trèfle taillé dans du jade que sa grand-mère Ada avait donné à sa mère sur son lit de mort.

— *Amanda*, soupira Maureen. *An mhuince...* Le collier... *Duitse...* pour toi.

Elle retomba sur sa couche. Le bouquet de myosotis se répandit autour d'elle. Elle ne bougea plus. Le père McGauran lui ferma les yeux. Fionnualá, croyant que sa mère s'était rendormie, ramassa les fleurs éparses et tenta maladroitement de les glisser dans les mains de sa mère. Amanda, les yeux secs, détacha doucement le pendentif en forme de trèfle et le mit autour de son cou.

Maureen O'Brennan fut enterrée dans un cimetière, à l'ouest de l'île, qu'on avait surnommé le « cimetière des Irlandais ». Elle eut droit à un cercueil, qui dut être placé par-dessus d'autres tombeaux, faute d'espace. *Au moins, la pauvre femme a eu une sépulture décente*, songea le père McGauran.

L'abbé Taschereau avait été chargé de trouver des foyers aux orphelins de l'île, de plus en plus nombreux. Le temps des récoltes approchait ; les cultivateurs auraient besoin de main-d'œuvre pour leur donner un coup de main, ce serait moins ardu de placer les garçons, raisonnait-il. Ses prédictions étaient justes : il réussit à trouver des foyers pour une quinzaine de garçons dans des fermes de la région de Québec. Quant à Arthur et Sean, la famille d'un de ses cousins, qui vivait au Nouveau-Brunswick, était disposée à les prendre. Au début, le père McGauran s'y était opposé :

— Il n'est pas question de séparer les membres de la famille O'Brennan. Ils ont déjà assez souffert.

— Nos cultivateurs ont des familles nombreuses, répliqua l'abbé Taschereau. Quel foyer pourra se permettre d'avoir cinq bouches de plus à nourrir ? Les temps sont durs pour tout le monde.

Si les sœurs O'Brennan étaient des garçons, il y a belle lurette qu'on les aurait placées, se dit Bernard McGauran. Entre-temps, la petite Helena mourut des suites de la fièvre typhoïde. Une bouche de moins à nourrir.

Les deux garçons, emportant une petite valise en carton attachée avec de la ficelle, s'embarquèrent sur un bateau à vapeur qui faisait la navette entre la Grosse Isle et Québec. De là, une diligence les attendrait et les emmènerait à destination. Tout s'était passé si vite que même le père McGauran ne fut pas avisé de leur départ, qui avait eu lieu à l'aube. Quand il annonça la nouvelle à Amanda, cette dernière détourna la tête sans dire un mot.

Une lettre de monseigneur Signay, publiée dans les prônes des paroisses, demanda à la population d'accueillir généreusement les orphelins de la famine. Le père McGauran obtint la permission de quitter l'île pendant quelques jours dans l'intention de chercher une famille d'accueil pour Amanda et Fionnualá. À Québec, il prit un *coach* et s'arrêta dans plusieurs villages. À La Chevrotière, il fut mis sur la piste des Cloutier, une famille d'honnêtes cultivateurs qui habitaient dans une ferme à quelques milles du village. Le maire mit son propre boghei à la disposition du prêtre et sa femme prépara un panier de provisions à son intention.

C'était une chaude journée de juillet, mais le temps était sec. L'air était chargé d'une brise tiède et parfumée. Il y avait des mois que le père McGauran vivait sur la Grosse Isle, entouré de maladie, de désespoir, de mort. Il redécouvrit avec une sorte de stupeur les bosquets en fleur, la beauté des champs ocre et mauves, l'odeur suave des aubépines et des rosiers sauvages. De loin en loin, il voyait des cultivateurs faire les foins, des troupeaux de vaches qui paissaient, des charrettes s'éloigner sur un chemin de terre. Des milliers de ses compatriotes étaient morts, sacrifiés par la bêtise et l'incurie humaines, mais d'autres survivraient, auraient leur place au soleil, pourraient grandir, aimer, fonder une famille, travailler. Ainsi, Arthur, Sean, Amanda et Fionnualá, même séparés, auraient droit eux aussi à une vie décente, heureuse peut-être. À cette pensée, il fut envahi par un sentiment d'espoir qui ressemblait à de la joie.

X

La ferme des Cloutier
Automne 1847

C'est Pauline Cloutier qui avait insisté pour garder les deux Irlandaises. Mère de six garçons, dont le dernier, Jean-Baptiste, avait tout juste deux ans, elle souhaitait ardemment avoir des filles. Le père Cloutier s'était montré réticent :

— Elles seront pas utiles aux champs.

— J'ai besoin d'un coup de main, je suis toute seule à faire le train, le potager pis tous les travaux dans la maison.

Il avait hoché la tête.

— On pourrait garder la petite. L'autre va juste nous causer du trouble.

— Voyons, on va pas les séparer ! Elles ont eu assez de misère comme c'est là…

Il hésita, puis finit par dire le fond de sa pensée.

— Les roux portent malheur.

Elle avait éclaté de rire :

— C'est de la bouillie pour les chats ! On naît avec la couleur que le Bon Dieu nous a donnée.

Norbert Cloutier s'était finalement laissé convaincre, autant par peur du ridicule que par les arguments pleins de bon sens de sa femme.

Pauline Cloutier s'était prise d'affection pour Fionnualá, qu'elle avait surnommée « Fanette », son mari trouvant son prénom trop difficile à prononcer. Lorsqu'elle entendit Pamphile, le cadet, la traiter de « piquette de clôture » à cause de sa maigreur, elle le tança vertement et l'envoya nourrir les poules sous les quolibets de ses frères, car c'était une corvée dévolue aux femmes.

La maison de ferme était modeste mais bien tenue. Les Cloutier possédaient une terre d'une quarantaine d'arpents. Ils cultivaient surtout le blé, et l'avoine depuis peu. À part les poules, ils avaient deux vaches, deux chevaux de trait, quelques porcs ; juste de quoi subvenir à leurs besoins. Lorsque les récoltes étaient bonnes, ils en vendaient une partie au marché du village.

Pour éviter toute promiscuité avec les garçons, le père Cloutier avait fabriqué deux grabats faits de planches grossièrement assemblées et recouverts de paille qu'il installa dans le grenier. La ménagère du curé Normandeau fit le tour de la paroisse et trouva quelques couvertures et des vêtements pour les « p'tites Irlandaises », comme on les surnommait au village.

Les combles étaient suffocants durant le jour mais, la nuit, une brise rafraîchissante entrait par la lucarne. Amanda racontait des histoires à Fanette en gaélique avant de dormir, ou bien faisait des ombres chinoises de toutes les formes en se servant de la lanterne. Les deux sœurs s'endormaient en écoutant le son lancinant des grillons. Amanda et Fanette mangeaient à leur faim même si, pour des raisons d'espace, elles ne furent pas invitées à se joindre à la table familiale. Elles apportaient leur repas dans le grenier et ramenaient ensuite à la cuisine les écuelles vides qu'elles récuraient et remettaient dans le bahut.

Les Cloutier n'avaient pu tenir la promesse faite au père McGauran d'envoyer les deux filles à l'école de rang, car elles devaient participer aux travaux de la ferme et le temps manquait ; Amanda trayait les vaches, soignait les chevaux, sarclait le potager. Fanette, malgré son jeune âge, aidait Pauline Cloutier dans ses tâches quotidiennes : elle lavait la vaisselle, récurait les planchers et donnait à manger aux poules. C'était le travail qu'elle détestait le plus : le caquètement des poules l'étourdissait, et elle craignait leurs coups de bec lorsqu'elle s'avançait dans le poulailler, son tablier rempli de graines. Une fois, le coq s'était précipité sur Fanette, et elle avait eu si peur qu'elle avait laissé tomber les graines sur le sol. Les poules s'étaient lancées dessus en caquetant à qui mieux mieux, égratignant les jambes de Fanette en voulant picorer. Pauline Cloutier était entrée en courant dans le poulailler et avait pris la petite dans ses bras.

— Pleure pas, ma Fanette, elles t'ont fait plus de peur que de mal…

Pauline Cloutier, qui avait été institutrice avant de se marier, donnait parfois des leçons de français aux deux sœurs, le soir, après souper, leur enseignant les mots usuels de la vie quotidienne. Amanda apprenait vite, mais Fanette encore davantage, surtout pour son jeune âge. Elle était curieuse et éveillée, toujours à l'affût d'un mot nouveau. Pauline se rappelait avec nostalgie la grange qui avait été transformée en école de rang où elle avait enseigné pendant deux ans : la truie qui trônait au milieu de l'ancienne grange et fumait plus qu'elle ne chauffait la grande pièce mal isolée, les trois milles qu'elle devait parcourir à pied pour se rendre de chez elle à l'école, la beauté du ciel orangé à l'aube. Puis elle était tombée amoureuse de Norbert Cloutier, le plus beau gars du village. Ils s'étaient mariés après quelques mois de fréquentation. Et ses rêves avaient pris fin. Non pas que Norbert fût un mauvais mari. Il trimait dur, n'était pas un gros buveur et ne courait pas la galipote. Mais on aurait dit qu'il portait des œillères, comme un cheval de trait qui tire sa charrue à longueur de journée en laissant un sillon étroit tracé par le soc. Il ne savait ni lire ni écrire ; elle lui avait montré à signer son nom, mais il ne voyait pas l'utilité d'en apprendre davantage. Ses étreintes étaient brèves et sans tendresse. Elle était devenue enceinte dès leur première année de mariage et depuis avait l'impression de passer sa vie à porter un gros ventre, entre deux accouchements. À l'aube, quand elle sortait chercher des œufs ou traire les vaches, elle ne voyait plus la beauté du ciel orangé.

Les premières neiges arrivèrent. Les terres recouvertes de neige se confondaient avec le ciel. Les trois fils les plus âgés partirent pour un camp de bûcherons situé à trente-cinq milles au nord de La Chevrotière. Pamphile, qui venait d'avoir dix ans, et Émile, qui allait sur treize ans, étaient restés à la ferme. Émile était un beau garçon aux grands yeux doux mais de constitution fragile. Les mauvaises langues prétendaient qu'il « avait un grain », car il lui arrivait d'avoir des crises pendant lesquelles il tremblait sans pouvoir se contrôler, l'écume aux lèvres. Parfois, il avait des convulsions, ce qui fit craindre aux Cloutier que leur fils fût atteint du « grand mal » ou, pire, disait le père Cloutier, qu'il fût possédé par le démon. Ils n'avaient pas les moyens de payer une consultation du docteur Boudreault, le médecin du village. Quand, par malheur, Émile avait une crise, Norbert Cloutier allait chercher le curé Normandeau, et la famille se réunissait dans la cuisine pour prier, en espérant ainsi chasser les mauvais esprits qui s'étaient emparés du pauvre garçon.

Un soir de février, Émile fit une crise particulièrement virulente. Ses yeux étaient révulsés et il râlait, battant l'air des mains comme s'il était en train de se noyer. Il tomba par terre, secoué de tremblements. Impossible d'aller chercher le curé : la neige tombait si dense qu'on n'y voyait pas à un pied devant soi. Madame Cloutier, affolée, courut prendre une couverture dont elle couvrit son fils. Puis la famille s'assembla dans la cuisine autour du poêle à bois pour prier. Amanda refusa de se joindre à eux et resta avec Émile. Elle se pencha au-dessus de lui, vit l'écume sortir de sa bouche, ses yeux se révulser encore davantage tandis qu'elle entendait les voix psalmodier « Notre Père qui êtes aux cieux ». Elle remarqua soudain que la langue d'Émile commençait à s'enrouler vers son palais. Il ne râlait presque plus, comme si l'air ne parvenait pas à ses poumons. Ses lèvres étaient devenues bleues. Intuitivement, elle mit les doigts dans sa bouche et dégagea la langue. Le garçon se mit à respirer à pleins poumons, faisant un bruit de forge. Après quelques minutes, il devint plus calme, et sa respiration, plus régulière. Il ouvrit les yeux et aperçut le visage d'Amanda qui le regardait avec inquiétude. Quelques mèches rousses sortaient de son bonnet de coton ; ses yeux étaient gris comme la rivière Sainte-Anne au petit matin. Il sourit, l'air d'un voyageur qui revient de loin et est enfin rentré chez lui. Amanda remarqua à quel point il était beau lorsque son visage était apaisé. Les prières avaient cessé. Tous les regards étaient tournés vers eux.

— Tout va bien, Émile, murmura-t-elle. Tout va bien.

∽

Après ce fameux soir, les crises d'Émile se firent de plus en plus rares. Le père Cloutier se mit en tête qu'Amanda possédait peut-être des pouvoirs maléfiques. Sa femme accueillait ses craintes avec agacement, mais le bonhomme était têtu comme une mule.

— Je te l'avais dit… Les roux sont acoquinés avec le diable…

— Eh que t'es innocent, des fois. T'as pas d'yeux pour voir ?

Amanda, déjà élancée à son arrivée à la ferme, avait encore grandi. Elle commençait à avoir des seins, ses hanches s'arrondissaient. À la messe du dimanche, les regards des garçons s'attardaient sur elle. Mais ce qui inquiétait Pauline, c'était l'ascendant qu'Amanda semblait exercer sur Émile, qui la suivait partout comme son ombre. Elle ne pouvait s'empêcher de penser au pire : *S'il fallait qu'il la mette enceinte…* Pauvre d'esprit comme il l'était, tout pouvait arriver.

Un dimanche de mars, alors que Pauline se rendait à l'étable pour traire les vaches, elle se rendit compte que la porte de la grange était entrouverte. Elle s'approcha et aperçut Émile et Amanda enlacés dans le foin en train de s'embrasser. Elle entra en trombe, empoigna Émile par la manche de sa chemise en lin avec une telle violence qu'elle se déchira.

— Que je t'y reprenne plus, sinon tu vas avoir affaire à moi ! cria-t-elle, hors d'elle.

Émile, les yeux pleins d'eau, sortit de la grange en courant. Amanda s'était relevée et enlevait quelques brindilles de foin de ses cheveux. Pauline se tourna vers elle et la gifla à toute volée.

— Tu devrais avoir honte de profiter d'un pauvre d'esprit ! Un dimanche par-dessus le marché !

Amanda mit la main sur sa joue, pâle de révolte.

— Émile a toute sa tête. Puis, c'est pas un péché de s'embrasser, même le dimanche !

— Je t'interdis de t'approcher de mon garçon, entends-tu ?

À partir de ce jour, Pauline se mit à surveiller son fils et Amanda, guettant leurs moindres mouvements. Fanette était trop jeune pour comprendre ce qui se passait, mais elle sentait que quelque chose avait changé. Pauline et Amanda se regardaient en chiens de faïence, Émile se promenait désormais comme une âme en peine. Puis ses crises recommencèrent. Amanda enrageait de ne pouvoir l'aider. Lorsqu'elle montait dans les combles rejoindre Fanette, elle ne lui racontait plus d'histoires, ne jouait plus aux ombres chinoises comme elle le faisait d'habitude. Elle s'étendait sur sa couche, les yeux fixant les poutres, la révolte au cœur.

∽

Le printemps fut précoce. Les trois fils Cloutier revinrent du chantier en même temps que les hirondelles. L'aîné, Jacques, était le portrait craché de son père au même âge : grand, des épaules larges, la mâchoire carrée. Pauline, sans se l'avouer, le préférait à tous ses autres fils, peut-être justement parce qu'il ressemblait tant à l'homme qu'elle avait cru aimer.

Lorsque Jacques aperçut Amanda penchée, en train de biner le potager, il ne trouva rien de mieux que de lui pincer les fesses. Elle se redressa, furieuse.

— Bas les pattes !

Il la reluqua, hilare.

— Eh, la belle Irlandaise ! Sais-tu que t'as profité pendant mon absence. T'es un maudit beau brin de fille. Je te ferais pas mal…

La vie de chantier était dure. Les hommes buvaient souvent ferme après leur épuisante journée de travail, un tord-boyaux infect fabriqué avec des patates, mais qui avait le mérite de chasser le froid et les idées noires. De temps en temps, les bûcherons se cotisaient pour les services d'une fille qui passait d'un homme à l'autre, avec la complicité tacite de Norman McGregor, le contre-maître. Ce dernier prenait un pourcentage sur les maigres gains des jeunes femmes, le plus souvent des Indiennes habitant dans les environs, avant de leur donner accès au camp. McGregor poussait parfois la générosité jusqu'à mettre sa cabine à leur disposition, car le chantier était interdit aux « filles de mauvaise vie », et il ne voulait pas avoir d'ennuis avec le propriétaire, qui envoyait de temps en temps, sans avertissement, un homme de confiance pour veiller au grain.

Cette existence rude avait laissé des marques précoces sur le beau visage de Jacques : il avait déjà, à vingt-deux ans, le teint rougeaud des buveurs et des rides amères aux coins de la bouche. Mais il défendait farouchement ses frères cadets, leur interdisant de coucher avec les filles et de prendre de l'alcool, et en venait aux mains dès qu'un bûcheron tentait de leur faire un mauvais parti. Il les aimait à sa façon, d'une affection rude et sans compromis.

La relation déjà tendue entre Pauline et Amanda le devint encore davantage avec le retour de Jacques. Il tournait autour d'Amanda, lui faisait des œillades dès qu'il en avait l'occasion, lui lançait des remarques explicites sur ses « appas ». Un soir, il poussa même l'audace jusqu'à l'embrasser alors qu'elle était toute seule à l'écurie, en train de brosser les chevaux. Amanda se débattit furieusement, mais il était fort comme un bœuf et la maintint contre la barrière de la stalle, tandis que sa langue pénétrait dans sa bouche. Amanda, dégoûtée, réussit à se dégager et retourna dans la maison en s'essuyant les lèvres avec sa manche, des larmes de colère aux yeux.

Pauline refusait de blâmer son fils, prétendant que c'était Amanda qui le provoquait. Elle se serait fait couper en morceaux plutôt que d'admettre que la vie de chantier l'avait changé. Elle cherchait en vain dans cet homme rustre et parfois violent le garçonnet doux qui était toujours dans ses jupes et lui apportait des pissenlits. Émile, témoin impuissant des incartades de son grand frère, tentait parfois de prendre la défense d'Amanda, mais

Jacques se moquait cruellement de lui. Émile trouvait alors refuge dans un arbre, près de la rivière Sainte-Anne qui coulait tout le long du rang, et pleurait de désespoir devant sa propre faiblesse.

XI

Québec
Le 22 juin 1849

Emma s'était levée encore plus tôt que d'habitude. Une grosse journée l'attendait. Il fallait d'abord aller au marché Champlain pour faire les emplettes de la semaine. Ensuite, elle devait se rendre à la seigneurie de Portelance. La veille, elle avait reçu un télégramme de la part de monsieur Dolbeau l'informant que le toit de la grange s'était écroulé. Emma n'avait pas pris la mauvaise nouvelle trop au sérieux, connaissant la propension de son métayer de transformer en catastrophes des événements parfois sans gravité. Elle alluma le poêle et prépara un café bien fort. Eugénie entra dans la cuisine, passant un châle autour de ses épaules et réprimant un frisson.

— Je ne t'ai pas réveillée j'espère, dit Emma, la mine désolée.

Eugénie secoua la tête.

— Je dormais plus de toute façon.

Eugénie toussa légèrement. Emma la regarda du coin de l'œil.

— Je te trouve bien pâlotte. Je t'ai entendue tousser cette nuit. Je vais demander au docteur Lanthier de passer te voir.

Eugénie protesta :

— Dérange-le pas pour rien ! Je vais très bien.

Eugénie sortit du pain de la huche et commença à le trancher. Emma contint un soupir. La santé d'Eugénie avait toujours été fragile, depuis qu'elle l'avait accueillie chez elle, dix ans auparavant ; mais la jeune femme était de nature stoïque et refusait d'accorder de l'importance à ses « petits bobos », comme elle les appelait. Emma prit une gorgée de café et replongea dans le journal *La Minerve*. Deux fois par semaine, elle se rendait à pied au *Post Office*, situé dans la rue Saint-Pierre, pour y prendre son courrier et ses journaux. Elle était abonnée à la *Gazette* et à *L'Aurore de Québec*. Quant à *La Minerve*, elle la faisait venir de Montréal.

Soudain, elle poussa une exclamation indignée et frappa la table avec son poing. Eugénie faillit se couper avec le couteau tranchant.

— Emma, qu'est-ce qui se passe ?

Emma brandit le journal, fulminant.

— Il se passe qu'on vient de nous enlever notre droit de vote !

Eugénie la regarda, incrédule.

— Voyons, c'est impossible…

— Lis l'article si tu me crois pas !

Eugénie s'approcha d'Emma, jeta un coup d'œil à l'article et lut tout haut : « Les femmes ont exercé leur droit de vote grâce à une ambiguïté dans l'Acte constitutionnel de 1791 qui accordait la qualité d'électeur à certains propriétaires et locataires sans distinction de sexe. Le gouvernement LaFontaine-Baldwyn a réparé cette erreur. »

Eugénie hocha la tête, médusée.

— Comme si le droit de vote pour les femmes était une erreur…

Emma renchérit, furieuse :

— La seule erreur, c'est d'avoir voté pour les Réformistes en 1847 ! Si j'avais su que mon vote allait les aider à me l'enlever…

Fanette entra à son tour dans la cuisine, pieds nus et en robe de nuit, observant la scène sans en comprendre l'objet, les yeux grands ouverts. Eugénie l'aperçut et vint vers elle, lui frottant gentiment les épaules.

— T'en fais pas, Fanette, Emma parle fort des fois, mais c'est comme une averse, ça dure jamais longtemps.

Emma leva les yeux vers elle, piquée au vif.

— T'admettras qu'y a de quoi grimper au plafond !

Eugénie sourit. Elle avait l'habitude des diatribes d'Emma et, alors qu'elle avait elle-même un caractère placide, l'enviait de pouvoir exprimer ses sentiments et opinions sans retenue.

— Je vais leur écrire, poursuivit Emma. Je les laisserai pas nous dépouiller de nos droits comme un mouton qui se fait tondre !

Eugénie regarda Emma avec tendresse. Cette dernière avait horreur de l'injustice. Un jour qu'elle s'était rendue à pied rue Saint-Paul pour faire des courses, elle avait vu un gamin sortir de la boulangerie Dicaire avec un pain enfoui dans un pan de sa chemise. Monsieur Dicaire, un gros homme au teint blafard comme ses pains, était à ses trousses, muni d'un rouleau à pâtisserie. Il poursuivit l'enfant, le prit au collet et le corrigea à coups de rouleau sous les quolibets des badauds hilares.

— Espèce de petit chenapan ! Ça va t'apprendre à voler !

Emma, furieuse, arracha le rouleau des mains du boulanger et l'en menaça à son tour tandis que le gamin prenait ses jambes à son cou.

— C'est vous, le chenapan ! Comment osez-vous vous en prendre à un enfant !

— Qui vole un œuf vole un bœuf ! rétorqua le boulanger, furieux.

Monsieur Dicaire alerta deux constables qui faisaient leur ronde. Un attroupement se forma. Heureusement, le docteur Lanthier, qui revenait chez lui en boghei après avoir fait la tournée de ses patients, s'empressa de faire monter Emma dans sa voiture avant que la situation ne dégénère.

Le docteur et Emma avaient raconté l'incident à Eugénie en riant à gorge déployée, mais Eugénie avait hoché la tête, inquiète.

— Monsieur Dicaire aurait pu te faire un mauvais parti.

Emma avait balayé ses craintes de la main en riant.

— C'est plutôt lui qui a failli goûter à sa propre médecine ! Le jour où je vais laisser un enfant se faire battre pour le vol d'un pain, les poules vont avoir des dents !

Emma avait attelé son cheval et accroché les harnais à la voiture. Des paniers étaient disposés dans le porte-bagages à l'arrière. Elle s'installait sur le siège lorsqu'elle entendit une voix flûtée s'élever derrière elle :

— S'il vous plaît, emmenez-moi !

Fanette courut vers la voiture. Emma lui sourit et lui fit signe de monter. La fillette, les joues rouges d'excitation, prit la main qu'Emma lui tendait et s'installa sur le siège à côté d'elle. Emma claqua la langue. Le cheval se mit au pas. La voiture croisa la charrette de monsieur Séguin, chargée de barils remplis d'eau empilés les uns par-dessus les autres. Il en faisait la livraison dans le quartier deux fois la semaine. L'hiver, monsieur Séguin se transformait en marchand de glace. Les blocs étaient taillés au bord du fleuve, puis transportés en *sleigh* et entreposés dans un hangar. On couvrait les morceaux de glace de bran de scie pour les conserver plus longtemps. Dès que monsieur Séguin avait livré la glace, Emma la rangeait sur la tablette supérieure d'une glacière en bois. La viande et les produits laitiers se conservaient ainsi une bonne semaine.

Le marché Champlain battait son plein. Une vingtaine de charrettes et de bogheis étaient déjà stationnés en rangs d'oignons tout au long de la place. Des ménagères, le panier au bras, se promenaient dans les allées couvertes par des toiles cirées et se penchaient au-dessus des étals pour examiner les marchandises de plus près. Les voix des marchandes s'élevaient d'un étal à l'autre, répétant leur boniment comme un leitmotiv :

— Des pommes, des belles pommes… trois cennes la douzaine, soixante cennes le panier…

— Achetez mes pétaques, mes belles pétaques…

Emma eut toutes les misères du monde à trouver une place libre. Au rythme où la ville de Québec se développait, elle n'osait imaginer ce que ce serait dans dix ou vingt ans… Elle avisa un fiacre qui partait et s'empressa de prendre l'espace libre. Une dispute éclata entre un paysan et un homme arborant de larges moustaches et un chapeau haut de forme. Ce dernier prétendait que la carriole du paysan avait égratigné son phaéton neuf. Au moment où Emma et Fanette descendaient de la voiture, des cris retentirent. Une marchande de fruits pointait un doigt en hurlant :

— Au voleur ! Au voleur !

Un garçon d'au plus douze ans, les vêtements sales et en loques, dévala la rue en courant comme un lièvre, tenant une pomme dans son poing fermé. Un policier portant un casque noir surmonté d'un écusson et une redingote à double boutonnage courut à sa poursuite et réussit à lui mettre la main au collet. Emma hocha la tête. Celui-là, elle ne pourrait pas l'aider. Elle savait ce qui l'attendait : des mois de prison, pour le vol d'une pomme. Fanette avait observé la scène en silence, serrant fort la main de madame Portelance dans la sienne.

Emma fit provision de lard, de jambon, de fèves, de fruits et de légumes. Elle n'achetait pas en trop grosse quantité, car durant la belle saison, les denrées périssables se conservaient mal. Fanette s'arrêta devant un cracheur de flammes, émerveillée de le voir dévorer le feu sans sembler être incommodé le moins du monde.

Ses paniers bien remplis, Emma se dirigea vers sa voiture, se retournant pour s'assurer que Fanette la suivait. Elle ne voulait surtout pas que la fillette s'égare dans la cohue. Fanette, les yeux brillants d'excitation, était toujours en train d'admirer le cracheur de flammes. Madame Portelance, ne voulant pas écourter le plaisir de la fillette, décida de placer ses paniers à l'arrière de la voiture et de revenir la chercher après.

Fanette souriait. L'odeur âcre de la fumée qui entourait le bateleur d'un halo jaunâtre se mêlait aux effluves qui lui parvenaient du fleuve. À travers les flammes orangées, elle vit à distance un mendiant, debout contre un mur, la main tendue. Il était de grande taille et portait des vêtements décents mais trop petits pour lui. Malgré les privations, il y avait quelque chose de farouche dans sa façon de quêter, comme s'il défiait les passants. Il leva les yeux vers elle. Ses prunelles étaient sombres, son regard dur comme la pierre. Elle le reconnut tout de suite. La peur lui serra le ventre et lui fit battre le cœur très vite. Elle tourna la tête, aperçut madame Portelance en train de remplir le porte-bagages avec les paniers. Elle se mit à courir vers elle pour échapper au regard de l'homme qui continuait à la fixer. Elle était hors d'haleine lorsqu'elle la rejoignit, les yeux agrandis par la peur. Emma fut saisie de la voir dans cet état.

— Qu'est-ce que tu as, ma chouette ? C'est le lanceur de flammes qui t'a fait peur ?

Fanette secoua la tête en silence. Elle n'osait se retourner, de peur de voir à nouveau le mendiant aux yeux sombres. La crainte paralysait ses membres. Elle fut sur le point de parler du mendiant à madame Portelance, mais quelque chose la retint. Si sa bienfaitrice apprenait qu'elle connaissait cet homme, elle la renverrait peut-être à la ferme. Emma, voyant la fillette trembler comme une feuille, la serra contre elle. Fanette ferma les yeux, déjà rassurée de sentir les bras protecteurs autour d'elle.

— N'aie pas peur, Fanette. On s'en va.

Elle aida la fillette à prendre place sur le siège et s'y hissa à son tour.

L'homme regarda la voiture s'éloigner. Il fouilla fébrilement dans sa poche, trouva quelques pièces de monnaie. Il avait dépensé presque tout l'argent que sa mère lui avait donné dans une maison de passe, mais le reste devrait suffire. Il courut vers une rangée de fiacres stationnés à la queue leu leu dans la rue Notre-Dame, s'engouffra dans l'un d'eux. La portière claqua.

Fanette se tint coite tout au long du retour. Emma, qui lui jetait un coup d'œil de temps en temps, constata que Fanette était pâle et que sa petite bouche était un peu crispée. Emma haussa les épaules : les enfants étaient de petites personnes, mais ils avaient des pensées, des songes et des secrets, comme les adultes. Elle ne vit pas le fiacre qui les suivait à distance.

Une fois à la maison, Eugénie aida Emma à ranger les victuailles. Fanette s'était assise sur le banc dans le jardin, la mine absente.

— Qu'est-ce qui la chicote ? demanda Eugénie en plaçant des légumes au frais dans un garde-manger aménagé dans une alcôve.

— J'en sais rien. Une peur d'enfant, j'imagine. Ça va lui passer.

Emma donna à manger à son cheval, qui était resté sagement devant la maison, toujours attelé à la voiture, puis elle enfila sa redingote de voyage et son chapeau à large bord.

— Ne te chicane pas trop avec monsieur Dolbeau, lui recommanda Eugénie, un tantinet taquine.

Emma soupira.

— Je vais essayer.

— Sois prudente en route.

L'homme, debout contre l'encoignure d'une porte, vit la voiture de madame Portelance s'éloigner. La petite n'était pas avec elle. Il attendit que la voiture disparaisse et s'approcha de la maison. Il jeta un coup d'œil à la ronde. Il n'y avait personne. Il se dirigea vers la porte cochère, constata que la clôture n'était pas verrouillée. Il la poussa doucement, et elle s'ouvrit avec un léger grincement.

Après avoir donné une leçon de grammaire à Fanette, Eugénie décida de l'initier au point de croix. Elle était médusée par sa vive intelligence et la rapidité avec laquelle la fillette assimilait ses nouvelles connaissances. Fanette était entrée dans leur vie à peine deux semaines auparavant et elle se demandait déjà comment elle avait pu vivre si longtemps sans sa présence. Elle prit un mouchoir et l'inséra dans un tambour, puis sortit une aiguille et des fils à broderie d'un coffret. Fanette la regardait faire, fascinée par les couleurs irisées des fils de soie. Elle semblait avoir oublié sa frayeur.

Eugénie cherchait les petits ciseaux qui lui servaient à couper les fils. Elle se rappela les avoir utilisés pour raccommoder des draps, la veille, et les avait laissés sur la commode, dans sa chambre. Elle se leva pour aller en chercher une paire à la cuisine. Elle n'eut même pas le temps de pousser un cri. Un bras puissant lui enserrait le cou par derrière. Une voix lui chuchota à l'oreille.

— Crie pas, ou je te tue.

Eugénie réussit à contenir le cri qui montait dans sa gorge. Elle sentit le bras l'entraver encore davantage et une douleur dans le dos, comme si on y enfonçait une aiguille. *Un couteau*, comprit-elle, paralysée par la peur.

— Où est la petite ? dit-il, la voix rauque.

La terreur s'empara d'Eugénie. Comment pouvait-il savoir que Fanette était dans la maison ? Elle fit un effort pour ne pas céder à la panique. Elle murmura, la voix étranglée :

— Quelle petite ?

Elle sentit la pointe aiguë s'enfoncer entre ses omoplates. Elle réprima une grimace de douleur. L'homme continua à murmurer dans son oreille :

— Je sais qu'elle est ici.

— Je suis toute seule, répondit Eugénie, la voix plus ferme.

Elle sentit le souffle de l'homme dans sa nuque.

— Je veux de l'argent. Tout ce que t'as.

Heureusement, Emma ne gardait jamais de grosses sommes dans la maison. Chaque fois qu'elle revenait de la seigneurie Portelance avec les arrérages, elle se rendait à la Quebec Bank, rue Saint-Pierre, pour y faire un dépôt. Eugénie éleva la voix, dans l'espoir que Fanette l'entende et se mette à l'abri.

— On a presque rien.

La lame s'enfonça un peu plus.

— Essaye pas de finasser.

Elle balbutia, plus morte que vive :

— Je vais vous montrer.

Il relâcha légèrement l'étau. Eugénie se rendit vers une armoire, près de la glacière, l'ouvrit, les mains tremblantes, en sortit un pot dans lequel se trouvaient quelques livres sterling, des shillings et même de vieux louis qui circulaient encore à Québec. Il s'empara du pot, prit l'argent qu'il fourra fébrilement dans sa poche sans prendre le temps de compter. Soudain, le bruit d'un objet qui tombe par terre retentit. Le voleur agrippa brusquement Eugénie. Le couteau s'enfonça encore plus dans son dos, entamant le tissu de sa robe en gabardine. L'homme entraîna Eugénie avec lui. Ils entrèrent dans le salon. Des livres tapissaient les murs. Eugénie jeta un regard effrayé autour d'elle. Personne. Elle aperçut le coffret de broderie par terre. Il s'était ouvert sous le choc et le contenu s'était répandu sur le plancher. L'homme continua à avancer. Il avisa un escalier qui montait à l'étage, y jeta un regard méfiant. La maison était redevenue silencieuse. On n'entendait que le tic-tac d'une horloge de parquet dont Emma avait hérité à la mort de son père. L'inconnu attendit un moment, aux aguets. Eugénie prit une inspiration pour se donner du courage.

— Je vous ai donné tout ce que j'ai. Je vous en prie, partez.

L'homme la fit pivoter face à lui, maintenant toujours son étau. Elle vit son visage pour la première fois. Il ne devait pas avoir plus de vingt-trois ou vingt-quatre ans, mais son regard dur et farouche le vieillissait. Elle avait souvent vu un regard semblable chez les hommes et les femmes nécessiteux, et même chez les enfants qu'elle soignait au refuge, mais quelque chose dans cet homme, la haine farouche qui semblait l'animer, lui fit peur. Sa barbe était longue, ses cheveux ébouriffés. Ses joues étaient creuses ; il ne devait pas manger tous les jours à sa faim. Ses vêtements étaient propres, mais usés et un peu trop petits pour lui.

— Avant, tu vas me payer en nature.

Il la poussa sur un divan, la maintint d'une main avec une force insoupçonnée et commença à déboutonner sa braguette de l'autre. Eugénie voulut crier, mais aucun son ne sortait de sa gorge. Un cri aigu retentit au même moment. Elle crut un instant que c'était elle qui avait crié, mais l'homme se leva d'un bond, un air de panique dans les yeux, son couteau à la main. Eugénie reconnut le couteau d'office qui lui servait à trancher les légumes. Il jeta un regard à la ronde. Eugénie fit un mouvement pour se relever, mais il la menaça avec l'arme :

— Reste là !

Tout en tenant le couteau pointé vers elle, il fit le tour de la pièce. Il regarda derrière un fauteuil, puis derrière une armoire. Personne. Il vit tout à coup les rideaux bouger. D'un mouvement vif, il les arracha. Une petite fille aux cheveux noirs, les yeux bleus écarquillés par la peur, se tenait debout contre le mur. Il la regarda sans faire un geste. Un long silence suivit. Eugénie en profita pour se lever le plus doucement possible. Elle tendit une main vers une lampe à huile placée sur un guéridon, voulut s'en emparer, mais quelque chose dans le silence qui se prolongeait lui fit interrompre son mouvement. L'homme finit par articuler, la voix blanche :

— Fanette…

Quand il l'avait aperçue de loin, au marché, il n'était pas absolument sûr que c'était elle. Mais maintenant, il en avait la certitude. Eugénie accusa le coup. Ainsi, l'intrus connaissait leur petite réfugiée. Comment cela se pouvait-il ? Contre toute attente, il baissa son bras. Le couteau glissa par terre. Il s'accroupit et tendit la main vers Fanette, mais elle se colla contre le mur, encore plus effrayée. Il eut un étrange sourire, d'une douceur qui contrastait avec la dureté de son regard.

— Aie pas peur, Fanette… J'te veux pas de mal.

Elle le fixait sans bouger. Eugénie, ne voulant pas mettre l'enfant en danger, s'avança à pas de loup derrière le voleur, espérant pouvoir lui reprendre le couteau, qui était près de lui. L'homme contempla encore Fanette un moment. Puis il se redressa, aperçut Eugénie à deux pieds du couteau. Il eut un sourire amer.

— Envoye, prends-le. Qu'est-ce que t'attends ?

Eugénie fit un mouvement pour s'en emparer, mais il le reprit, agile comme un chat malgré sa grande taille. Il se releva lentement, ne la quittant pas des yeux, le couteau serré dans son poing. C'est à ce moment que la fillette se plaça devant lui, frêle petit rempart entre le voleur et Eugénie. Cette dernière poussa un cri étouffé.

— Fanette ! Sauve-toi ! s'écria Eugénie, désespérée.

La fillette tremblait de tous ses membres, mais ses yeux bleus étaient fixés sur le voleur.

XII

La Chevrotière
Automne 1848

Il y aurait bientôt noces au village de La Chevrotière. Le bruit courait que Jacques avait engrossé Catherine, la fille de Rosaire Bertrand, un cultivateur plutôt prospère et respecté dans la communauté, et dont la ferme était à quelques milles de celle des Cloutier. Pour éviter le scandale, Rosaire s'était résigné à voir sa cadette épouser ce vaurien qui avait mauvaise réputation des milles à la ronde. D'aucuns prétendaient qu'il se rendait régulièrement à la maison de madame Bergevin, située dans la basse ville de Québec, rue Saint-Joseph, et qu'il y dépensait sans compter l'argent gagné à la sueur de son front au chantier ; d'autres affirmaient que Catherine n'était pas la seule victime de ce coureur de jupons. Rosaire avait néanmoins doté sa fille convenablement, mais avait veillé, par contrat notarié, à ce que les biens lui restent acquis, et que son mari n'en ait que l'usufruit.

La cérémonie eut lieu à l'église de La Chevrotière. Catherine, les yeux rouges, portait une robe que sa mère avait habilement coupée afin de dissimuler ses rondeurs naissantes. Le curé Normandeau bénit l'union sans enthousiasme. Au moment où il prononça la phrase rituelle enjoignant quiconque s'opposant à cette union de se déclarer, Rosaire Bertrand se racla fortement la gorge, provoquant des murmures dans l'assistance et un regard anxieux du curé Normandeau. Puis il fixa ses souliers, le visage sombre.

Normalement, le repas de noces aurait dû avoir lieu chez les parents de la mariée, mais Rosaire refusait obstinément que ce chenapan mette les pieds chez lui. On avait donc convenu que la fête se déroulerait chez les Cloutier. Des voisins charitables avaient consenti à sacrifier un porc et à le livrer chez les Cloutier la veille des noces. Pauline avait passé la journée dans la cuisine à préparer le repas avec l'aide d'Amanda. Elle ne desserrait pas les dents. Rosaire Bertrand avait toujours levé le nez sur eux. Il avait son propre banc à l'avant de l'église, s'arrangeait pour que tout le monde le voie quand il mettait avec ostentation un gros billet dans le panier durant la quête ; pourtant, il mangeait, rotait et se soulageait comme tout un chacun ! Elle était convaincue que son Jacquot avait été victime des circonstances. Combien de fois n'avait-elle pas aperçu la Catherine rôder près de la ferme, sous un prétexte ou un autre ? Était-ce sa faute si Jacques était un beau grand gaillard plein de bagout qui plaisait aux filles ? Malgré tout, elle avait décidé de faire contre mauvaise fortune bon cœur. En fin de compte, ce mariage n'était pas une si mauvaise affaire. Il assagirait peut-être son fils aîné. Et même s'il n'avait que l'usufruit de la dot, ce n'était pas une union à dédaigner. Le père Bertrand était riche comme Crésus, comme on dit. Avec le temps, il finirait par entendre raison. Surtout quand le premier petit-fils viendrait. Elle connaissait les hommes, ils étaient d'une vanité sans nom lorsqu'il s'agissait de leur descendance, surtout si elle était assurée par des garçons, ça va sans dire. Elle leva la tête, vit par la fenêtre son mari, Jacques et Pamphile, qui installaient des planches sur des tréteaux dans le champ et des nappes blanches que madame Bertrand avait finalement accepté de prêter pour l'occasion, non sans prendre un air pincé en disant : « J'espère que vous allez me les rendre pareilles que vous les avez trouvées. » *Comme si j'allais lui remettre ses nappes sales !* fulmina Pauline.

Émile était grimpé dans un arbre et installait une lanterne. Il en avait déjà accroché une dizaine. Il prétendait que ce serait plus joyeux. Elle contint un soupir. En voilà un qu'elle aurait de la difficulté à caser… Il avait eu une autre crise pas plus tard que la semaine précédente. Cette fois, elle avait bien cru le perdre, tellement il râlait. Elle avait réussi à convaincre Norbert de faire venir le docteur Boudreault, même s'il rechignait devant la dépense. Le médecin l'avait examiné et avait hoché la tête : Émile était bel et bien atteint du « grand mal ». Il lui avait donné du laudanum pour le calmer, mais il ne pouvait rien faire de plus pour lui.

— Encore de l'argent jeté par les fenêtres ! avait marmonné son mari.

Le repas, sans être fastueux, fut convenable. Une brise encore chaude pour la saison soulevait les nappes blanches. Amanda et Pauline faisaient le tour des tables et servaient de la tourtière et du rôti aux convives. Rosaire Bertrand ne se dérida pas durant le souper et partit tôt, entraînant sa femme et le curé Normandeau avec lui. La fête se poursuivit tout de même jusque tard dans la soirée. Il avait été convenu que les mariés passeraient la nuit dans le lit des maîtres et qu'ils partiraient le lendemain pour une semaine à Deschambault, chez Bernadette, la sœur cadette de Norbert, qui avait accepté de les héberger en attendant que le père Cloutier eût fini de bâtir derrière la maison une annexe qui deviendrait leur chambre à coucher.

La mariée, les joues rosies par l'émotion, un verre de cidre et les allusions salaces de son mari, couvait ce dernier des yeux. Jacques, qui avait bu de la bière Boswell plus que de raison, riait à gorge déployée de ses propres facéties, faisait des œillades à Catherine et regardait souvent Amanda à la dérobée. Cette dernière s'était assise au bout d'une table et mangeait. Elle avait couché Fanette depuis longtemps. Après avoir terminé son repas, Amanda se leva et, son assiette à la main, se dirigea vers la maison. Elle sentit le regard de Jacques dans son dos. Elle se retourna un instant. Jacques la fixait, les prunelles allumées par l'alcool et quelque chose d'autre qu'Amanda ne voulut pas définir.

Une lanterne à la main, Amanda grimpa l'échelle menant aux combles. Fanette dormait, sa petite main posée sous son menton. Elle accrocha la lanterne au crochet sur une poutre, se mit en robe de nuit, puis s'assit à côté de Fanette, lui caressa les cheveux doucement, pour ne pas la réveiller. «*Fhionnuala*», murmura-t-elle, utilisant son prénom gaélique pour la première fois depuis des mois. Que de malheurs elle avait vécus dans sa courte existence ! Amanda se demandait souvent à quoi sa petite sœur pouvait bien songer, lorsqu'elle la voyait, assise dans un coin, le pouce dans la bouche, les yeux perdus dans un rêve éveillé. Pensait-elle à leur mère ? À leur petite sœur Ada ? À leur père ? À la pauvre petite Helena ? À Arthur et Sean, qui vivaient maintenant au Nouveau-Brunswick ? Amanda ferma les yeux. Elle revit les deux marins rabattant une vieille toile sur le visage blême de leur père avant de l'emmener sur le pont. Fionnualá s'était mise à hurler comme un petit animal. Elle s'était accrochée à la main inerte qui pendait et refusait de lâcher prise : «*A Dhaiдí !* *A Dhaiдí !* Papa ! Papa !*»

Amanda avait tenté de prendre Fionnualá dans ses bras, mais elle continuait à s'agripper à la main de son père. Amanda avait résolu de les suivre jusque sur le pont. Un marin, accroupi près de Fionnualá, avait essayé de dénouer les doigts de la fillette, mais ils étaient si rigides qu'il craignait de les briser. Le capitaine Erwin était sorti de sa cabine, alerté par les cris de Fionnualá, qui couvraient presque le ressac des vagues contre la coque du bateau. Il secoua la tête. Pourtant, Dieu sait qu'il avait été témoin de scènes plus horribles les unes que les autres, des semaines durant. Il contint un soupir et retourna dans sa cabine. Amanda s'approcha de sa sœur, tenta à nouveau de la raisonner en gaélique. Un petit attroupement s'était formé. Visiblement, les matelots étaient dépassés par les événements.

Un goéland traversait le ciel. Amanda entendit ses cris plaintifs qui semblaient faire écho à ceux de Fionnualá. Elle s'écria :

— *Sin дaiдí !* C'est papa ! *Féach !* Regarde !

Fionnualá cessa soudain de crier. Elle leva les yeux vers le ciel, aperçut le goéland qui tournoyait lentement autour du navire.

— *An eala !* Le cygne ! murmura-t-elle.

Elle lâcha la main de son père, suivit des yeux la trajectoire du goéland dont les ailes blanches et noires se détachaient dans le bleu foncé du ciel.

Amanda ouvrit les yeux, regarda à nouveau sa sœur dormir. Sa poitrine se gonflait et s'abaissait paisiblement. Elle ramena tendrement la couverture sur elle. Heureusement, Fionnualá s'était laissé ramener par l'un des marins dans la cale. Amanda était restée avec son père. Elle avait vu des marins enrouler son cadavre dans la toile déchirée et le jeter à la mer comme un vulgaire sac de détritus.

Amanda souffla la bougie dans la lanterne et s'étendit à son tour. La lune, presque pleine, se profilait à travers la lucarne, découpant un rai de lumière sur le plancher du grenier. Elle s'endormit.

Amanda se réveilla brusquement. Une ombre gigantesque planait au-dessus d'elle. Puis elle sentit une main s'abattre sur sa bouche. Elle entendit une voix chuchoter à son oreille.

— Pas un mot. C'est juste moé.

Elle reconnut la voix de Jacques. Il empestait la bière, l'eau-de-vie et le tabac. Elle tenta de se dégager, mais il s'empara de ses deux mains et les immobilisa sur le grabat. Elle fut tentée de crier, mais elle pensa soudain à Fanette. Comme s'il avait lu dans ses pensées, il murmura :

— Y faut pas réveiller ta p'tite sœur…

À partir de ce moment, elle eut une conscience très nette de ce qui allait lui arriver. Le sentiment de son impuissance la dévasta. Jacques retroussa sa robe de nuit, dégagea sa braguette. Sa respiration était saccadée, mais il s'efforçait de ne pas faire trop de bruit. Amanda avait les yeux fixés sur la lune, comme pour se donner du courage, puis tourna la tête vers sa petite sœur pour s'assurer qu'elle dormait toujours.

Elle sentit quelque chose de dur entre ses cuisses, puis la douleur fut fulgurante, comme si ses entrailles avaient été déchirées par la lame d'un rasoir. Elle fit un effort surhumain pour ne pas crier. Jacques allait et venait en elle, d'un mouvement sec et régulier. Puis le mouvement s'amplifia. *Mon Dieu, faites que ça finisse*, se répétait Amanda, *faites que ça finisse…* Il eut soudain une sorte de tressaillement. Ce fut au tour d'Amanda de plaquer une main sur la bouche de Jacques, comme si elle avait senti instinctivement qu'il était sur le point de hurler. Il s'arc-bouta, puis retomba sur elle. Il était lourd, elle arrivait à peine à respirer. Elle sentit un liquide chaud et visqueux couler entre ses cuisses. Après un moment, il lui caressa maladroitement les cheveux, puis se releva, rajusta son pantalon et descendit, non sans échapper un juron lorsqu'il se frappa la tête contre l'une des poutres.

Amanda tourna à nouveau la tête vers Fanette ; elle dormait toujours, son visage paisible éclairé faiblement par la lune. Après un moment, elle se leva, se dirigea vers un coin du grenier, déplaça une latte de bois sous lequel se trouvait un petit espace. Elle se pencha, prit le pendentif en forme de trèfle que sa mère lui avait donné avant de mourir. Elle l'avait caché peu de temps après leur arrivée à la ferme, craignant qu'un des fils Cloutier le vole. Elle le serra dans son poing, comme si le souvenir de sa mère pouvait la laver de la honte et de la rage qui l'habitaient. Puis elle le remit dans sa cachette et replaça la planchette. Elle avait pris la ferme résolution de s'enfuir avec Fanette.

XIII

Comme Emma l'avait pressenti, la « catastrophe » annoncée par monsieur Dolbeau se résuma à quelques planches pourries qui avaient cédé après une grosse pluie en laissant une ouverture d'au plus six pouces dans le toit de la grange. Plusieurs sacs de farine avaient été trempés par la pluie; ce n'était pas la fin du monde. Elle lui donna de l'argent pour acheter des planches et repartit, mécontente d'avoir été dérangée pour si peu. D'un autre côté, elle avait beau rouspéter, tout prétexte était bon pour revoir la seigneurie, contempler ses terres et les filaments de brume qui s'élevaient du fleuve. Et pour siroter le verre de cidre offert par madame Dolbeau...

Lorsqu'elle revint chez elle, Emma constata avec étonnement que la maison était plongée dans le noir. Elle descendit de sa voiture, se rendit compte que la clôture de la porte cochère était entrouverte. Eugénie était sans doute partie faire une commission, ayant oublié de la refermer. Elle hocha la tête en souriant. Eugénie lui recommandait d'être prudente en route, et laissait la clôture ouverte à tout venant... Elle emmena son cheval par la bride vers sa place habituelle, lui donna du foin et de l'eau, puis entra dans la maison par la porte de la cuisine. La maison était étrangement silencieuse. L'obscurité régnait partout.

— Eugénie?

Pas de réponse.

Emma s'avança à tâtons dans la cuisine, alluma la lampe à huile, qui était sur une tablette au fond. Une lumière jaunâtre éclaira la pièce. Aucune casserole sur le poêle, pas de pelures de légumes indiquant qu'un souper était en train de mijoter.

— Eugénie ? Fanette ?

Inquiète, Emma prit la lampe et se dirigea vers le salon. Son ombre se projetait sur le plancher en bois qui grinçait sous ses pas. Elle entra dans la pièce, ne vit personne au premier abord. Puis elle aperçut le coffret à broderie d'Eugénie qui gisait par terre. Son cœur se mit à battre. Elle éleva la lampe, vit une forme blanche sur le sol, crut un moment qu'il s'agissait d'un corps. Elle mit une main sur sa bouche. *Mon Dieu, pourvu qu'il ne leur soit rien arrivé*, pensa-t-elle. Il y avait eu quelques vols dans le quartier peu de temps auparavant, un comité de vigilance avait été formé, et la ville avait augmenté le nombre de gendarmes pour faire des rondes de nuit, mais sait-on jamais… Soudain, deux silhouettes apparurent dans le faisceau de lumière, étendues côte à côte sur le divan. Elle retint un cri et se précipita vers les corps immobiles, se pencha vers eux. C'était Eugénie et Fanette. Celle-ci tenait la main d'Eugénie dans la sienne. Emma les examina à la lueur de sa lampe : elles semblaient indemnes.

— Seigneur de la vie, qu'est-ce qui vous est arrivé ! s'exclama-t-elle. Qu'est-ce que vous faites dans la noirceur ?

Eugénie la regarda comme si elle ne la reconnaissait pas. Elle mit un temps avant de recouvrer ses esprits.

— On a reçu une… visite.

— De la visite ?

Eugénie fit un effort pour parler. Les mots passaient difficilement dans sa gorge.

— Un voleur.

Emma dut s'asseoir tellement ses jambes étaient en coton.

❧

Emma avait mis Fanette au lit. Le docteur Lanthier lui avait administré un léger sédatif, après l'avoir examinée des pieds à la tête.

— Elle va bien, dit-il à Emma et Eugénie en les rejoignant au salon. Elle n'a même pas l'ombre d'une ecchymose.

Il jeta un coup d'œil dubitatif à Eugénie. Elle était pâle comme un linge et son regard était vague, comme quelqu'un qui a subi un choc. Il s'assit à côté d'elle, lui prit gentiment le poignet.

— On ne peut pas en dire autant de vous, chère Eugénie.

— Je vais bien, affirma Eugénie.

Mais sa mine trahissait l'angoisse et la fatigue. Le docteur Lanthier observait sa montre tout en gardant le pouce et l'index sur le poignet d'Eugénie. Après un moment, il hocha la tête.

— Le pouls est un peu irrégulier, mais rien d'inquiétant.

Emma se pencha vers elle, ne cachant pas son anxiété.

— Maintenant que Fanette est couchée, tu vas tout nous raconter par le menu détail.

Eugénie contint un soupir.

— C'était un voleur. Il était affamé. Il voulait de l'argent.

Son châle glissa de ses épaules. C'est alors qu'Emma aperçut une écorchure dans le tissu de sa robe, au milieu du dos.

— Seigneur, il t'a blessée !

Eugénie, qui ne voulait pas l'inquiéter, fit non de la tête.

— Comment ça, non ! Viens pas me dire que tu t'es fait ça toute seule !

Le docteur Lanthier jeta un coup d'œil à Emma pour l'enjoindre de rester calme. Elle prit une grande inspiration.

— Eugénie, tu dois tout nous dire. Je te promets de plus m'énerver.

Eugénie garda le silence un moment, puis poursuivit :

— Il… il avait un couteau.

— Un couteau ! s'exclama Emma, bouleversée.

Eugénie mit un doigt sur sa bouche.

— Je t'en prie, Emma. Il faut pas réveiller la petite.

Emma fit un effort pour se calmer.

— Continue.

— Il l'a pris dans la cuisine. Il m'a menacée. Je lui ai donné l'argent qui était dans le pot.

Emma regarda Eugénie dans les yeux. Elle la connaissait comme si elle l'avait tricotée et sentait confusément qu'elle lui cachait quelque chose.

— T'es sûre qu'il t'a rien fait d'autre ? Je veux dire…

Eugénie hésita, puis jeta un coup d'œil embarrassé au docteur Lanthier. Ce dernier fit un mouvement pour se lever, comme s'il avait deviné à demi-mot qu'Eugénie désirait rester seule avec Emma.

— Non Henri, restez. Vous êtes notre ami, j'ai la plus grande confiance en vous, dit Eugénie.

Il se rassit, touché. Eugénie prit une grande inspiration, comme pour se donner le courage de poursuivre.

— Il… il a tenté de… de me molester.

Emma étouffa une exclamation horrifiée. Eugénie s'empressa de la rassurer.

— Mais il ne l'a pas fait. C'est Fanette qui l'en a empêché.

Même le docteur Lanthier perdit momentanément son flegme.

— Fanette ?

Eugénie s'expliqua :

— Le voleur a trouvé Fanette cachée derrière les rideaux. Il… il l'a reconnue.

Emma et le docteur se tournèrent instinctivement vers les rideaux arrachés. Eugénie poursuivit :

— Il l'a appelée par son prénom. Il… il avait l'air de la connaître. Il était même… comment dire… ému de la voir. Il a laissé tomber le couteau, a fait un mouvement pour lui caresser la tête, mais Fanette avait peur.

— Pauvre petite, il y a de quoi ! s'exclama Emma, bouleversée.

— Après, le voleur a repris le couteau. C'est à ce moment-là que Fanette s'est placée devant lui, comme pour l'empêcher d'avancer vers moi. Je lui ai crié de s'enfuir, mais elle est restée là. Il avait l'air d'un géant à côté d'elle.

Emma, devenue pâle comme de la craie, s'éventa avec son mouchoir.

— Mon Dieu…

Eugénie poursuivit son récit, la voix mal assurée.

— J'ai eu peur qu'il s'en prenne à elle. Mais il n'a rien fait. Il lui a juste dit : « Prie pour moi. » Après, il est parti.

Un silence suivit son récit. Emma avait recouvré son calme. Elle se tourna vers Eugénie, la mine résolue.

— Il faut que tu fasses une déposition à la police.

Eugénie ne répondit pas, songeuse. Emma s'étonna de son silence.

— C'est un homme dangereux. Il risque de faire du mal à d'autres personnes. Peut-être même de revenir ici.

Eugénie acquiesça.

— T'as raison.

Elle jeta un coup d'œil embarrassé au docteur Lanthier.

— Je sais que ça va vous paraître étrange, mais… Il faisait pitié. Il avait l'air traqué, sans espoir.

Le docteur Lanthier ne fut pas autrement étonné par la remarque d'Eugénie. Ça lui ressemblait tellement de prendre le parti des déshérités, même les pires d'entre eux ! C'est peut-être parce qu'elle avait elle-même échappé à l'abîme qu'elle pouvait éprouver tant de compassion pour ceux qui y étaient plongés.

Le lendemain, Emma se rendit dans la chambre de Fanette. Elle dormait, ses cheveux noirs encadrant son visage fin, une joue en partie cachée par son bras replié. Emma la regarda dormir, émue de voir la poitrine frêle se soulever et s'abaisser sous la couverture. Eugénie et elle avaient maintenant charge de cette petite âme. Cette pensée la remplit d'une joie mêlée d'angoisse. Elle avait été touchée par le sort misérable des nombreux enfants qu'abritait pour un temps le refuge du Bon-Pasteur, mais Fanette faisait maintenant partie de leur existence. Le destin l'avait mise sur sa route et elle lui devait protection et amour jusqu'à ce qu'elle puisse voler de ses propres ailes. Elle n'osait imaginer ce qu'aurait été le destin de Fanette, si elle l'avait ramenée chez les Cloutier.

Un rayon de soleil entra par la fenêtre, éclaira le profil enfantin de la fillette. Elle ouvrit les yeux, vit le visage rond et rose d'Emma penché au-dessus d'elle. Elle lui sourit. Emma sentit son cœur fondre.

— Je voulais pas te réveiller, murmura-t-elle.

— Je dormais pas, répondit Fanette.

Emma la couva d'un regard inquiet.

— Tu vas bien ?

Fanette acquiesça. Emma s'assit près d'elle. Il lui fallait aborder le sujet d'une façon ou d'une autre, mais elle répugnait à replonger l'enfant dans l'angoisse des événements de la veille.

— Tu sais, le voleur qui était dans la maison hier...

Fanette la regarda sans rien dire. Emma poursuivit :

— Eugénie m'a dit qu'il te connaissait.

Fanette hésita un instant, puis acquiesça.

— Tu peux me dire son nom ?

Fanette ne répondit pas. Emma discerna de la crainte dans ses yeux.

— N'aie pas peur. Il ne reviendra plus, je te le promets.

Fanette ne dit rien. Emma s'arma de patience. Par expérience, elle savait que les enfants avaient souvent tendance à taire leurs secrets pour se protéger ou par crainte de représailles. Au refuge, elle avait côtoyé beaucoup d'enfants battus et maltraités murés dans leur silence. Elle attendit un moment puis, voyant que Fanette ne voulait toujours pas parler, lui tapota le bras et se leva.

— Il y a du pain et du lait chaud qui t'attendent à la cuisine.

Elle se dirigea vers la porte et la voix flûtée de Fanette s'éleva.

— Il s'appelle Jacques.

XIV

La Chevrotière
Automne 1848

Amanda essaya de dormir, mais la douleur et la rage l'en empêchèrent. Elle regarda la lune s'effacer peu à peu sous la lumière
ambrée de l'aube naissante. Elle se releva sur son séant. Fanette
dormait toujours. C'est alors qu'elle remarqua le sang qui
tachait sa paillasse et sa robe de nuit. Elle replaça sa couverture sur le grabat pour que Fanette ne voie pas le sang à son
réveil, enleva sa robe de nuit, l'utilisa pour se nettoyer sommairement, la roula en boule et enfila des vêtements propres.
Elle descendit par l'échelle, sa robe de nuit sous un bras. Elle
marchait à pas de loup pour ne réveiller personne. Elle passa
devant la chambre des Cloutier, séparée des autres lits par une
simple cloison. La pièce sentait le foin, la sueur et le houblon
rance. Dans la demi-obscurité, elle vit Jacques, le visage étrangement enfantin dans le sommeil, sa main sur la hanche de
Catherine, couchée contre lui en chien de fusil. Une violente
amertume la submergea lorsqu'elle contempla les époux dormant
paisiblement du sommeil du juste. Si elle avait eu un couteau
ou un pistolet sous la main, à cet instant précis, elle les aurait
tués tous les deux.

Amanda descendit jusqu'à la cuisine, jeta la robe de nuit
dans le poêle refroidi, mit quelques bûches par-dessus, y versa
quelques gouttes de suif, prit une allumette dans une boîte
en fer-blanc. Le père Cloutier les appelait des « lucifers ».
Pauline lui avait expliqué une fois que les premières allumettes
mises sur le marché, une dizaine d'années auparavant, étaient

dangereuses et pouvaient exploser au moment de l'ignition, d'où l'expression. Amanda gratta l'allumette, puis la déposa sous les bûches. Des flammes orange et vert commencèrent à s'élever. Le sang sur sa robe de nuit grésilla un court instant, puis commença à brûler en laissant échapper une fumée blanche et âcre. Elle toussa, referma la portière du poêle et sortit en laissant la porte entrouverte. Elle courut vers la rivière. Elle respira l'odeur musquée des feuilles mortes. Lorsqu'elle atteignit la berge, elle enleva ses vêtements, les jeta sur l'herbe et les cailloux, puis s'élança dans la rivière, le corps saisi par l'eau glaciale. Elle sentit le froid la pincer comme des centaines d'aiguilles de pin, mais elle n'en avait cure. Elle vit le ciel à travers ses yeux mi-clos. Bientôt, Fanette et elle quitteraient cet endroit. Elle se trouverait un travail, n'importe lequel, pourvu que ce ne soit pas dans une ferme. Elle louerait une petite chambre, où elles auraient chacune un vrai lit et un joli coffre pour mettre leurs vêtements. Elles n'auraient plus jamais faim, ni froid.

Amanda sortit de l'eau en grelottant, les lèvres bleues. Elle eut soudain l'impression que quelqu'un la regardait. Elle leva les yeux, aperçut une silhouette perchée dans un arbre. Elle reconnut Émile. La rage qu'elle avait contenue jusque-là lui monta à la gorge. Elle se mit à crier, la voix cassée tellement elle était en colère :

— Descends de là, espèce de vicieux ! T'es comme ton frère ! Vous êtes tous pareils dans votre famille, des cochons et des pervers !

Elle enfila sa jupe et sa chemise en lin. Des larmes de colère coulaient sur ses joues. Émile dégringola de son perchoir. Il faillit se casser une cheville en tombant. Il hurla de douleur.

— Ça t'apprendra à me reluquer, petit vaurien, dit Amanda entre ses dents, tout en finissant de se rhabiller.

— J'étais là avant que t'arrives… parvint à articuler Émile. J'ai pas fait exprès de te regarder.

Amanda se rappela qu'Émile allait parfois se réfugier près de la rivière, quand il avait de la peine ou après une crise du « grand mal ». Après une hésitation, elle fit quelques pas vers lui.

— Tu t'es fait mal ? dit-elle, la voix encore chargée d'orage.

— Non, c'est rien, murmura Émile, les yeux pleins d'eau.

Amanda s'arrêta à sa hauteur.

— Es-tu capable de te lever ?

Il acquiesça. Elle lui tendit la main. Il la prit et réussit à se mettre debout. Il la regarda avec ses grands yeux bruns encore chargés de larmes d'enfant.

— Tu me crois ?

Elle haussa les épaules sans répondre, puis tourna les talons et s'éloigna en direction de la ferme.

— Amanda !

Elle se tourna vers lui.

— T'es tellement belle…

Elle faillit se fâcher à nouveau, mais il y avait une telle douceur dans son regard qu'elle en fut incapable. Pauvre Émile. C'était le seul être, dans cette maison, qui lui avait montré un peu de tendresse. Et même ces sentiments empreints d'innocence, il avait fallu que Pauline Cloutier les piétine. Elle eut soudain envie de prendre Émile dans ses bras, de le consoler du mal qui le rongeait, d'oublier dans ses bras graciles le corps lourd de Jacques sur elle, son visage déformé par un désir sauvage et froid. Elle songea un instant à lui révéler ses plans de fuite. Peut-être même pourrait-il les accompagner. Elle secoua la tête. C'était trop risqué. Émile pouvait avoir une crise à n'importe quel moment. De toute façon, les Cloutier seraient à leurs trousses, on les retrouverait vite. Non, c'était peine perdue. Émile, comme s'il avait lu dans ses pensées, fit un pas vers elle. Elle se détourna et se mit à marcher à pas rapides vers la maison. Demain, après-demain au plus tard, Fanette et elle seraient parties pour toujours.

Quand elle entra dans la maison, le père Cloutier était déjà dans la cuisine en train de remuer les tisons dans le poêle. Il fusilla Amanda du regard.

— C'est toé qui as allumé le poêle ? Ça chauffe la maison pour rien ! Ça paraît que c'est pas toé qui t'esquintes pour te payer le gîte et le couvert…

Amanda fut sur le point de lui rétorquer que très bientôt, il n'aurait plus à « s'esquinter » pour lui payer le gîte et le couvert, mais elle passa devant lui sans dire un mot. Il continua à maugréer entre ses dents tandis qu'elle s'engageait dans l'escalier qui menait aux chambres. En arrivant sur le palier, elle aperçut Jacques, debout en haut des marches, en train d'étouffer un bâillement. Elle s'arrêta sur ses pas, comme paralysée, puis fit mine de rebrousser chemin. Il vint se placer devant elle, bloquant l'escalier.

— T'es ben farouche tout d'un coup, Amanda. Tu l'étais pas mal moins c'te nuitte.

Il s'approcha d'elle, lui plaqua une main sur les fesses. Sans même réfléchir, dans un élan brusque, elle lui donna un coup de genoux dans les parties. Il se plia en deux, le visage rouge et crispé par la douleur. Catherine, en robe de nuit, se profila sur le palier, les yeux encore gonflés par le sommeil, l'air effrayé.

— Mon doux, qu'est-ce qui se passe ici dedans ?

— Demande à ton mari ! rétorqua Amanda, les dents serrées.

Elle se dirigea vers l'échelle menant aux combles. Catherine mit une main sur le bras de Jacques. Il se dégagea brusquement et se rassit sur le lit, l'air sombre et humilié.

Jacques et Catherine partirent vers la fin de la matinée vers Deschambault, empruntant à Norbert Cloutier un vieux boghei poussiéreux qui avait appartenu à son père. Un froid coupant avait succédé à la chaleur de la veille. Jacques avait le visage ombrageux, le regard dur. Catherine le suivait, un peu effrayée, ne comprenant rien à l'humeur de son mari. C'est avec un mélange de tristesse et de soulagement que Pauline vit le boghei s'éloigner sur la route. Son Jacquot était maintenant casé, pour le meilleur et pour le pire.

La nuit venue, Amanda ouvrit sa cachette, prit le pendentif qu'elle plaça autour de son cou. Puis elle mit quelques vêtements dans un sac en jute ainsi qu'une gourde qu'elle avait trouvée dans un coffre, près du lit des Cloutier. Elle avait échafaudé son plan la nuit du viol, alors qu'elle n'arrivait pas à trouver le sommeil. Amanda ne connaissait pas très bien la région, mais elle savait comment rejoindre le chemin principal qui menait au village de La Chevrotière. Elle y était allée à plusieurs reprises avec le père Cloutier, les jours de marché, pour l'aider à placer les légumes sur l'étal et les vendre. Le village était à quelques milles de la ferme, mais elle et sa petite sœur pourraient facilement s'y rendre en marchant. Une fois au village, elles trouveraient refuge dans l'église. Elle était toujours ouverte, même la nuit. Au petit matin, il y aurait bien un charretier pour les conduire quelque part, loin de la ferme des Cloutier, pour quelques shillings. Elle attacha le sac avec une vieille ficelle, le mit en bandoulière, puis réveilla doucement Fanette.

— Fionnualá… Réveille-toi, petite sœur… On s'en va.

— Où ? murmura Fanette en se frottant les yeux.

Elle chuchota en gaélique :

— *I bhfad i gcéin.* Loin…

Amanda avait décidé d'attendre la dernière minute avant de parler de son projet à Fanette, de peur qu'elle n'en parle, en toute innocence, devant les Cloutier. Sous la lumière diffuse de la lune, elle aida Fanette à s'habiller, prenant soin de lui mettre un chandail chaud que madame Bérubé, la ménagère du curé Normandeau, avait tricoté pour elle. Elle recommanda à Fanette de ne faire aucun bruit et de ne pas parler, pour ne pas réveiller la maisonnée ; puis elle la serra dans ses bras. Elle sentit le souffle de sa petite sœur sur sa joue et la serra encore contre elle, le cœur gonflé d'une tendresse presque douloureuse. Elle entreprit de descendre l'échelle, Fanette dans ses bras et le sac en jute ballottant doucement dans son dos, s'efforçant de ne pas faire craquer les barreaux. Soudain, l'un des échelons céda sous leur poids. Fanette poussa un petit cri. Amanda réussit à s'agripper aux montants de l'échelle.

— Chut… murmura-t-elle.

Amanda attendit, son cœur battant la chamade. Elle entendit des ronflements sonores provenant de la chambre des Cloutier. Après un moment, elle tendit le pied, réussit à atteindre le barreau suivant, s'assura d'avoir un bon appui et poursuivit sa descente, les bras de Fanette autour de ses épaules. Elle traversa la pièce sur la pointe des pieds ; les lattes de bois du plancher étaient sillonnées par un rayon de lune qui entrait par la fenêtre, dans l'interstice des rideaux. Elle entendit le bruit des respirations, quelques gémissements poussés par l'un des fils Cloutier. Elle crut reconnaître la voix d'Émile, qui faisait souvent des cauchemars. Le lit des Cloutier se mit soudain à grincer. Quelqu'un se levait. Elle s'immobilisa, les genoux tremblant. Elle entendit le bruit sonore d'un jet dans un pot. Elle contint un soupir : c'était le père Cloutier qui se soulageait la vessie. Après un moment qui lui parut une éternité, le lit grinça à nouveau. Les ronflements reprirent de plus belle. Amanda tâtonna, à la recherche de la rampe de l'escalier qui les mènerait vers leur délivrance. Elle la sentit sous sa paume.

Une fois dans la cuisine, Amanda mit un doigt sur sa bouche pour enjoindre Fanette de garder le silence, grimpa sur une chaise, prit un pot sur le bahut. Elle avait surpris Norbert Cloutier à quelques reprises en train d'y cacher de l'argent. Elle l'ouvrit, y plongea une main : il y avait plein de pièces de monnaie. Elle empoigna le pot et le renversa dans le sac en jute. Les pièces glissèrent dans le sac en tintant. Elle remit le pot à sa place, puis redescendit par terre, prit des allumettes, les « lucifers », comme les appelait le père Cloutier, les mit pêle-mêle dans le sac en jute. Amanda avait recouvré son sang-froid. Ses gestes étaient précis, calmes. Elle s'empara d'un pain dans la huche, le jeta dans le sac, puis fit signe à Fanette de la suivre. Elle prit une lanterne éteinte qui avait été accrochée à un clou près de l'entrée, puis ouvrit la porte, qui grinça. Amanda tendit l'oreille, le cœur battant, craignant que le bruit eût réveillé quelqu'un ; puis elle prit Fanette par le bras, l'entraîna dehors et referma doucement la porte.

Le vent s'était levé, le temps avait fraîchi tout d'un coup. Amanda resserra le vieux châle sur ses épaules en réprimant un frisson. Elle tenait Fanette par une main et la lanterne de l'autre. Elle n'avait pas l'intention de l'allumer avant d'être à bonne distance de la maison. Le ciel s'était couvert de nuages qui cachaient la lune en partie. Fanette trébucha sur une roche. Amanda la retint de justesse. Ce n'était surtout pas le moment de se blesser.

— Où on va ? répéta Fanette à voix haute.

— Au village, fit Amanda.

Elles s'engagèrent sur le chemin de campagne. La lune sortit momentanément des nuages, découpant les deux silhouettes ; puis d'autres nuages l'obscurcirent. Il faisait maintenant un noir d'encre.

Après quinze minutes de marche, Amanda décida d'allumer la lanterne. Il ventait si fort que les allumettes s'éteignaient les unes après les autres. Finalement, elle réussit à maintenir une petite flamme. La lumière fit un halo autour d'elles. Un éclair zébra soudain le ciel. Quelques gouttes se mirent à tomber. Puis ce fut l'orage.

Il pleuvait à boire debout. La lanterne s'était éteinte et Amanda avait été incapable de la rallumer. Elle avait attaché un foulard autour de la tête de Fanette pour la protéger de la pluie, mais l'eau tombait dru.

— J'ai froid, gémit Fanette.

Amanda lui serra la main.

— On arrive bientôt, mentit-elle.

Il y avait plus d'une heure qu'elles marchaient. Le chemin était devenu boueux ; elles trébuchaient dans des ornières remplies d'eau. Un hululement s'éleva soudain. Amanda sentit la main de Fanette se crisper dans la sienne.

— C'est juste une chouette, ou peut-être un hibou, expliqua-t-elle pour rassurer sa petite sœur, faisant un effort pour contrôler les tremblements de sa voix.

Après quelques pas, Amanda trébucha sur une branche. L'obscurité était si opaque qu'il était impossible de distinguer le chemin. Elle s'arrêta, fouilla dans sa poche, prit une allumette, mais elle était imprégnée d'humidité.

— On arrive bientôt ? demanda Fanette.

— Oui, ne t'inquiète pas.

Amanda aperçut enfin quelques lueurs trembloter à distance. *Si seulement ça pouvait être le village,* se dit-elle. Elle continua à marcher, tirant sur le bras de Fanette qui se fatiguait de plus en plus. Elle eut l'impression que le chemin rétrécissait, sans en comprendre la raison. Elle écartait des branches, dont certaines barraient la route. L'air était imprégné d'un parfum de feuilles mortes et de lichen. Puis elle entendit une sorte de bruissement. Elle tendit l'oreille. Il s'accentua. Alors, elle comprit : c'était une rivière. Elle distinguait nettement le fracas de l'eau contre les rochers, se mêlant à celui de la pluie qui tombait toujours à verse. Son cœur se serra dans sa poitrine. Pourvu qu'elle ne se soit pas trompée de chemin…

❧

L'aube pointait. Norbert Cloutier se leva au chant du coq, descendit l'escalier en ajustant ses bretelles. Il faisait un froid de canard. On entendait la pluie tambouriner sur les vitres. Bientôt, les grands froids s'installeraient à demeure pendant de longs mois. Il n'arrivait pas à s'y habituer. Pourtant, il en avait vu passer, des hivers interminables, avec leur lot de noirceur et d'ennui… Il arriva dans la cuisine baignée par une demi-pénombre. D'un mouvement rendu machinal par l'habitude, il ouvrit la porte du poêle. Il y jeta quelques bûchettes, chercha la boîte d'allumettes.

— As-tu vu les « lucifers » ? demanda-t-il à Pauline, qui venait d'entrer dans la cuisine. J'arrive pas à mettre la main dessus.

Elle le corrigea, irritée.

— Les al-lu-mettes. Elles y étaient pas plus tard qu'hier soir.

Elle se rendit vers la huche pour y prendre le pain qu'elle y avait mis la veille. Le pain avait disparu. Au même moment, elle entendit l'exclamation de son mari.

— Saint Chrême ! La lanterne !

Les Cloutier ne mirent pas beaucoup de temps à découvrir le vol des pièces de monnaie.

— C'est Amanda, dit Pauline entre ses dents. Ça peut juste être elle !

Blême de fureur, elle monta l'escalier quatre à quatre, puis parvint à la hauteur de l'échelle qui menait aux combles, essoufflée.

— Amanda !

Pas de réponse. Elle empoigna l'échelle, entreprit de grimper les échelons, gênée par sa jupe et par la pénombre. Elle perdit l'équilibre à cause de l'échelon manquant et faillit tomber. Elle réussit à se hisser de justesse en prenant appui sur le barreau supérieur. Une fois en haut, elle jeta un coup d'œil aux combles, envahies par la clarté laiteuse du matin. La vieille couverture était roulée en boule dans un coin. Les deux lits étaient vides.

Une battue fut organisée dans le voisinage pour retrouver les deux Irlandaises. Les Cloutier, pour ne pas perdre la face, avaient prétendu qu'elles étaient allées chercher de l'eau au puits et que, la nuit étant tombée, elles avaient dû s'égarer au retour. La pluie avait cessé, mais une bruine couvrait le paysage d'un voile de grisaille et le sol était boueux. Quelques fermiers se déplaçaient à pied, d'autres à cheval. Norbert décida d'atteler sa vieille jument à la charrette.

On les retrouva quelques heures plus tard, blotties l'une contre l'autre au pied d'un arbre, en aval de la rivière, à trois milles au nord-est de la ferme. Elles grelottaient. Pierre Girard, un fermier d'une trentaine d'années au visage rond et avenant, avec une fossette sur le menton, prit gentiment Fanette dans ses bras. Elle se mit à pleurer.

— Pleure pas, la puce. On va te ramener chez vous.

Il déposa doucement Fanette dans la charrette de Norbert, la couvrant d'une couverture qu'il avait apportée. Puis il revint vers Amanda. Elle était restée assise au même endroit, les lèvres bleuies par le froid. Il lui tendit la main, mais elle regardait droit devant elle, emprisonnée dans un désespoir si profond qu'il la rendait aveugle au monde extérieur. Il se pencha vers elle.

— Mam'selle… Restez pas là, vous êtes gelée tout rond.

Elle n'opposa aucune résistance quand il lui prit la main et l'aida à se relever. Il y avait dans les yeux bleus de l'homme une sollicitude à laquelle elle s'accrocha comme quelqu'un qui se noie :

— Je veux pas retourner chez eux. Ma sœur et moi, on est maltraitées.

Norbert l'empoigna rudement par le bras.

— C'est une menteuse pis une voleuse !

Il fouilla dans le sac en jute qu'elle portait en bandoulière et y trouva la monnaie qu'elle avait prise dans le pot, brandit les pièces devant lui.

— Elle nous a volé jusqu'à nos cennes noires ! Dire qu'on s'est désâmés pour elle !

Pierre Girard se balançait d'un pied à l'autre, embarrassé, puis jeta un coup d'œil à Amanda.

— C'est vrai ? Vous l'avez volé ?

Elle le regarda dans les yeux.

— On crève de faim. S'il vous plaît, emmenez-nous ! On n'a pas peur de l'ouvrage.

— Ces enfants-là n'ont jamais manqué de rien. On n'est pas des sans-cœur ! s'exclama le père Cloutier, sincèrement scandalisé du manque de reconnaissance de cette orpheline que sa femme et lui avaient recueillie avec sa sœur sans rechigner ni rien exiger en retour, alors qu'ils avaient déjà six bouches à nourrir.

Le jeune fermier hocha la tête, mal à l'aise. Comme tout le monde au village, il avait entendu des rumeurs sur les Cloutier, surtout sur le fils aîné, Jacques, qui avait la réputation d'être un querelleur et un buveur. Il ne tenait pas à s'attirer des ennuis.

— Faudrait que j'en parle à ma femme. On a déjà trois enfants.

Amanda détourna la tête. Après leur fuite manquée, elle sentit leur seconde chance d'échapper à leur vie misérable s'évanouir. Le père Cloutier la prit à nouveau par le bras et l'entraîna vers la charrette. Cette fois, elle n'opposa aucune résistance. Il ne desserra pas les dents pendant tout le chemin du retour, fouettant son cheval avec une rage contenue. Amanda tenait Fanette serrée contre elle, lui murmurant des mots de réconfort en gaélique.

— Parle donc en français, qu'on te comprenne ! maugréa Norbert. On dirait la parlure du diable !

Lorsqu'ils arrivèrent à la ferme, Pauline, qui les attendait avec anxiété, tenant à bout de bras un vieux fanal dans lequel brûlait une chandelle, prit Fanette par la main et rentra dans la maison. Norbert, sans prononcer un mot, entraîna Amanda vers la grange. Amanda se laissa faire ; elle était dans un état presque catatonique, le regard sans expression, comme si elle s'était soudain séparée du monde autour d'elle. Il s'empara de la *strap* à aiguiser la faux qui était accrochée à un mur, près de la stalle où l'on entendait le cheval renâcler. Il n'aimait pas corriger les enfants, mais qui aime bien châtie bien, lui disait souvent son père. Il avait lui-même reçu des coups de *strap* plus souvent qu'à son tour quand il était jeune, et ça lui avait servi de leçon. Lorsqu'il leva le bras pour la frapper, elle serra le pendentif de sa mère dans sa main tellement fort que ses jointures blanchirent. Soudain, des cris aigus retentirent. Il suspendit son geste, effaré, et se tourna dans la direction des cris. C'était Fanette. La fillette était debout sur le seuil de la grange, ses yeux bleus presque exorbités. Elle hurlait à pleins poumons.

Le père Cloutier, hypnotisé par le son devenu strident comme celui d'un nouveau-né qui souffre de coliques, tenait toujours la courroie suspendue dans les airs. Puis il abaissa lentement la main et raccrocha la courroie sur le mur. Fanette cessa de crier. Le silence se rétablit dans la grange. Le père Cloutier sortit sans dire un mot, évitant de toucher Fanette au passage, comme si elle eût été possédée par le démon.

Amanda s'approcha de Fanette, la serra très fort contre elle, lui caressant doucement les cheveux. Elle était elle-même subjuguée par la force inouïe qu'avait dégagée soudain ce petit être à l'apparence fragile et qui l'avait sauvée d'un châtiment brutal.

❦

Jacques revint de Deschambault avec sa femme. Avant son retour, le père Cloutier, avec l'aide de ses autres fils et de voisins, avait bâti une annexe en bois de grange derrière la maison. Catherine était pâlotte et se plaignait de nausées.

— C'est le salaire de ton péché, dit Pauline, qui en voulait encore à Rosaire Bertrand d'avoir levé le nez sur eux et en faisait payer le prix à sa fille, à défaut d'avoir le père sous la main.

À la première bordée de neige, Jacques voulut retourner au camp de bûcherons avec ses frères. Le père Cloutier qui, depuis l'incident de la *strap*, évitait Fanette et Amanda comme la peste, avait décidé de les accompagner. Émile s'était mis en tête de venir avec eux. Son père était favorable au projet :

— Ça va l'endurcir !

Pauline avait refusé net.

— Il est bien trop jeune !

— Il vient d'avoir quatorze ans. C'est le temps d'en faire un homme.

— Le pauvre enfant est même pas capable de soulever une épingle sans se faire mal.

— Pas étonnant, y passe sa vie dans les jupes de sa mère.

— Tu sais bien qu'il a pas la santé pour ça.

— Ça fait une belle lurette qu'il a pas eu de crise. Le grand air va lui faire du bien.

Pauline n'en démordait pas. Même si elle refusait de l'admettre ouvertement, elle savait à quel point les mœurs dépravées dans les camps avaient eu une mauvaise influence sur son Jacquot. Ses autres fils avaient une bonne tête sur les épaules, elle ne craignait pas trop pour eux, mais Émile était trop jeune, et sa santé trop délicate, pour qu'il soit exposé sans risques à de telles avanies. Mais Émile, pour une fois, tint tête à sa mère et obtint de les accompagner. Ils prirent la route à pied, n'emportant avec eux que quelques vêtements et des provisions. Leurs silhouettes sombres s'éloignèrent sur le chemin couvert de neige. Pauline les suivit du regard avec une sourde inquiétude.

❧

Les semaines passèrent. L'hiver s'était installé à demeure. Les bancs de neige atteignaient quelques pieds de haut. Le ventre de Catherine s'arrondissait. Pauline, en l'absence de Jacques et de son mari, s'était radoucie et traitait sa belle-fille avec une gentillesse un peu bourrue, l'encourageant à bien manger pour que son petit « profite », lui laissant même la crème qui remontait sur le lait encore chaud qu'elle ou Amanda venait de traire. Les soirées étant longues, Pauline avait aussi décidé de recommencer à donner quelques leçons de grammaire à Fanette et Amanda, comme elle l'avait fait les premiers mois après leur arrivée. Les deux Irlandaises mangeaient même à la table familiale. Une certaine paix régnait dans la maison, accentuée par la blancheur qui couvrait tout et se confondait avec le ciel. Amanda concoctait toujours des plans de fuite dans sa tête, mais elle était assez réaliste pour ne pas risquer une telle entreprise avec sa petite sœur en plein hiver. Au printemps, se disait-elle en embrassant son pendentif avant de dormir, lorsque les chemins seraient enfin ouverts, Fanette et elle partiraient pour ne plus jamais revenir.

À la mi-février, Jacques revint seul. Il refusa d'expliquer la raison de son retour du camp, mais on disait à travers les branches, à La Chevrotière, qu'il s'était battu avec un bûcheron, un nommé Dan Fairmount, après une soirée bien arrosée. Fairmount avait porté plainte auprès du contremaître, Norman McGregor, qui n'avait eu d'autre choix que de le renvoyer, même si c'était l'un de ses meilleurs bûcherons.

L'atmosphère redevint tendue, comme avant l'éclatement d'un orage. La grossesse de Catherine était presque à terme. Son ventre était si énorme que Pauline était convaincue qu'il s'agissait de jumeaux. Jacques tournait comme un lion en cage. Lorsque sa rage devenait trop forte, il s'emparait de la hache et pouvait bûcher jusqu'à une corde de bois en une heure. Il rentrait dans la cuisine en sueur, malgré le froid. De la vapeur montait de ses vêtements comme s'il avait été le diable en personne, aurait dit le père Cloutier. Amanda tâchait de ne jamais se retrouver seule avec lui dans une même pièce, mais la maison était petite et, malgré l'annexe qui servait de chambre à coucher à Jacques et Catherine, elle le croisait plus souvent qu'à son tour, dans l'escalier ou dans l'étable. Elle baissait les yeux, pas seulement parce qu'elle avait peur de lui, mais surtout pour ne pas voir l'étincelle de convoitise qu'elle était persuadée de trouver dans les siens. Il devenait de plus en plus nerveux, comme un taureau enfermé dans un enclos trop étroit.

Un matin, elle se rendit au poulailler pour y nourrir les poules. Au moment de sortir, elle vit la grande silhouette de Jacques se dresser devant la clôture en claire-voie. Elle voulut passer, mais il l'en empêcha. Ils se toisèrent un moment. Jacques souriait, mais c'était un sourire crispé, sans joie. Il souleva sa jupe, glissa sa main entre ses cuisses sans la quitter des yeux. Dans un mouvement instinctif, elle se pencha et réussit à se faufiler sous son bras. Elle courut vers la maison, entra dans la cuisine, essoufflée, ses cheveux roux en bataille. Elle se dirigea vers le bahut, en ouvrit la porte, y chercha fébrilement quelque chose. La porte d'entrée s'ouvrit. Jacques était sur le seuil, les traits durs et les poings serrés. Amanda se redressa. Elle tenait un couteau à la main.

— Si tu me touches, je te tue, dit-elle, la voix blanche de colère et de peur.

Il sourit à nouveau, s'approcha d'elle. Amanda ne le quittait pas des yeux, le couteau bien droit, faisant un effort surhumain pour ne pas trembler. Il s'arrêta à un pied d'elle.

— Vas-y. Tue-moi, siffla-t-il entre ses dents.

Catherine entra dans la cuisine juste à ce moment, une main sur son ventre lourd. Elle poussa un cri en les apercevant. Jacques se tourna vers sa femme, riant pour cacher sa honte.

— As-tu faim ? Amanda va couper du pain, ricana-t-il.

Il sortit. Catherine le suivit, ralentie par le poids qu'elle portait. Amanda, les yeux fixes, glissa le couteau dans les plis de sa jupe et monta dans le grenier pour le cacher sous son grabat.

❧

Depuis l'épisode du couteau, la tension était devenue intenable. Catherine supplia Jacques de la ramener chez ses parents, le temps d'accoucher et de faire ses relevailles. Pauline s'y opposa fermement, au début, prétendant que la place d'une femme était aux côtés de son mari. Au fond d'elle-même, elle savait bien que la situation ne pouvait plus durer : même un aveugle se serait rendu compte que son fils rôdait autour d'Amanda comme un fauve et que, tôt ou tard, le pire risquait de survenir. Mais accepter le départ de sa belle-fille donnerait à Rosaire Bertrand une raison de plus de les mépriser, et cela, elle était incapable de le supporter. Catherine insista à tel point qu'elle dut céder. Jacques attela le cheval et emprunta la *sleigh* des voisins, car les Cloutier ne possédaient qu'une charrette, et les chemins étaient encore trop enneigés pour s'y risquer avec un attelage sans patins.

Chaque nuit, avant de s'endormir, Amanda regardait sous son grabat pour vérifier si le couteau s'y trouvait toujours. Elle était bien résolue à s'en servir si Jacques s'avisait de l'approcher une autre fois, car elle était convaincue qu'il recommencerait. Une fois Catherine partie, il n'y aurait plus aucun obstacle entre elle et lui, sinon sa propre détermination. Elle avait compris, pendant son face-à-face avec lui, qu'elle aurait été capable de le tuer. Elle frissonna. Comment avait-elle pu en arriver là ? Une vague de révolte et de tristesse l'envahit. Pourquoi avait-il fallu que ses parents, deux êtres bons et aimants, meurent comme des chiens, loin de leur pays, alors qu'un voyou comme Jacques Cloutier était en vie et semait la peur et la misère autour de lui ? Pourquoi Dieu avait-il décidé qu'entre toutes les familles qui avaient accueilli les orphelins de la famine,

Fanette et elle tomberaient sur celle-là ? Il lui faudrait à tout prix trouver un moyen de fuir avec Fanette avant qu'il ne soit trop tard.

XV

Qui était ce Jacques? Dans quelles circonstances Fanette l'avait-elle connu? Vivait-il chez les Cloutier? Était-ce l'un des fils, ou était-il un engagé? Était-ce un voisin? Toutes les questions d'Emma étaient restées sans réponse. Fanette, après lui avoir révélé le prénom du voleur qui s'était introduit dans la maison, refusait obstinément d'en dire plus. *Cette enfant a peur,* se dit Emma. Elle le voyait à la façon dont Fanette crispait les épaules à chaque question, à son regard fixe. Emma ne voulut pas insister davantage: peut-être qu'avec le temps, Fanette consentirait à parler.

En attendant, craignant que le voleur revienne, Emma avait convaincu Eugénie de faire une déposition à la police. Elle conduisit Fanette chez une voisine, Emily Johnson, une petite femme à l'allure chétive mais d'un courage à toute épreuve qui travaillait d'arrache-pied pour joindre les deux bouts. Son mari, ouvrier sur un chantier naval près de la rivière Saint-Charles, était mort en tombant d'un échafaudage. Elle avait sept enfants. Pour subvenir à leurs besoins, elle faisait la lessive pour quelques dames de la haute ville; elle livrait ensuite elle-même le linge propre, hiver comme été, en ballots bien ficelés et cordés dans la charrette de son défunt.

Le poste de police, qui servait aussi de caserne de pompiers, était situé dans la rue Champlain, en face de l'archevêché. Emma évita la côte Dambourgès, fermée à cause de travaux, et fit un détour par la rue du Sault-au-Matelot. Le comité des chemins s'était enfin décidé à commencer le pavage en pierre des rues principales de la ville. *Depuis le temps qu'il ergote !* soupira Emma, qui devait faire réparer sa voiture régulièrement à cause du piètre état de la chaussée. Elle détestait particulièrement les tractations sans fin qu'il lui fallait alors entreprendre avec monsieur Barnabé, un carrossier qui avait son atelier rue du Sault-au-Matelot, non loin de chez elle. Il n'avait jamais pu s'habituer à voir une femme, non seulement lui acheter une voiture, mais négocier ensuite le coût des réparations. Il la connaissait depuis des années, ce qui ne l'empêchait pas de lui dire, chaque fois qu'il la voyait :

— Bien le bonjour, madame Portelance ! Comment va votre bourgeois ?

Les premières fois, elle avait pris la peine de répondre, croyant qu'il avait des problèmes de mémoire :

— Comme vous le savez, je suis célibataire, monsieur Barnabé.

Mais elle avait fini par comprendre que c'était une façon, pour le carrossier, de lui montrer sa désapprobation. Maintenant, elle se contentait de lui faire un sourire poli tout en prenant soin de lui signaler une réparation mal faite ou de contester un prix qu'elle jugeait trop élevé. « Je suis peut-être une femme, mais je sais faire la différence entre un moyeu et une roue », avait-elle coutume de dire, au plus grand agacement de monsieur Barnabé, qui tirait sur sa pipe éteinte en guise de protestation.

Le poste de police grouillait de monde : des hommes à la mine patibulaire escortés par des policiers en uniforme noir, des femmes trop maquillées pour être d'honorables bourgeoises et même des enfants, dont un garçonnet d'à peine trois ans qui pleurait en appelant sa mère. Eugénie et Emma étaient assises en face de Fernand Gauthier, un policier d'une trentaine d'années, bien bâti, l'air à la fois réfléchi et un peu obtus.

— Un homme grand, barbu, avec des habits sales, les yeux et les cheveux noirs… La moitié des gens de la basse ville ressemble à ça, dit-il, la mine dubitative.

Eugénie leva les yeux vers lui.

— Je vous ai dit tout ce que je savais.

Le policier hocha la tête en observant les deux femmes installées côte à côte. *On a beau dire, il n'y a rien de plus imprécis que le témoignage d'une femme…*

— Comment vous avez dit qu'il s'appelait, déjà ? finit-il par dire, étouffant un bâillement.

— Jacques, intervint Emma, sèchement.

Le policier fit la moue.

— Jacques, c'est très commun. Si on avait son nom de famille, je dis pas…

— Ça pourrait être Cloutier, répliqua Emma.

Le policier hocha la tête.

— Ça pourrait, ça pourrait… Vous m'aidez pas beaucoup.

Emma déposa ses deux mains sur la table et regarda le policier dans les yeux.

— Cet homme-là a menacé une femme et une fillette de neuf ans avec un couteau. Il sait où on habite et il pourrait revenir. Tout ce qu'on vous demande, c'est de faire votre travail !

Le policier la regarda, saisi. De toute évidence, il n'avait pas l'habitude de se faire parler avec une telle autorité par une femme. Emma se leva la première, imitée par Eugénie. Elles se dirigèrent vers la sortie. À l'arrière, Emma aperçut les barreaux d'une cellule où une demi-douzaine de détenus étaient cordés sur un banc, les mains menottées.

Les deux femmes furent soulagées de se retrouver à l'air libre. Emma était furieuse.

— Dire qu'on paie ces incapables avec nos taxes ! dit-elle entre ses dents.

Elle se dirigea vers son boghei, dont elle avait attaché la monture à un lampadaire.

— Tu penses vraiment que le voleur pourrait revenir ? dit Eugénie, inquiète malgré elle.

— Qu'il essaie, juste pour voir, je l'attends avec une brique puis un fanal !

Eugénie ne put s'empêcher de sourire. C'était Emma tout craché, de cacher son inquiétude derrière un rempart de bravades.

Durant le trajet du retour, Emma ne desserra pas les dents. Quelque chose la tracassait. Il n'y avait pas de doute possible : il fallait que Fanette eût connu ce Jacques lorsqu'elle habitait chez les Cloutier. Puis elle se rappela la conversation qu'elle avait eue avec madame Dubreuil, lors de sa visite au village de La Chevrotière. Parmi le flot de renseignements dont la commerçante l'avait abreuvée, un élément la frappa soudain. Elle avait parlé d'un meurtre, commis selon elle par l'un des fils Cloutier. « Un vrai gibier de potence », avait-elle dit. Emma était si absorbée par ses pensées qu'elle faillit emboutir une charrette qui contenait des ballots de foin. Le fermier qui la conduisait s'immobilisa brusquement. Quelques meules roulèrent sur la chaussée. Il se mit à invectiver Emma, furieux :

— Quand on sait pas tenir des rênes, on reste devant ses fourneaux !

Emma, qui n'avait habituellement pas la langue dans sa poche, resta interdite. Le cultivateur commença à ramasser ses meules en maugréant. Emma se tourna vers Eugénie, la mine préoccupée :

— Il faut que j'aille à La Chevrotière.

Eugénie la regarda sans comprendre. Sans s'expliquer davantage, Emma donna un coup de rênes et le cheval repartit.

La voiture d'Emma s'arrêta devant la maison de madame Johnson, rue Sous-le-Cap. Emma alla chercher Fanette. Elle voulut donner de l'argent à sa voisine, qui refusa fermement.

— Si on peut plus se rendre service…

Puis Emma reconduisit Fanette et Eugénie chez elle.

— Je serai de retour à la fin de la journée. En attendant, soyez prudentes. N'ouvrez la porte à personne.

Emma attendit que ses deux protégées soient entrées dans la maison et que le grincement du verrou se fît entendre avant de fouetter son cheval. La voiture s'ébranla. Eugénie, debout derrière la fenêtre, repoussa le rideau et suivit la voiture des yeux jusqu'à ce qu'elle la perde de vue. Qu'est-ce qu'Emma allait faire à La Chevrotière ? se demanda-t-elle en laissant retomber le rideau, songeuse.

Emma poussa sa monture. Un sentiment d'urgence l'habitait. Elle s'en voulait de ne pas avoir tiré cette histoire au clair plus tôt, mais comment pouvait-elle prévoir qu'un brigand ferait irruption chez elle, menacerait Eugénie avec un couteau, et que ce même brigand connaîtrait Fanette ? Elle ne s'arrêta pas en route. Après quelques heures, elle vit le clocher argenté de l'église de La Chevrotière qui pointait vers le ciel.

XVI

La ferme des Cloutier
Le 15 mars 1849

Un épais brouillard s'était levé. Amanda sortit de l'étable, deux seaux remplis de lait encore chaud à la main. Sa silhouette semblait fantomatique dans la brume blanche. Ce matin-là, elle avait encore été malade. Elle n'avait eu que le temps de courir dans le champ derrière la maison pour que Fanette ne la voie pas vomir son déjeuner. Le désespoir l'envahit sournoisement. Jacques n'avait plus osé l'importuner, mais il la surveillait sans relâche. Il n'avait jamais rendu visite à Catherine depuis qu'elle était repartie chez ses parents, malgré les exhortations de sa mère : « Qu'est-ce que le monde va penser ? Ta femme va accoucher d'un jour à l'autre, pendant que tu restes icitte à tourner autour d'Amanda comme un chien en rut ! » Jacques ne prenait même pas la peine de lui répondre.

Amanda déposa les seaux par terre et regarda autour d'elle. Le chemin était masqué par les volutes du brouillard. Impossible de prendre la fuite. De toute façon, Jacques s'en rendrait compte et lui ferait un mauvais parti : de cela, elle était certaine. Elle se mit à prier tout bas, comme elle le faisait chaque jour pour se donner du courage. Elle imaginait alors le Dieu de son enfance, une sorte de bonhomme aux joues rebondies et à la grande barbe blanche, qui ressemblait à saint Nicolas. *Mon Dieu, faites que nous partions d'ici, Fanette et moi, faites que Jacques ne me fasse plus de mal, faites que…*

Elle aperçut au tournant du chemin une *sleigh* tirée par un cheval pommelé visiblement bien nourri. La *sleigh* s'arrêta devant la maison de ferme. Un homme d'une quarantaine d'années en descendit. De taille moyenne, portant un manteau de castor et une toque assortie, il avait la mine joviale et l'allure prospère, malgré ses traits tirés par la fatigue.

— Bonjour ! cria-t-il pour couvrir le bruit du vent.

— Bonjour ! répondit Amanda.

Il s'approcha d'elle. De gros flocons de neige commencèrent à tomber.

— Je suis en route pour les Trois-Rivières, je me suis perdu. On voit pas à un pied devant soi.

Elle pointa un doigt vers sa gauche.

— Vous continuez sur le chemin du Sablon, puis à l'embranchement, vous prenez vers le sud. Vous allez aboutir au chemin du Roy trois ou quatre milles plus loin.

Elle avait un léger accent qui lui fit penser qu'elle était peut-être d'origine anglaise ou écossaise. Elle ne portait qu'un châle et une coiffe de laquelle sortaient des cheveux fauves emmêlés comme un écheveau et sur lesquels des flocons fondaient.

— On dirait que le printemps se fait attendre. Vous devriez vous couvrir.

Elle fut touchée par sa gentillesse, par la douceur de sa voix.

— Je suis pas frileuse. Ici, vaut mieux pas l'être.

Il l'observa de plus près. Elle devait avoir tout au plus quinze ou seize ans, mais une sorte de détermination dans le regard lui donnait quelques années de plus. Sous sa tignasse, il vit des yeux gris et des traits délicats. Il secoua son manteau de castor pour enlever la neige mouillée, puis lui tendit une main emmitouflée dans une mitaine en fourrure.

— Je m'appelle Jean Bruneau.

— Moi, c'est Amanda.

L'intensité de son regard le remua malgré lui. Il était veuf depuis plusieurs années. Sa femme était morte en couches, lui laissant trois jeunes enfants. Il ne s'était pas remarié, même si les bons partis ne manquaient pas, aux Trois-Rivières. Par manque de temps, peut-être. Son commerce avait connu son âge d'or avec la construction navale britannique. Il voyageait beaucoup, faisant la navette entre Québec et les Trois-Rivières pour vendre son bois ; il se rendait même de temps en temps jusqu'à Montréal. Il partageait parfois sa couche avec des femmes de passage, des veuves ou des épouses esseulées qui cherchaient à tromper leur ennui. *Tromper leur ennui… et leur mari*, se dit-il, ne pouvant s'empêcher de sourire.

Amanda, d'un geste impulsif, serra très fort sa main dans la sienne. Elle sentit la fourrure chaude et douce entre ses doigts. Dès cet instant, elle eut la conviction que cet homme les emmènerait avec lui, elle et sa petite sœur. Et qu'une nouvelle vie commencerait. Sans peur, sans honte. Sans regret.

— Vous m'invitez pas à prendre un café ? dit Jean Bruneau en souriant.

Les manières simples et avenantes de Jean Bruneau firent tout de suite bonne impression à Pauline. Elle s'était mise en frais pour le recevoir à dîner, sortant le peu de vaisselle, ébréchée, qui lui restait de son trousseau de noces et sacrifiant même un morceau de lard qu'elle avait mis dans la soupe, luxe que les Cloutier ne pouvaient se permettre que les jours de fête, et encore. Il était rare d'avoir la visite d'un « étrange » dans la région, surtout d'un homme bien mis, propre et poli, qui savait parler aux dames. Sa voix était comme du velours, il était rasé de près et sentait le savon et le tabac frais. Il se prit tout de suite d'affection pour Fanette, qu'il trouva mignonne avec son nez mutin et ses grands yeux bleus. Seul Jacques le traitait avec une hostilité qu'il ne tentait même pas de cacher. Le négociant, habitué à faire affaire avec toutes sortes de gens, fit comme si de rien n'était.

Pauline déposa une assiette presque débordante devant lui. Elle y avait mis la plus grosse part du lard.

— Excusez du peu, on roule pas sur l'or, minauda-t-elle.

— Depuis quand vous donnez vos choux gras aux cochons ? siffla Jacques, les yeux sombres sous ses sourcils charbonneux.

Un silence lourd suivit sa réplique. Pauline s'empressa de le briser :

— Les Trois-Rivières, c'est pas à la porte, monsieur Bruneau. Vous êtes loin de votre profit.

— Plus près que vous le pensez, répondit le négociant.

Il ne put s'empêcher de jeter un coup d'œil à Amanda. Elle lui sourit en retour. Jacques remarqua le manège. Sa mâchoire se crispa. Pauline renchérit :

— Comme ça, vous êtes marchand de bois.

— De père en fils, dit Jean Bruneau fièrement.

— Vous resterez bien à coucher ce soir. La neige tombe dru.

— Vous êtes bien aimable, mais je dois repartir avant la nuit.

Amanda le regarda, une lueur d'angoisse et de supplique dans les yeux. Il ne sut pas vraiment comment interpréter ce regard, mais y vit tant de détresse qu'il se doutait bien qu'il y avait anguille sous roche. Il s'adressa à Pauline :

— Vous avez pas de mari ? Une belle femme comme vous...

Pauline se rengorgea. Pas de danger que Norbert lui ait tourné un compliment de la sorte...

— Y est au chantier.

Il opina. Puis il désigna Amanda et Fanette.

— Ce sont vos filles ?

— Deux orphelines. Des Irlandaises. On les a accueillies chez nous, à cause de la famine.

Jean Bruneau regarda les deux sœurs avec compassion. Il avait lu dans la *Gazette des Trois-Rivières* des récits terrifiants sur l'exode de milliers de ces pauvres gens. La vie ne devait pas être facile tous les jours pour ces enfants. Il n'avait vu qu'un bâtiment de ferme qui semblait en assez mauvais état, une étable fermée par une clôture bancale. L'intérieur de la maison ne payait pas de mine non plus : le froid pénétrait par les fenêtres mal ajustées, le poêle tirait mal et la fumée qu'il dégageait picotait les yeux.

L'ameublement était sommaire. Pauline Cloutier, mise en verve par la «grande visite», renchérit:

— Je vous dis qu'on en a fait des sacrifices pour elles. Deux bouches de plus à nourrir, sans compter le coucher...

— Un grabat de paille dans le grenier, ne put s'empêcher de s'exclamer Amanda. On crève de froid pis de faim!

Pauline la fusilla du regard. Jean Bruneau se tourna vers Amanda. Ses joues étaient en feu, ses yeux brillaient d'une révolte à peine contenue. Il sentit qu'elle disait la vérité. Il garda le silence un moment. On entendait le crépitement des bûches dans le poêle. Puis il prit la parole, débitant les mots avec calme, comme il le faisait quand il entamait une négociation. Car il sentait bien que c'était de cela qu'il s'agissait. Son petit doigt lui dit que la partie ne serait pas nécessairement facile.

— Je vous comprends. Par les temps qui courent, deux bouches de plus à nourrir, c'est tout un fardeau.

Pauline fut reconnaissante au négociant de prendre sa défense.

— On fait notre gros possible. Pour la gratitude que ça nous a donnée...

Il poursuivit après un bref silence:

— Je pourrais les prendre avec moi.

Pauline le regarda, abasourdie. Il poursuivit:

— Je suis veuf. Je voyage souvent pour mon commerce. J'ai besoin d'un peu d'aide pour tenir maison et m'occuper de mes enfants.

Amanda retint un cri de joie. Fanette ne comprenait pas ce qui se passait, mais elle sourit en voyant que sa sœur était contente. Pauline Cloutier n'en revenait pas. Comment un homme aussi bien de sa personne pouvait-il vouloir de pauvresses sans le sou comme Amanda et Fanette? Avec ses belles façons, il pourrait trouver une épouse décente sans lever le petit doigt. Elle ne pouvait supporter l'idée que les deux Irlandaises partent avec un homme bien au-dessus de leur condition et qu'elle-même doive rester prisonnière d'une vie étriquée et sans espoir.

— C'est que… On a beau dire, on s'attache, vous savez…

Jacques fixa Jean Bruneau et lui dit sans ambages :

— Combien ?

Le négociant ne put s'empêcher de sourire. En voilà un qui était rapide en affaires… Pauline s'exclama, indignée :

— Voyons Jacques ! Elles sont pas à vendre !

— Il s'agit pas d'acheter qui que ce soit, madame Cloutier, s'empressa de dire le négociant. Juste… de vous compenser pour votre dévouement.

Pauline hocha la tête, à court d'arguments. Jacques revint à la charge :

— Combien ? répéta-t-il, ses yeux sombres fixés sur Amanda.

En négociateur expérimenté, Jean Bruneau ne voulut pas avancer de chiffre en premier.

— Faites-moi une offre, proposa-t-il.

Jacques, sans quitter Amanda des yeux, dit entre ses dents :

— Cent piastres.

Jean Bruneau accusa la surprise. Il avait plus de cent cinquante livres, dans un coffret qu'il avait dissimulé sous la banquette de sa voiture. Cet argent provenait des transactions qu'il avait faites à Québec, à Beauport et dans les villages environnants. En temps normal, il faisait un dépôt à la Quebec Bank, où il possédait un compte, mais il avait décidé de ramener la somme aux Trois-Rivières pour payer le salaire de ses hommes et acheter de l'équipement. Il observa le jeune homme avec méfiance. Quelque chose dans la dureté de ses traits, dans la fixité de son regard, ne lui disait rien qui vaille. Se pouvait-il qu'il soit au courant qu'il transportait une telle somme avec lui ? Les rumeurs couraient vite, dans la région. Il se morigéna intérieurement de n'avoir pas fait son dépôt comme d'habitude et, surtout, d'avoir entamé imprudemment une telle négociation.

— J'ai pas une somme pareille sur moi, dit-il froidement.

Amanda, en voyant sa dernière chance s'évanouir en fumée, fut submergée par le désespoir :

— Laissez-nous pas ici !

Jean Bruneau, touché malgré lui par le cri du cœur d'Amanda, réfléchit à la marche à suivre. Il décida de jouer la carte du bon sens, en espérant que la fermière y serait sensible :

— Je crois que cette jeune femme est en âge de décider de son sort.

Tous les regards se tournèrent vers Amanda. Elle fit un effort pour recouvrer son calme :

— Je veux partir avec monsieur Bruneau. Fanette vient avec moi.

Jacques se leva avec une telle violence que sa chaise fut précipitée par terre. Il resta debout un moment, dévisageant Amanda sans retenue, les mains crispées sur ses cuisses. Jean Bruneau, qui apportait toujours un pistolet avec lui lorsqu'il voyageait, à cause des routes peu sûres, regretta de l'avoir laissé dans le coffre de sa *sleigh*. Après un silence chargé, Jacques sortit de la cuisine. Jean Bruneau contint un soupir de soulagement. Pauline se leva, remit la chaise à sa place, puis se tourna vers le négociant, l'air déterminé :

— Vous avez raison, Amanda est en âge de décider. Vous pouvez la prendre avec vous si ça vous chante. Mais Fanette reste ici.

— *Nil !* s'écria Amanda en gaélique. Non !

Voyant que Jean Bruneau la regardait, les yeux écarquillés, elle prit une grande inspiration et lui dit :

— Ma sœur a besoin de moi. Je veux pas la laisser ici.

Jean Bruneau se tourna vers Pauline Cloutier.

— Vous n'allez pas séparer deux sœurs ? dit-il froidement. Ce serait pas très chrétien.

Pauline le toisa :

— C'est un prêtre qui nous a confié Fanette. Ça serait pas très chrétien de l'abandonner à un « étrange » que je connais pas d'Ève ou d'Adam, répliqua-t-elle, le visage durci par l'amertume.

Le marchand fut frappé du changement soudain dans l'attitude de la fermière, si mielleuse l'instant d'avant. Sans en connaître la

155

cause, il comprit néanmoins, devant sa mine obstinée, qu'il était inutile de poursuivre la discussion. Amanda ferma les yeux, sentit une douleur violente lui comprimer la gorge et la poitrine, comme un étau. Elle ne voulait pas partir sans Fanette, mais la seule idée de rester à la ferme, à la merci de Jacques, lui était si insupportable qu'elle aurait préféré mourir.

~

Amanda, accroupie au pied de son grabat, était en train de jeter quelques vêtements dans un vieux sac en jute.

— Laisse-moi pas toute seule ici ! s'écria Fanette en pleurs.

— Je te promets que je vais revenir te chercher. Sur la tête de maman.

Fanette secoua la tête, les joues mouillées de larmes. Amanda lui essuya le nez avec sa manche.

— Fanette, essaie de comprendre. Jean Bruneau est ma seule chance de sortir d'ici. Jacques est méchant, il m'a fait du mal et j'ai peur qu'il recommence.

— Qu'est-ce qu'il t'a fait ? demanda Fanette.

— T'es trop petite pour comprendre.

— Les grandes personnes disent toujours ça ! s'écria Fanette, dépitée.

Amanda ferma les yeux. Elle désirait de toute son âme l'emmener avec elle, mais Pauline Cloutier s'y opposait et Jean Bruneau refusait de prendre Fanette avec lui contre la volonté de la fermière. Elle prit sa petite sœur par les épaules.

— Je vais revenir te chercher, Fanette, je te le jure.

Fanette la regarda sans mot dire, les yeux presque noirs, tellement elle avait pleuré. Amanda voulut lui remettre le pendentif de leur mère en gage de son retour, mais Fanette refusa de le prendre. Amanda entendit le hennissement d'un cheval. Elle se redressa, jeta un coup d'œil à la lucarne, vit monsieur Bruneau qui finissait d'atteler. Elle se tourna vers sa petite sœur.

— Fionnualá, je dois partir maintenant.

Elle s'avança vers elle pour l'embrasser, mais Fanette eut un mouvement de recul. Amanda, blessée au vif mais comprenant en même temps l'état d'âme de sa sœur, prit un petit sac de toile qui contenait ses quelques possessions et se tourna une dernière fois vers elle :

— *Tá grá agam duit, a dheirfiúirín.* Je t'aime, ma petite sœur.

Amanda, son sac en bandoulière, descendit l'échelle. Dans son empressement, elle oublia qu'un barreau manquait. Elle perdit pied et tomba sur le plancher, mais réussit à amortir le choc avec ses deux mains. Elle se releva prudemment, puis descendit l'escalier qui menait à la cuisine. Elle réprima un sursaut en apercevant la grande silhouette de Jacques, debout devant la porte d'entrée. Elle sentit ses tempes battre et fit un effort pour ne pas céder à la peur.

— Laisse-moi sortir, réussit-elle à articuler, la voix blanche.

Jacques la fixa en silence, la mine indéchiffrable. Puis, après un temps qui parut une éternité à Amanda, il se tourna de côté, lui laissant juste assez d'espace pour passer. Elle s'avança, essayant de ne pas le toucher, mais elle dut le frôler en ouvrant la porte. Il déposa une main sur le chambranle, empêchant Amanda de franchir le seuil.

— On va se revoir, murmura-t-il.

— Pas de mon vivant, répliqua Amanda.

Il y avait une telle force dans son regard qu'il recula. Elle sortit la tête droite et se dirigea vers la voiture de Jean Bruneau en s'efforçant de ne pas courir. Ce dernier fut soulagé de la voir.

— C'est pas trop tôt, dit-il, un peu nerveux.

Il s'empara du sac de toile qu'Amanda portait toujours en bandoulière.

— C'est tout ce que vous avez ? Ça pèse une plume…

— Partons, dit-elle, un début de panique dans sa voix.

Jean Bruneau la regarda, saisi par son ton, puis tourna instinctivement la tête vers la porte d'entrée de la maison de ferme. Jacques était planté devant la porte, qu'il avait laissée ouverte, les yeux rivés sur eux, l'air sombre. Le négociant s'empressa de mettre le petit bagage d'Amanda sur la banquette, puis aida la jeune femme à s'y asseoir, la couvrant d'une fourrure. Il s'installa à côté d'elle et secoua les rênes. Il n'avait qu'une hâte, quitter cet endroit au plus vite.

— Hue ! Hue dia !

Tandis que la *sleigh* s'ébranlait, Amanda leva les yeux et vit Fanette, le nez collé à la lucarne du grenier. Elle fut sur le point de crier à Jean Bruneau d'arrêter, de la laisser descendre, mais la vision de Jacques debout sur le seuil de la porte l'en empêcha.

Fanette, debout devant la lucarne, regardait la *sleigh* s'éloigner sur le chemin enneigé, sous un ciel jaune strié de blanc, emportant avec elle tout ce qui lui restait de sa famille.

XVII

La Chevrotière
Le 23 juin 1849

Emma Portelance s'arrêta devant le magasin Accommodation Dubreuil & Fils. Quelques fiacres étaient déjà devant la façade. Elle attacha son cheval à la clôture et entra dans le magasin, faisant tinter la clochette. Un homme replet était en train de remplir des bidons d'huile à lampe. Une jeune femme portant un châle en lin croisé sur son ventre rond palpait un ballot de coton pour confectionner une layette. Emma chercha madame Dubreuil des yeux. Elle aperçut un jeune homme d'environ vingt ans debout derrière le comptoir. Il portait une casquette et un gilet un peu trop étroit pour lui ; il semblait absorbé par la lecture d'un journal qu'il avait déposé discrètement sur un tabouret à côté de lui.

— Est-ce que madame Dubreuil est là ? dit Emma.

Le jeune homme sursauta légèrement, s'empressa de replier le journal, l'air vaguement coupable.

— Ma mère est en train de faire l'inventaire.

— J'aimerais lui parler.

Il désigna l'arrière-boutique d'un geste de la main et retourna à la lecture de son journal.

Emma se dirigea vers la pièce du fond, qui se profilait derrière de gros sacs de farine entassés les uns sur les autres. Madame Dubreuil était attablée à un petit secrétaire, les sourcils froncés, une plume à la main. Un gros registre était ouvert devant elle. Elle était si absorbée qu'elle n'entendit pas Emma approcher. Cette dernière se racla la gorge. Madame Dubreuil continua à remplir les colonnes et maugréa sans lever la tête :

— Mathias, la soude caustique est quasiment *back order* !

— Je m'excuse de vous déranger, dit Emma.

Madame Dubreuil se redressa, aperçut Emma, mit une main sur sa bouche.

— Pardon, je vous ai pris pour mon mari ! dit-elle, interdite.

Elle regarda Emma plus attentivement, comme si elle tentait de la replacer. Emma prit les devants, arborant son sourire le plus aimable.

— Emma Portelance. Je suis venue à votre magasin, il y a une couple de semaines.

Madame Dubreuil tapota le bureau avec le bout de sa plume.

— C'est vous qui cherchiez un cheval !

— Vous avez une bonne mémoire.

Madame Dubreuil haussa les épaules, faussement modeste.

— C'est le commerce qui veut ça. Pis, avez-vous trouvé ce que vous vouliez, en fin de compte ?

Emma prit un air complice :

— J'ai trouvé bien mieux.

Madame Dubreuil la regarda sans comprendre. Emma poursuivit, émue malgré elle.

— Fanette O'Brennan. Elle s'est enfuie de la ferme des Cloutier. Je l'ai recueillie chez moi.

La commerçante secoua la tête, médusée.

— La petite Irlandaise ! Je la voyais, des fois, à l'église, maigre comme un chicot, pas de bottes, même en plein hiver… Des sans-cœur, je vous dis…

Emma, sentant la conversation bien engagée avec la commerçante, en profita pour aborder la question qui la tarabustait.

— La dernière fois, vous m'avez parlé du fils aîné des Cloutier…

Madame Dubreuil, trop heureuse d'échapper un moment à sa tâche fastidieuse, se pencha vers Emma et lui dit, sur le ton de la confidence :

— Jacques Cloutier !

Emma blêmit. « Jacques », avait dit Fanette. Ça ne pouvait qu'être le même. Madame Dubreuil poursuivit sans remarquer la pâleur d'Emma :

— Paraît qu'il rôde dans les parages. Pierre Girard, le voisin des Cloutier, l'a vu en train de pêcher dans la rivière Sainte-Anne, au clair de lune, y a que'ques jours. Il était habillé en quêteux. Quand il a entendu du bruit, il s'est enfui, comme un loup-garou !

Emma sentit la peur s'insinuer à nouveau dans ses veines.

— Il a du front tout le tour de la tête, revenir dans la région après ce qu'il a fait ! Mais si y a une justice dans c'te pays, il va être pendu haut et court pour ses crimes.

Emma la regarda, intriguée. Madame Dubreuil lui avait parlé de l'assassinat d'un homme à la fin de l'hiver, quand elle l'avait rencontrée la première fois, mais était-il soupçonné d'autres méfaits ?

— *Ses* crimes ?

Madame Dubreuil lui jeta un regard entendu.

— Tout le monde au village savait qu'il s'était amouraché d'Amanda par-dessus la tête. Quand elle est partie avec monsieur Bruneau, il a vu rouge. Il a assassiné le pauvre homme, une vraie boucherie, à ce qu'y paraît… Amanda a disparu depuis ce jour-là. Elle a plus jamais donné de nouvelles. Pas une lettre, rien. Pour moi, il l'a tuée elle aussi, pis y a caché son cadavre dans la forêt. J'ai tout raconté ça au coroner.

— Le coroner ?

— Celui qui a fait l'enquête, en mars dernier. Le coroner Duchesne.

Emma balbutia des remerciements et partit, laissant madame Dubreuil à son inventaire.

Tout au long de son retour vers Québec, Emma réfléchit à ce que madame Dubreuil lui avait raconté. Ses mains tremblaient légèrement en tenant les rênes. Dire que ce Jacques Cloutier était entré chez elle ! C'était un miracle qu'Eugénie et Fanette soient encore de ce monde. Il fallait à tout prix qu'elle aille voir le coroner Duchesne. Il était encore en fonction ; elle avait lu quelques comptes rendus de ses enquêtes dans *L'Aurore* et la *Gazette de Québec*. Une autre question lui vint à l'esprit. Comment Jacques Cloutier avait-il appris que Fanette était chez elle, et où elles habitaient ? Emma arrêta sa voiture sur le bord du chemin pour se calmer. Des champs de jargeau, dont les fleurs bleues ressemblaient à de petits oiseaux, bruissaient sous la brise. Elle n'avait jamais vu cet homme de son existence. Il ne pouvait pas la connaître. Le seul lien qui existait entre eux était Fanette. Cela ne pouvait signifier qu'une chose : il avait retrouvé la trace de Fanette d'une façon ou d'une autre et il l'avait sûrement suivie jusque chez elle. Emma secoua les rênes et reprit la route, qui lui sembla soudain trop longue.

೭

Eugénie observait Fanette, qui était en train de terminer un exercice de grammaire. Elle tirait la langue, tellement elle était concentrée. Dès le début, Eugénie avait été frappée par les dispositions de la fillette. Elle n'avait jamais à lui répéter une même chose. Dès qu'une règle de grammaire était sue, Fanette ne l'oubliait pas. Sa main d'écriture était encore maladroite mais, très vite, elle avait appris à former convenablement les lettres et même à les lier. Eugénie avait également remarqué qu'elle avait un talent naturel pour le dessin. Dans la marge de ses cahiers, Fanette griffonnait des fleurs, des animaux ; elle avait même dessiné un portrait d'Emma avec un réalisme étonnant pour son jeune âge. Elle s'approcha de Fanette. Cette dernière eut une réaction étrange, lorsque Eugénie voulut jeter un coup d'œil à son cahier. Elle le referma prestement. Eugénie prit place à côté d'elle, intriguée.

— Tu ne veux pas me montrer ton exercice ?

Fanette ne répondit pas. Eugénie commençait à la connaître suffisamment pour savoir qu'il fallait respecter ses silences. Souvent, chez les enfants qui trouvaient temporairement refuge au Bon-Pasteur, le silence était leur seule protection contre le malheur. Eugénie replongea dans la lecture du roman *La mare au diable*, de George Sand, que le docteur Lanthier lui avait prêté. Soudain, comme si elle avait mûrement réfléchi à ce qu'elle devait faire, Fanette ouvrit à nouveau le cahier et le tendit à Eugénie. Cette dernière le prit et y jeta un coup d'œil. Elle vit un dessin dans la marge. Elle retint une exclamation d'effroi.

— Mon Dieu, c'est lui, trait pour trait, murmura Eugénie.

Le dessin était une représentation très réaliste de Jacques Cloutier. Les yeux sombres la fixaient, semblant lui dire : « Je reviendrai. »

XVIII

En route vers les Trois-Rivières
Le 15 mars 1849

La *sleigh* filait depuis près d'une heure sur le chemin étroit. Le froid était vif, mais Amanda, bien au chaud sous la fourrure, ne s'en plaignit pas. Les patins faisaient une sorte de chuintement sur la neige blanche striée par l'ombre bleue des arbres. Elle essaya de dormir, mais ses pensées revenaient constamment à Fanette. La vision de sa petite sœur au visage encadré par la lucarne la hantait. Elle avait beau se répéter qu'elle n'avait pas eu le choix, la simple idée d'avoir abandonné Fanette, de l'avoir laissée seule sans protection, la remplissait de remords et d'effroi. Lorsqu'ils seront aux Trois-Rivières, une fois qu'elle sera bien en sécurité, loin, très loin de Jacques Cloutier, alors elle dira la vérité à monsieur Bruneau sur son viol, se répétait-elle pour se rassurer. Elle ne connaissait rien aux lois du Canada, mais elle se rappelait qu'en Irlande, quand elle était petite, un homme qui avait volé un pain avait été condamné à la pendaison par les Anglais. Son père, révolté par une telle injustice, en avait parlé pendant des jours. Mais le viol était sûrement un crime plus grave qu'un simple larcin. Elle ferma les yeux, s'abandonnant au mouvement de la voiture. La police se rendrait à la ferme des Cloutier, arrêterait Jacques et le jetterait en prison. Rien ni personne ne l'empêcherait d'emmener Fanette avec elle. Les deux sœurs seraient à jamais libérées de la misère et du joug des Cloutier. Elle s'endormit.

Un cri la réveilla en sursaut. Jean Bruneau avait dû tirer brusquement sur les rênes pour éviter d'entrer en collision avec un cavalier qui se dressait sur le chemin, devant la *sleigh*. Amanda, encore ensommeillée, cligna des yeux. La nuit était presque tombée. Les deux fanaux accrochés de chaque côté de la *sleigh* jetaient une lumière diffuse sur le chemin. Il faisait trop sombre pour qu'elle puisse distinguer les traits du cavalier. Il s'approcha. Elle le reconnut. La terreur la cloua sur le siège. C'était Jacques. C'est à peine si elle vit Jean Bruneau se pencher et fouiller fébrilement derrière le siège. Il se redressa, tenant un objet de forme oblongue dans son poing. Un pistolet… Jean Bruneau s'adressa à Jacques, l'arme discrètement posée sur sa cuisse. Sa voix était calme, comme s'il avait l'habitude de ce genre de danger.

— Qu'est-ce que tu veux ?

— Ton argent.

— Je te l'ai déjà dit, j'en ai pas.

Jacques fit encore avancer son cheval de quelques pas et brandit un large couteau dont la lame brilla sous la lueur tremblotante des fanaux. Toujours calme, Jean Bruneau leva son pistolet.

— À ta place, je resterais tranquille.

Les deux hommes ne bougèrent pas pendant un instant. Amanda entendait le sifflement du vent dans les branches et le cliquetis des harnais. L'aboiement lointain d'un chien fit tressaillir le cheval de Jacques. La jument de Jean Bruneau, gagnée par la nervosité, rua dans ses brancards. Jacques profita de la confusion pour sauter de son cheval et se précipiter vers Jean Bruneau. Mû par le seul instinct de survie, le négociant eut le temps de tirer un coup de pistolet qui frôla l'épaule de Jacques, qui, enragé, se jeta sur lui. Les deux hommes roulèrent dans la neige. Le pistolet fut projeté à quelques pieds d'eux. Amanda, le cœur battant la chamade, sauta dans la neige et courut vers le pistolet. Elle s'en empara. Son père lui avait appris à manier un fusil de chasse lorsqu'elle avait douze ou treize ans. Elle rechargea le pistolet, tenta de viser la masse confuse des deux corps emmêlés, mais il était impossible de les distinguer l'un de l'autre. Dans une tentative désespérée de séparer les deux hommes, elle tira un coup de pistolet en l'air. Jacques se redressa, donnant le temps à Jean Bruneau de se dégager. La jument de Jean Bruneau, prise de panique, partit à l'épouvante. Bruneau se mit à courir en direction de la voiture qui s'éloignait. Jacques partit à ses trousses en hurlant.

Amanda rechargea à nouveau le pistolet et appuya sur la gâchette en visant la silhouette de Jacques, mais rien ne se produisit; le mécanisme était enrayé. Jacques rattrapa Jean Bruneau, les deux hommes s'écroulèrent à nouveau dans la neige. La *sleigh* était devenue un point sombre dans l'immensité blanche et mauve. Amanda vit avec effroi la main de Jacques armée d'un couteau s'enfoncer dans une masse sombre. Puis elle ne vit plus rien. Le soleil avait disparu brusquement derrière l'horizon. Amanda décida de revenir sur ses pas en suivant les traces laissées par la *sleigh*. Elle courait sans penser, ne sentant plus ses membres engourdis par le froid. Ses pas faisaient craquer la neige. Ses yeux commençaient à s'habituer à l'obscurité. La masse sombre des arbres qui bordaient la route lui servait de point de repère. Elle se rappela qu'en chemin, ils avaient croisé quelques maisons de fermes. Si elle pouvait réussir à en repérer une, elle aurait peut-être encore une chance d'alerter des gens et de sauver le pauvre Jean Bruneau.

Cours, cours, n'arrête pas de courir, se répétait-elle. Au bout d'un moment, elle aperçut une faible lueur scintiller au loin, à environ une demi-lieue, en direction nord. Elle se rendit compte qu'elle était parvenue à une croisée de chemins. Elle hésita, puis quitta le chemin principal et s'engagea dans l'étroite route de campagne au fond de laquelle semblait briller la lumière. Sa respiration saccadée résonnait dans son crâne. *N'arrête pas, tu vas y arriver*, se dit-elle pour se donner du courage. Elle eut soudain l'étrange impression que son souffle s'amplifiait, à tel point qu'on aurait dit qu'il ne sortait plus d'elle. Elle comprit avec horreur que ce n'était pas le sien. Quelqu'un d'autre courait derrière elle. *Mon Dieu, faites que ce soit monsieur Bruneau, faites que…* Elle ne vit pas le tronc d'arbre qui obstruait le chemin. Elle trébucha et tomba de tout son long en poussant un cri de douleur. Elle eut encore la force de se soulever sur les coudes et de se tourner sur le dos. Elle aperçut une ombre se dresser au-dessus d'elle, vaguement éclairée par un rayon de lune qui sortait entre deux nuages. C'était Jacques Cloutier. Une large tache noirâtre couvrait son épaule droite. Il avait un couteau à la main. Il se pencha vers elle, le couteau levé. Elle perdit connaissance.

XIX

La ferme des Cloutier
Le 16 mars 1849

Le lendemain du départ d'Amanda avec Jean Bruneau, Pauline constata que le lit de Jacques était vide. La couverture n'avait même pas été dépliée ; personne n'y avait dormi. L'inquiétude l'étreignit, puis elle haussa les épaules, résignée. *Il est probablement allé courir la galipote dans un cabaret mal famé de la basse ville de Québec et y a passé la nuit*, se dit-elle avec amertume. Il y avait belle lurette qu'elle n'espérait plus rien de bon de lui. Depuis qu'il était revenu du chantier et qu'il reluquait Amanda au lieu de rendre visite à sa femme qui était à la veille d'accoucher, en fait. Chaque fois qu'elle allait au magasin général de La Chevrotière pour acheter de l'huile à lampe ou des chandelles, madame Dubreuil la servait, les lèvres pincées, et lui tendait ses marchandises comme si elle avait peur d'être contaminée. Elle entendait des murmures sur son passage, sentait des regards se poser sur elle à la dérobée, comme si elle était responsable des bêtises de son fils. *Au fond, tout est la faute d'Amanda*, pensa-t-elle avec rancœur en descendant l'escalier qui menait à la cuisine. Elle avait le tour d'aguicher les hommes. Elle avait enroulé monsieur Bruneau autour de son petit doigt le temps de le dire, et ce pauvre naïf s'était laissé prendre. Un homme est un homme, qu'il soit bien mis et en moyens comme monsieur Bruneau ou pauvre comme son Jacquot.

En arrivant à la cuisine, elle vit Fanette assise près du poêle éteint, ses pieds nus se balançant dans le vide, ses bras maigres croisés autour de sa poitrine étroite. Elle eut un sentiment de pitié pour la fillette, abandonnée par sa grande sœur sans l'ombre d'un regret.

— Fanette... Tu vas prendre froid...

Elle prit la petite dans ses bras et la serra contre elle dans un mouvement d'affection sincère. Fanette se laissa faire, inerte, comme absente.

En allant à l'étable traire les vaches, elle constata que l'un des deux chevaux n'était pas dans sa stalle. L'inquiétude l'envahit à nouveau : où pouvait bien être son chenapan de fils ?

Le jour suivant, vers la fin de la matinée, en sortant du poulailler avec Fanette qui portait un panier rempli d'œufs, Pauline vit un cabriolet noir tiré par deux chevaux s'arrêter devant la ferme. Trois hommes en descendirent : un monsieur à la moustache grisonnante et au chapeau haut de forme et deux autres hommes portant un uniforme noir et un casque de forme ovale surmonté d'un écusson. L'homme au chapeau haut de forme fut le premier à lui adresser la parole.

— Je m'appelle Georges Duchesne, je suis le coroner du district de Québec. Je voudrais parler au maître de la maison, dit-il en inclinant légèrement la tête et en déposant un doigt sur le rebord de son chapeau en guise de salutation.

— Mon mari est au chantier.

Elle fut frappée par sa mise élégante. Ses moustaches bien taillées accentuaient le sérieux de son visage. Jacques n'avait pas encore donné signe de vie. Elle eut le pressentiment que quelque chose de grave était arrivé.

— C'est... c'est mon fils ? Il a eu un accident ?

Le coroner l'observa du coin de l'œil.

— Si vous le permettez, j'aurais quelques questions à vous poser. Madame ?

— Cloutier. Madame Norbert Cloutier, balbutia Pauline, impressionnée par la politesse froide du coroner.

Elle lui fit signe d'entrer dans la maison.

Pauline Cloutier déposa une tasse de thé fumant devant le coroner, qui avait mis son chapeau sur la table. Il sortit une paire de bésicles d'un étui et les posa sur son nez. Il remarqua que les mains de la fermière tremblaient légèrement. Un des deux policiers était assis au bout de la table et prenait des notes. L'autre, debout près de la porte, semblait monter la garde. Le coroner prit une gorgée de thé.

— Vous connaissez Jean Bruneau ? dit-il soudain, la voix coupante.

Pauline Cloutier le regarda, trop saisie pour répondre. Le coroner ajouta, l'air neutre :

— Plusieurs témoins l'ont vu passer en voiture sur le chemin du Sablon, qui mène à votre ferme.

Intimidée par son air sévère, elle balbutia :

— Connaître, c'est un grand mot. Y est passé par icitte, pas plus tard qu'hier. Y s'était perdu. Y s'en retournait chez lui, aux Trois-Rivières.

Le coroner acquiesça tout en consultant son carnet. Pauline entendait la plume du policier qui griffait le papier.

— Est-ce que… Est-ce qu'il lui est arrivé quelque chose ? finit-elle par dire, déconcertée par le silence du coroner.

Ce dernier l'observa un moment avant de répondre.

— Le corps de Jean Bruneau a été trouvé près du chemin du Roy, à une quinzaine de milles d'ici. Il était criblé de coups de couteau.

Pauline mit une main sur sa bouche, horrifiée par cette nouvelle.

— Une vingtaine de blessures. Une vraie boucherie, poursuivit le coroner, la voix posée, comme s'il parlait de choses banales. C'est à se demander comment un être humain peut commettre un acte aussi barbare. Sa *sleigh* était à une demi-lieue du corps.

Elle ne répondit pas, submergée par un flot d'émotions. Jean Bruneau, mort assassiné. Comment cela se pouvait-il ? Le coroner prit son temps avant de poursuivre :

— À quelle heure monsieur Bruneau est-il arrivé chez vous ?

Pauline haussa les épaules.

— Je sais pas. Un peu avant midi. Il est resté à dîner.

— Quand est-il parti ?

— Vers la fin de l'après-midi. Je me rappelle, il voulait reprendre la route avant la noirceur.

— Était-il seul ?

Pauline fut prise de court par sa question.

— Quand il est arrivé à la ferme, oui.

Le coroner lui jeta un coup d'œil :

— Et à son départ ?

Avant que Pauline ne réponde, une petite voix s'éleva :

— Avec Amanda.

Le coroner tourna la tête et aperçut une fillette haute comme trois pommes debout près du poêle, qui le regardait avec de grands yeux bleus. Il se demanda depuis combien de temps elle était là.

— Qui est Amanda ? demanda-t-il gentiment à la fillette.

Pauline s'empressa de répondre à sa place :

— Sa sœur. Monsieur Bruneau était veuf, il avait besoin d'une servante. Elle a décidé de partir avec lui.

— Vous avez laissé votre fille partir avec un inconnu ? dit le coroner, la mine sévère.

— C'est pas ma fille ! s'exclama Pauline sur la défensive.

Elle jeta un coup d'œil à Fanette, embarrassée.

— Fanette, va nourrir les poules.

Fanette ne fit pas un geste. Elle se demandait pourquoi le monsieur aux grandes moustaches grises posait des questions à Pauline Cloutier au sujet de monsieur Bruneau et d'Amanda.

— Allez, ouste ! s'impatienta Pauline.

Fanette prit un châle suspendu à un crochet à côté de la porte et sortit. Le coroner vit la porte se refermer sur la fillette malingre, puis hocha la tête, médusé qu'il y eut encore tant de misère dans les campagnes, en un siècle où la science et la médecine ne cessaient de faire des progrès. Pauline Cloutier dut sentir sa désapprobation, car elle s'empressa d'ajouter :

— On les a accueillies par charité. La petite est docile, mais Amanda, c'est une autre paire de manches. Elle en faisait qu'à sa tête…

Le coroner jeta un coup d'œil au policier toujours assis au bout de la table pour s'assurer qu'il prenait des notes. Puis, se tournant à nouveau vers Pauline Cloutier, il la regarda dans les yeux.

— C'est curieux, cette Amanda dont vous parlez a disparu. On n'a retrouvé que le corps de monsieur Bruneau.

Un silence ponctua sa phrase. Pauline tentait visiblement de démêler les fils de l'histoire. Le coroner ajouta doucement :

— Il y avait plusieurs traces de pas autour du cadavre. À première vue, la victime a défendu chèrement sa peau. Un peu en amont, il y avait également de nombreuses traces de sabots correspondant à la jument de monsieur Bruneau, mais aussi celles d'un autre cheval.

Pauline, sur ses gardes, ne dit rien.

— Tantôt, vous m'avez parlé d'un fils. Vous aviez l'air de craindre qu'il lui soit arrivé quelque chose.

Elle ravala. La peur était revenue lui tordre les entrailles. Pourquoi lui parlait-il de son fils, tout à coup ?

— Mes fils sont au chantier avec leur père, sauf mon petit dernier, Jean-Baptiste. C'est pour lui que je m'inquiétais. Vous savez ce que c'est, un p'tit gars de quatre ans, toujours à courir partout et à se mettre dans le trouble…

Georges Duchesne avait interrogé des centaines de gens au cours de sa longue carrière. Il eut l'intuition qu'elle ne disait pas la vérité.

— Si je comprends bien, vous vivez toute seule ici avec votre fils de quatre ans ?

Elle acquiesça. Son teint était devenu cireux. Le coroner se racla la gorge.

— J'ai vu des bûches fraîchement cordées, près de votre grange. C'est vous qui coupez votre bois ?

Pour la première fois, Pauline Cloutier perdit contenance. Elle fut sur le point de mentir, puis une profonde lassitude s'empara d'elle. À quoi bon ? Tout le monde savait au village que Jacques avait été renvoyé du chantier et qu'il vivait à la ferme. Le coroner finirait bien par apprendre la vérité.

— J'ai un fils qui est revenu du chantier. Mon aîné.

Le coroner garda une mine neutre.

— Quel est son nom ?

— Jacques.

— Quand est-il revenu ?

— Y a un mois environ. J'avais besoin d'un coup de main à la ferme.

Le policier continuait à prendre des notes.

— Je voudrais parler à votre fils.

Elle fit un effort pour ne pas céder à la panique.

— C'est que… Y est pas ici.

Le coroner leva des yeux interrogateurs vers elle.

— Où est-il, madame Cloutier ?

Elle fixa les mains du coroner. Elles étaient blanches et bien soignées.

— Y est reparti au chantier, j'cré ben.

Le coroner garda le silence un moment, puis poursuivit :

— Quand est-il parti ?

Elle parla sans le regarder.

— J'ai trouvé son lit vide, avant-hier au matin.

— Vous voulez dire, la *veille* du 15 mars ?

— C'est ça, fit-elle à mi-voix.

Un autre silence se fit. Pauline Cloutier eut l'impression que le coroner entendait les battements de son cœur.

— Et où se trouve ce chantier ?

— Près du petit lac Batiscan, à une quarantaine de milles au nord de La Chevrotière.

Le coroner s'assura d'un regard que le policier avait bien noté cette information dans son carnet, puis il se leva et reprit son chapeau.

— Merci, madame Cloutier.

Il sortit, suivi des deux policiers.

Pauline, la peur au ventre, les regarda s'éloigner par la fenêtre de la cuisine. Elle vit le coroner se diriger vers l'étable. Il y entra. Il y avait un cheval dans une stalle, qui mastiquait du foin. L'autre stalle était vide. Il s'en approcha, constata qu'il y avait du foin frais dans l'auge, et des traces de sabot. Un deuxième cheval avait occupé cette stalle très récemment.

Pauline vit le coroner sortir de l'étable et revenir vers la voiture noire, qui reprit le chemin en direction du village. Elle ferma les yeux, priant pour son Jacquot. Elle était incapable de croire qu'il pût être l'auteur d'un tel crime. Pour une fois, elle souhaita de toute son âme qu'il soit dans les bras d'une prostituée de la basse ville, ce qui expliquerait son absence.

Ce soir-là, en préparant la soupe, elle sentit un regard posé sur elle. Fanette la fixait de ses grands yeux graves.

— Qu'est-ce qui est arrivé à monsieur Bruneau ? demanda-t-elle.

Pauline réprima un frisson.

— Un… un accident. Rien de grave.

— Quel accident ?

— Rien, je te dis !

— Amanda ? Elle a eu un accident, elle aussi ?

Pauline s'impatienta.

— Amanda va bien ! Arrête avec tes questions, on dirait un petit policier.

❧

Quelques jours s'écoulèrent. Pauline était toujours sans nouvelles de son fils mais, à son grand soulagement, elle ne reçut pas d'autre visite du coroner Duchesne. L'assassinat de Jean Bruneau faisait grand bruit au village et avait même eu des échos dans les journaux de Québec. Au magasin général et sur le parvis de l'église, c'était le seul sujet de conversation. Les rumeurs les plus folles couraient : Jean Bruneau transportait une fortune avec lui et aurait été volé par une dizaine de bandits américains armés

jusqu'aux dents; des villageois auraient vu un fantôme ensan-
glanté hanter les parages, la nuit du meurtre…

Un matin, son cœur faillit arrêter de battre lorsqu'elle vit une
voiture semblable à celle du coroner s'arrêter devant la ferme.
Elle reconnut finalement le boghei de Rosaire Bertrand. Ce
dernier en descendit, accompagné de sa femme. Tous deux
avaient l'air gourmé et sévère, comme s'ils avaient siégé au tri-
bunal du Jugement dernier. Ils refusèrent le thé que leur offrit
Pauline. Rosaire lui apprit que Catherine avait mis un garçon
au monde. La mère et l'enfant étaient bien portants. Ayant entendu dire à travers les branches que leur beau-fils s'était comporté
de façon scandaleuse au chantier, d'où son renvoi, et que depuis
le retour de sa femme sous le toit familial il n'avait donné aucun
signe de vie ni manifesté le moindre intérêt pour elle ou pour
l'enfant, Rosaire Bertrand, sur les conseils du curé Normandeau,
avait décidé que leur beau-fils n'était plus le bienvenu dans leur
demeure. Il n'était pas question d'un divorce, Dieu les en pré-
serve, le scandale était déjà bien suffisant, mais il était de leur
devoir de protéger leur fille et son enfant d'un mécréant qui ne
fréquentait jamais l'église et ne croyait ni à Dieu ni à diable.

Pauline dut avaler cette humiliation en silence. Pour rien au
monde elle ne leur aurait appris que Jacques avait disparu dans
des circonstances pour le moins étranges. Elle refusait de se
l'avouer, mais elle craignait le pire.

⁓

Le surlendemain, en se rendant au poulailler pour chercher
des œufs, Fanette crut mourir de peur en voyant un grand
homme dépenaillé avec une barbe de quelques jours en train
d'avaler un œuf qu'il venait de casser. L'homme, en entendant
le cri de Fanette, se précipita vers elle et lui mit une main sur
la bouche.

— Chut, Fanette, aie pas peur… C'est moé, Jacques…

Elle eut peine à le reconnaître. Son visage était maculé de
boue, ses vêtements, déchirés et sales. Il y avait une large tache

brune sur sa chemise, du côté de l'épaule droite. Il desserra son étreinte. Il s'accroupit devant elle et lui parla à mi-voix :

— Faut dire à personne que tu m'as vu, as-tu compris ? À personne !

Elle ne dit rien, trop effrayée pour répondre. Il dégageait une si forte odeur qu'elle avait de la difficulté à respirer.

— Si tu t'ouvres la trappe…

Il fit un geste avec ses deux poings serrés, comme lorsque le père Cloutier tordait le cou à une poule. Il se redressa, prit quelques œufs qu'il glissa doucement dans ses poches, puis partit. Fanette resta debout un moment sans bouger, de peur qu'il revienne. Les poules faisaient un bruit assourdissant.

XX

Québec
Le 23 juin 1849

Emma était fourbue lorsqu'elle arriva à la maison, rue Sous-le-Cap. Elle avait conduit du village de La Chevrotière jusqu'à Québec en ne faisant qu'un seul arrêt, à Sainte-Foy. Elle fut soulagée de voir des lumières briller aux fenêtres. L'appréhension ne l'avait pas quittée depuis son départ. Elle avait beau avoir donné des conseils de prudence à Eugénie, qu'aurait-elle pu faire contre un homme armé d'un couteau et qui semblait prêt à tout ? Lorsqu'elle entra dans la cuisine, Eugénie vint à elle. Ses larges yeux bruns brillaient dans la lueur de la lampe accrochée près de la porte. Sans dire un mot, elle lui montra le cahier dans lequel Fanette avait dessiné le visage du voleur. Emma regarda le dessin, médusée. Ainsi, c'était lui, Jacques Cloutier. Elle l'examina de près. Il avait un front bas, un regard pénétrant, deux rides profondes aux coins de la bouche. Un frisson lui traversa l'épine dorsale.

Emma monta à la chambre de Fanette. Cette dernière était couchée et semblait dormir, sa fossette apparente sur la joue droite. Emma l'embrassa doucement sur le front, et Fanette ouvrit les yeux.

— Je t'ai réveillée ! dit Emma, désolée.

— Je dormais pas. Je vous attendais, répondit Fanette.

Emma sentit une boule dans sa gorge. Elle avait remarqué que parfois, l'amour faisait cela. Elle caressa les cheveux de la fillette.

— Tu m'as dit que le prénom du voleur était Jacques. Je me suis rendue au village de La Chevrotière aujourd'hui. J'ai parlé à une dame. Elle m'a appris qu'il y avait un certain Jacques Cloutier qui vivait à la ferme. Est-ce que c'est le même Jacques qui est entré chez nous ?

Fanette la regarda un moment sans parler, puis finit par acquiescer.

— Je l'ai vu au marché Champlain, avoua-t-elle, la gorge serrée. Il mendiait dans la rue.

— Tu crois qu'il t'a vue, lui aussi ?

Fanette fit oui de la tête. Emma comprit alors la cause de la soudaine frayeur de Fanette, lorsqu'elle avait voulu quitter le marché. Jacques Cloutier l'avait vue, l'avait reconnue. Et il les avait suivies jusque chez elles. Elle serra Fanette contre son cœur.

— Il ne te fera jamais de mal, murmura Emma. Jamais, m'entends-tu ? Je te protégerai jusqu'à mon dernier souffle.

❧

Le bureau du coroner était situé dans le palais de justice, place d'Armes, que les citoyens de Québec avaient baptisée familièrement le « rond de chaîne » parce qu'on l'avait entourée d'une chaîne pour en protéger la pelouse et les arbres. Emma s'y était rendue tôt pour s'assurer d'y trouver le coroner qui était, elle en était sûre, un homme fort occupé. Elle réussit à dégoter une place libre à côté d'un fiacre, juste en face du palais de justice.

En pénétrant dans l'édifice, elle fut impressionnée par la hauteur du plafond et l'austérité des murs en pierre. Les dalles de marbre résonnaient sous ses pas. D'étroites fenêtres laissaient filtrer une faible lumière. Un garde casqué portant une arme en bandoulière l'accueillit à l'entrée et lui demanda la raison de sa présence.

— Je veux parler au coroner Georges Duchesne, dit Emma, la voix ferme.

Le garde lui demanda d'inscrire son nom dans un registre et lui indiqua l'emplacement du bureau du coroner. Emma, après avoir franchi quelques escaliers et déambulé dans d'interminables couloirs, s'arrêta enfin devant une porte en chêne sombre sur laquelle une plaque de cuivre avait été apposée avec la simple inscription « Bureau du coroner ». Elle attendit un moment afin de reprendre son souffle, puis frappa. Une voix coupante répondit.

— Entrez.

Emma ouvrit la porte, le cœur battant. Le bureau était assez grand mais dénudé : un pupitre encombré de paperasse, une patère où étaient accrochés une redingote et un chapeau haut de forme, deux chaises en bois faisant face au pupitre. L'homme aux moustaches grises, portant des bésicles, était plongé dans un dossier. Emma s'avança. Il leva les yeux vers elle. Il avait un regard intelligent mais fatigué, comme hanté par les nombreux crimes sur lesquels il avait investigué.

Emma raconta au coroner tout ce qu'elle savait sur Jacques Cloutier, n'omettant rien de ce que madame Dubreuil lui avait révélé. Georges Duchesne écoutait avec attention, la tête légèrement inclinée. Il prenait soigneusement des notes, posant parfois des questions pour clarifier des points qui lui semblaient encore obscurs.

— Qui a fait ce dessin ? dit le coroner en l'examinant de près.

— C'est… c'est ma fille adoptive. Elle était dans la maison quand le voleur est entré.

— Quel âge a-t-elle ?

Emma hésita.

— Neuf ans.

Le coroner la regarda, sceptique. Il pouvait difficilement croire qu'une enfant aussi jeune fût capable de dessiner avec une telle précision. Emma le regarda dans les yeux.

— Fanette n'est pas une enfant comme les autres.

Le coroner examina à nouveau l'esquisse, songeur.

— Jacques Cloutier est introuvable depuis le meurtre de Jean Bruneau. Ce dessin sera de la plus grande utilité. Je vais le communiquer au service de police.

Il la remercia de s'être déplacée pour lui donner ces précieuses informations. Il plongea à nouveau dans son dossier. De toute évidence, il voulait lui signifier que l'entretien était terminé. Emma s'attarda :

— Monsieur Duchesne, j'aurais une question à vous poser.

Le coroner leva les yeux vers elle, légèrement agacé.

— Je vous écoute.

— On dit qu'une jeune fille accompagnait Jean Bruneau, lorsqu'il a été assassiné. Amanda O'Brennan. Savez-vous ce qu'elle est devenue ?

Le coroner garda une mine indéchiffrable.

— En quoi cela vous intéresse-t-il ?

Emma décida de jouer franc jeu.

— C'est la sœur aînée de ma fille adoptive.

Il garda le silence un moment, perdu dans ses pensées. Il se rappela vaguement une petite fille aux cheveux noirs et aux bras maigres qu'il avait aperçue dans la cuisine de Pauline Cloutier lorsqu'il l'avait interrogée.

— Amanda O'Brennan a disparu. À tout le moins, on n'a jamais retrouvé son corps.

Emma accusa le coup.

— Son corps ?

Georges Duchesne reprit la plume qu'il avait déposée sur le dossier, la fit tourner dans sa main.

— Il y avait des traces de sang à environ un mille de l'endroit où se trouvait le cadavre de Jean Bruneau. Je n'en sais pas davantage.

Emma le remercia et sortit de son bureau, profondément troublée par ce qu'elle venait d'entendre.

En rentrant rue Sous-le-Cap, elle fit part à Eugénie de sa démarche chez le coroner, et de ce qu'il lui avait révélé au sujet d'Amanda.

— Devrais-je en parler à Fanette ? dit-elle à mi-voix.

Eugénie réfléchit longuement, puis secoua la tête.

— Les traces de sang ne sont peut-être pas les siennes. Un jour, on en saura sûrement plus long sur son sort. En attendant, je crois qu'il vaudrait mieux épargner Fanette. Ce qu'on ignore ne peut nous faire de tort.

⁓

Une semaine plus tard, en ouvrant la *Gazette de Québec*, qu'elle était allée chercher au *Post Office*, Emma poussa une exclamation de surprise.

— Eugénie ! Eugénie, viens voir…

Eugénie, qui était en train de faire du café, se tourna vers elle, souriant à demi.

— À quel ministre as-tu l'intention d'écrire pour dénoncer une injustice, cette fois-ci ? dit-elle, pince-sans-rire.

Emma ne sembla même pas l'entendre, tellement elle était excitée.

— Viens voir, je te dis !

Eugénie, intriguée, s'approcha d'Emma et se pencha au-dessus du journal. Emma pointait un doigt sur un gros titre avec un dessin imprimé en dessous.

— Mon Dieu, murmura Eugénie toute remuée.

C'était le dessin que Fanette avait fait du voleur et qu'Emma avait remis au coroner. La manchette clamait en grosses lettres : « Un dangereux criminel appréhendé par la police. »

— C'est lui ! s'exclama Eugénie, qui dut s'asseoir, sous le coup de l'émotion.

Emma commença à lire fébrilement l'article. « Jacques Cloutier, le fils d'un cultivateur du village de La Chevrotière, a été appréhendé avant-hier au matin par des policiers de Québec, alors qu'il tentait de s'enfuir avec l'argent de la recette d'un maga-sin général de la basse ville. Par chance, le caissier, après avoir été menacé avec un couteau par le dangereux individu, a pu s'enfuir et alerter deux policiers qui faisaient une ronde dans le quartier. Jacques Cloutier a été conduit à la prison de Québec, où il sera interrogé par le coroner Georges Duchesne. D'après ce que le coroner a laissé entendre, Jacques Cloutier pourrait être l'auteur du meurtre sordide de Jean Bruneau, survenu en mars dernier près du village de La Chevrotière. C'est grâce au dessin d'une fillette de neuf ans que l'homme a pu être identifié. Il aurait en effet pénétré dans le logis d'une dame de Québec, madame Emma Portelance, aurait subtilisé de l'argent et menacé les occupantes, dont la fillette. La police a pu établir ces faits grâce au travail d'un fin limier, le constable Fernand Gauthier, qui avait reçu la déposition de mademoiselle Eugénie Borduas, une protégée de madame Portelance. »

— Un fin limier, maugréa Emma. Il n'a pas bougé le petit doigt ! Enfin, l'important, c'est que ce Jacques Cloutier ne pourra plus jamais vous faire de mal, à Fanette et à toi.

Emma découpa l'article de journal et le rangea soigneusement dans un tiroir de sa commode, soulagée que cette histoire soit maintenant chose du passé, et priant intérieurement pour qu'elle le restât à tout jamais.

XXI

La ferme des Cloutier
Printemps 1849

Depuis qu'elle avait surpris Jacques dans le poulailler, Fanette refusait obstinément d'y retourner pour nourrir les poules et chercher des œufs. Pauline attribuait cette lubie à sa crainte des becs acérés des volatiles, sans se douter que Fanette vivait dans la peur de revoir Jacques et de subir à nouveau ses menaces.

Fanette comptait les jours en faisant une croix sur un vieux calendrier qu'elle avait trouvé dans la grange. Il datait de l'année précédente, mais lui servait de point de repère. Dès son réveil, à l'aube, elle se rendait devant la maison et attendait, debout au milieu du chemin, dans l'espoir de voir Amanda revenir dans la voiture de monsieur Bruneau pour la chercher. Chaque fois, elle retournait à la maison bredouille, ravalant ses larmes, en se disant pour se consoler qu'Amanda avait juré sur la tête de sa mère qu'elle reviendrait et qu'elle tenait toujours ses promesses. Elle entreprenait alors les corvées nombreuses et monotones de la journée, s'accrochant à l'espoir du lendemain.

Plus les jours passaient, plus le chagrin rongeait le cœur de Fanette comme un acide. Elle pleurait chaque soir en regardant le grabat vide à côté d'elle, le poing sur la bouche pour que personne n'entende ses sanglots. Après avoir pleuré, rompue de fatigue et de peine, elle se couchait sur le dos, regardait la lune poindre à travers la lucarne et se remémorait les ombres chinoises en forme d'animaux qu'Amanda lui avait appris à exécuter, les conversations en gaélique qu'elles échangeaient entre elles pour n'être comprises de personne, les histoires fabuleuses qu'Amanda

185

lui racontait. Le lendemain, elle s'éveillait au chant du coq, allait au bord du chemin, le scrutait en vain. Une autre journée longue et sans espoir commençait.

La seule joie de Fanette, c'était *L'Ami des campagnes*, un journal que Pauline Cloutier allait chercher une fois la semaine chez le curé Normandeau, qui lui donnait sa copie après l'avoir lue lui-même. Elle regardait le journal en secret lorsqu'il avait été jeté aux ordures, contenant les épluchures de légumes. Elle connaissait à peu près l'alphabet et pouvait déchiffrer quelques mots, surtout les titres. Elle avait appris par elle-même à tracer des lettres dans la marge des pages en utilisant la pointe d'un morceau de bois noirci. Elle aimait beaucoup les « o », qui évoquaient le soleil ou bien une bouche ronde de surprise, et les « i », droits comme les colonnes qu'elle avait admirées sur des gravures dans l'une des éditions du journal.

ᔕ

Le père Cloutier et ses fils revinrent du chantier à la mi-mai. Pauline eut peine à reconnaître son Émile, qui avait grandi d'au moins cinq pouces. Son pantalon était devenu trop court et ses longs bras musclés sortaient de ses manches. Il avait le teint basané de quelqu'un qui vit au grand air. Le premier geste d'Émile fut de courir au grenier pour voir Amanda. Lorsqu'il apprit son départ, il fut pris de convulsions au point que Pamphile et son père eurent du mal à le maîtriser. Après sa crise, il entra dans un état d'apathie étrange, comme s'il n'habitait plus son propre corps. Pauline Cloutier pria pour que le « grand mal » ne vienne pas lui prendre son fils. Elle fut rassurée lorsque, après quelques jours de prostration, il décida de faire une promenade du côté de la rivière, son endroit de prédilection. Le soir tombé, voyant qu'il n'était pas encore revenu, Pauline demanda à Norbert de faire un tour près de la rivière, au cas où Émile aurait eu une autre crise. Il obtempéra en maugréant : il n'était pas aussitôt arrivé du camp qu'il fallait qu'elle le dorlote encore, comme une mère poule. Prenant une lanterne, il sortit en continuant à rouspéter entre ses dents. Il revint une demi-heure plus tard, pâle comme de la craie.

— Je l'ai trouvé. Il s'est pendu à un arbre. Je vais chercher de l'aide.

Une heure plus tard, le père Cloutier revint à la ferme, portant le corps inerte d'Émile avec l'aide de Pierre Girard, le jeune fermier qui avait participé à la battue pour retrouver Fanette et Amanda. Ils déposèrent le corps sur la table de la cuisine. Norbert prit soin de recouvrir le visage d'une nappe pour que Pauline ne le voie pas. Cette dernière resta toute la nuit près du corps, les yeux secs, la haine rivée au cœur, maudissant Amanda pour la mort de son fils.

Le père Cloutier paya les frais de sépulture au presbytère. Le curé Normandeau avait fermé les yeux sur la mort peu chrétienne du pauvre Émile et avait accepté qu'il soit inhumé en terre sacrée. Puis il se rendit chez le menuisier pour commander un cercueil et faire tailler une petite tablette de bois qui servirait de monument funéraire.

Presque personne n'assista aux funérailles d'Émile, hormis madame Bérubé, la ménagère du curé, que l'on entendait renifler dans le fond de l'église, et Pierre Girard, qui avait aidé Norbert à couper la corde et à ramener le corps de son fils à la ferme. Pauline regardait fixement devant elle, les yeux secs. Deux lignes profondes creusaient ses joues. Pas une larme non plus lorsque le cercueil en bois d'épinette fut descendu dans la fosse, sous un soleil de plomb et les prières du curé Normandeau. Jamais Fanette ne sut la vérité : on lui avait dit qu'Émile s'était noyé dans la rivière Sainte-Anne.

Quelques jours après la mort d'Émile, Pauline fut prise de nausées et se rendit compte qu'elle portait un autre enfant. Loin de la consoler de la perte de son fils, cette nouvelle grossesse la remplit d'un désespoir morne. Elle devint colérique avec Fanette, la rabrouait pour un oui ou pour un non, ne prenait plus le temps de lui donner des leçons de français, n'avait plus jamais un geste ou un mot affectueux pour elle. Un matin, lorsque Fanette était revenue dans la cuisine après être allée surveiller le chemin, Pauline lui avait crié, exaspérée :

— Arrête de l'attendre ! Elle reviendra jamais, ton Amanda ! Jamais ! Elle t'a abandonnée pour de bon !

Fanette faisait toutes les corvées, commençant par la cueillette de fagots dans le sous-bois derrière la maison de ferme. Puis elle allumait le poêle, ce qui n'était pas une tâche facile, surtout quand il avait plu et que les fagots étaient détrempés. Ensuite, il fallait aider la mère Cloutier pour le sarclage et le binage du potager, et enfin traire les vaches. C'était presque un moment de répit ; elle pouvait s'asseoir, sentir le mufle chaud de l'animal lorsqu'il tournait la tête vers elle, son flanc doux sur son front. Même le mouvement de trait que lui avait appris la mère Cloutier avec force remontrances devenait apaisant.

Par une chaude journée de juin, Fanette ne put résister à la tentation de boire le lait encore tiède à même le seau. Le père Cloutier la prit sur le fait. Ça lui valut dix coups de *strap*, dont les deux derniers avaient pénétré la chair et laissé des marques rouges sur son dos. En retournant dans le grenier, couchée sur le ventre parce que le dos lui faisait trop mal, Fanette pensa à Amanda avec une acuité aussi douloureuse que les marques sur son dos. Elle avait compté sur le vieux calendrier. Il y avait presque trois mois qu'elle était partie avec monsieur Bruneau. Peut-être que la mère Cloutier avait raison, peut-être qu'Amanda l'avait abandonnée et qu'elle ne la reverrait plus jamais. Étrangement, cette pensée, au lieu de la plonger dans le désespoir, lui donna un sursaut de courage. Il fallait qu'elle la retrouve. Il le fallait.

Fanette attendit les premières lueurs de l'aube pour partir. Elle fut tentée d'apporter les exemplaires de *L'Ami des campagnes* avec elle, mais, craignant d'attirer l'attention, elle se résigna à n'emporter qu'un quignon de pain sec et une tasse ébréchée qui lui servirait à boire de l'eau d'une rivière ou d'un ruisseau. Elle était si menue qu'elle ne fit même pas grincer l'échelle et les marches de l'escalier menant à la cuisine. Elle avait un souvenir vague de la nuit où Amanda et elle avaient fui la maison, il y avait de cela une éternité. Il pleuvait et faisait très froid cette nuit-là, mais l'obscurité était si opaque qu'elle ne se rappelait pas la route qu'elles avaient prise. Elle se guida à l'instinct, se disant qu'il était préférable de rester sur un chemin large plutôt que de risquer de s'égarer sur des chemins plus étroits et sinueux. Elle croisa quelques charrettes, mais personne ne lui prêta attention.

Après deux heures de marche, la chaleur devint accablante. Par chance, elle trouva un ruisseau où elle put se désaltérer et se rafraîchir. Lorsqu'elle se trouva à une croisée de chemins, elle hésita, puis décida de prendre la route la plus large.

Le soleil commençait à baisser vers l'horizon. Fanette avait faim et soif. Ses pieds lui faisaient mal. Soudain, elle vit apparaître un point sombre au bout du chemin. Le point grossissait, elle crut distinguer la forme d'un cheval qui tirait une voiture, mais la chaleur créait une sorte d'onde qui montait de la route et l'empêchait de voir le conducteur. Fanette s'arrêta sur le bord du chemin, mit une main en visière pour faire un écran à la lumière. Elle aperçut des rubans qui voletaient sous la brise, puis se rendit compte qu'ils étaient attachés à un chapeau à large bord. Son cœur se mit à battre la chamade. Se pouvait-il que ce soit… Oh mon Dieu, faites que ce soit elle !

— Amanda… Amanda !

Sa gorge était tellement serrée qu'aucun son ne sortait de sa bouche. Elle se précipita vers la voiture, trébucha sur une pierre et roula au milieu du chemin, laissant tomber sa tasse, qui se cassa sous le choc. Elle ne comprit pas tout de suite ce qui s'était produit. Au bout d'un moment, elle entendit une voix, comme dans un rêve.

— Pauvre petite… Tu n'es pas blessée, au moins ?

Fanette ouvrit les yeux et vit une dame avec un drôle de chapeau penché sur sa tête, comme une tour qu'elle avait vue sur une gravure dans *L'Ami des campagnes*. Et elle sut qu'elle était sauvée.

XXII

Québec
Le 22 juillet 1849

Les roues de la charrette crissaient sur le pavé. Jacques Cloutier, les mains et les pieds enchaînés, regardait le ciel, ébloui par une clarté si vive qu'elle semblait pénétrer dans ses pupilles comme une lame. C'était la première fois depuis des semaines qu'il voyait la lumière du jour. Il vivait enfermé dans une cellule sombre comme chez le diable, avec pour compagnie des rats gras comme des voleurs.

Le coroner Duchesne était venu l'interroger à plusieurs reprises dans sa cellule. Où était-il le 15 mars 1849 ? Il y avait habituellement un deuxième cheval à la ferme de ses parents. Qu'avait-il fait de ce cheval ? Quels étaient ses rapports avec Amanda O'Brennan ? N'avait-il pas dépensé plus de cent cinquante livres dans une maison close de la basse ville, la nuit du 15 au 16 mars, tel qu'en avait témoigné une certaine madame Bergevin, la propriétaire de ladite maison ? Où s'était-il procuré une telle somme ? Cloutier avait gardé chaque fois un silence obstiné. Il savait instinctivement que le silence était sa seule chance de survie. Il avait aussi reçu la visite d'un avocat, un petit homme bavard aux gestes emphatiques qui lui avait offert ses services en lui promettant de lui éviter la corde. Cloutier avait craché par terre pour toute réponse ; l'avocat était parti sans demander son reste et n'était plus jamais revenu. Sa mère aussi avait voulu lui rendre visite. Il avait refusé de la voir. À quoi bon entendre ses reproches et ses jérémiades ?

Le prisonnier tourna la tête vers les deux constables qui chevauchaient de chaque côté de la charrette. Les manches des

191

pistolets accrochés à leur ceinture scintillaient au soleil. Aucune chance de s'évader. Il serait abattu comme un chien. Mais juste à cet instant, la mort lui apparut comme une délivrance. Il ne sentirait plus rien. La faim et la peur ne le tourmenteraient plus. Il ne serait plus la cible de regards méprisants ou, pire, pleins de pitié des gens qui le montraient du doigt au passage de la charrette. Soudain, une douleur aiguë à la tempe le fit sursauter. Il vit un garnement prendre la fuite en riant, laissant choir des cailloux qu'il tenait dans la main. Un filet de sang perla sur sa tempe. La rage l'envahit et, avec elle, l'instinct de survie.

La charrette s'immobilisa devant une grande bâtisse en pierre ceinturée de colonnes. Cloutier regarda l'édifice comme déjà vaincu par sa masse. Le palais de justice. C'était donc là qu'aurait lieu son procès... Les deux policiers descendirent de leur monture et laissèrent les rênes au cocher. Jacques sentit qu'on le saisissait par les épaules. L'un des deux policiers lui enleva la chaîne qui entravait ses pieds. Puis on fit descendre le prisonnier de la charrette en le poussant sans ménagement. Il tenta de se dégager d'un coup d'épaule, mais sentit aussitôt la crosse d'un pistolet lui vriller le dos.

— Reste tranquille, grogna l'un des deux policiers, un gros homme dont les moustaches semblaient faites de fil de fer, tellement elles étaient recourbées.

L'autre policier, un grand gaillard à la mâchoire carrée, lui fit signe d'avancer. Jacques obtempéra. Sa tempe l'élançait. Une mouche commença à tourner autour de sa tête. Le soleil tapait dur. Au moment où les trois hommes s'apprêtaient à traverser la rue, un fiacre tiré par deux chevaux passa devant eux. Jacques, sans réfléchir, se précipita vers les chevaux. Le conducteur tira violemment sur les rênes. Le prisonnier sentit un sabot lui écraser un pied, puis vit comme dans un rêve les yeux bruns de l'un des chevaux, écarquillés par la peur. Il roula par terre dans une tentative désespérée d'échapper au piétinement des sabots, qui semblaient danser au-dessus de sa tête, puis se retrouva de l'autre côté de la rue. Il se releva, vit le fiacre dont la masse sombre le séparait des deux policiers qui coururent dans sa direction en contournant la voiture. Jacques se mit à courir à son tour. Il ne pensait à rien. Il fallait juste courir, courir le plus loin possible. Il n'entendit même pas les balles siffler à ses oreilles.

La nuit était tombée. Des fanaux brillaient sur le pont de centaines de navires qui oscillaient dans la brise du soir. Caché derrière des caisses de marchandises, Jacques vit des marins ivres, bras dessus, bras dessous, qui revenaient vers leur navire en tanguant et en chantant à tue-tête.

Ho les gars la grand voile a besoin d'nos bras
Cric crac sabot cuillère à pot
Plus y a de la voile plus on étalera
Le grand mat veut d'la route, on ira ça ira
Embraque dur cric crac, embraque bien matelot
Cric crac sabot cuillère à pot
La grand voile et nous on s'arrangera
Oh l'filin dans nos mains fait craquer la peau.

Oh les gars les huniers ont besoin d'nos bras
Cric crac sabot cuillère à pot
Comme dans un lit le vent s'y couchera
Le grand mat veut d'la route on ira ça ira
Embraque dur cric crac, embraque bien matelot
Cric crac sabot cuillère à pot
Le hunier et nous on s'arrangera
Oh l'filin dans nos mains fait craquer la peau.

Les matelots embarquèrent sur le bateau de marchandises qui était à quai à quelques centaines de pieds de l'endroit où Jacques se terrait. Il réussit à distinguer le nom du trois-mâts, vaguement éclairé par un lampadaire : *La Gaillarde*. Il jeta un coup d'œil à la ronde : il n'y avait plus personne. Il en profita pour sortir de sa cachette et se dirigea vers le bateau. Son pied gauche lui faisait mal. Il était tellement enflé que la chair débordait de son soulier.

Les dents serrées, il arriva à la hauteur du navire. Il entendait les voix des matelots qui s'interpellaient à bord, ponctuées par le clapotis des vagues sur la coque. Il vit la silhouette d'un marin qui se profilait sur le gaillard d'avant, la tête levée vers le ciel rempli d'étoiles. Cloutier attendit un moment, puis se glissa sur la passerelle et se retrouva sur le pont, blanchi par un rayon de lune. Il entendit soudain des pas résonner derrière lui. Il n'eut que le temps de se cacher derrière une chaloupe. Il aperçut des jambes passer devant ses yeux. Puis le silence revint. Il décida de se réfugier dans l'embarcation pour la nuit. Ensuite, il trouverait bien une cachette en fond de cale. Le cœur battant, il se releva et se faufila vers la chaloupe, souleva la bâche et se glissa à l'intérieur. Il était si épuisé qu'il s'endormit tout de suite, malgré l'inconfort et son pied enflé.

Un claquement sec le réveilla en sursaut. Puis il sentit un roulement sous lui. Il releva prudemment la bâche. Il faisait encore nuit. Il vit un point lumineux apparaître à l'horizon. La grand-voile était gonflée par le vent. Il se rendit compte que le bateau filait à bonne vitesse sur le fleuve noir. Il entendit des matelots parler en français. Il distingua le mot « Montréal ». Il comprit que c'était leur destination. Montréal. Il n'y avait jamais mis les pieds, mais on disait que c'était une grande ville. Il pourrait se perdre dans l'anonymat de cette ville inconnue et s'y ferait oublier. Il se trouverait du travail comme débardeur ou ouvrier sur un chantier. Ensuite, il s'embarquerait pour les États-Unis. Il avait entendu dire qu'il y avait beaucoup d'argent à faire là-bas. Un jour, il reviendrait à Québec. Il serait riche comme Crésus, et respecté. Il porterait des fourrures et des bagues aux doigts, comme Jean Bruneau.

⁓

Lorsqu'il apprit l'évasion de Jacques Cloutier, le coroner Duchesne perdit son flegme habituel et eut un accès de colère. Il donna l'ordre de rechercher activement le fugitif, mais il ne se faisait guère d'illusions sur la possibilité de remettre la main sur le criminel. Les effectifs de la police étaient fort limités et les frontières, mal gardées ; mille possibilités s'offraient à un fuyard pour quitter la ville sans trop d'encombres.

L'affaire aurait pu faire grand bruit à Québec, mais un terrible incendie qui détruisit presque entièrement le quartier Saint-Roch accapara l'attention de la presse et du public, et éclipsa l'évasion de Jacques Cloutier. Il n'y eut qu'un entrefilet dans *L'Aurore* et la *Gazette de Québec*. Emma et Eugénie, débordées par le flot des familles que l'incendie avait jetées à la rue et qui trouvaient refuge au Bon-Pasteur, n'en surent rien.

XXIII

— Pouvez-vous croire que le docteur Ignaz Semmelweis a été révoqué de l'hôpital de Vienne pour avoir recommandé aux praticiens de se laver les mains ? L'ignorance mène l'Univers ! s'exclama le docteur Lanthier en entrant chez Emma et Eugénie, une bouteille de vin à la main.

Une ou deux fois par semaine, le docteur Lanthier passait la soirée chez elles. Il apportait une bouteille d'un bon vin obtenu chez son fournisseur, place Royale, et des nouvelles fraîches d'Europe ou des États-Unis sur les dernières découvertes décrites dans les publications scientifiques auxquelles il était abonné. Lors d'un de ces soupers, il avait brandi un exemplaire de la *Revue scientifique*.

— Mes chères amies, c'est un grand jour. Le physicien français Armand Fizeau a mesuré la vitesse de la lumière !

Madame Portelance s'était gentiment moquée de lui :

— Elle va sûrement plus vite que mon cheval !

Le docteur était veuf et sans enfants. Sa femme, Léontine, était morte huit ans auparavant, des suites d'une tumeur au sein. Il avait été dévasté. Lui, un médecin, n'avait pas réussi à sauver sa propre femme ; il avait tout au plus soulagé ses souffrances. Il avait vécu les premiers mois sans elle comme en état d'hypnose. Léontine était son phare, sa raison d'être. Lorsqu'il rentrait chez lui, après avoir côtoyé la misère, la résignation et parfois, dans la haute ville, l'arrogance de ses patients, et qu'il la voyait, assise dans son fauteuil habituel, un livre ou un nécessaire à broderie sur les genoux, une joie presque douloureuse le saisissait à la gorge. Il se demandait chaque fois comment une femme comme elle avait bien pu vouloir de lui. Il l'avait croisée place du Marché, près de la rue des Jardins, un samedi de juillet. Il terminait alors son apprentissage en médecine, partageant son temps entre le dispensaire de Québec et l'hôpital des Émigrés, et avait profité d'un rare moment de répit pour prendre l'air et trouver quelque chose à se mettre sous la dent. La chaleur était suffocante et le soleil, déjà haut dans le ciel, lui faisait cligner les yeux. Léontine était debout devant un étal de fruits, portant un joli chapeau de paille assorti à une robe blanche au corsage d'organdi bleu pâle. Il se souvenait du moindre détail : les plis de sa robe, son cou gracile légèrement incliné, l'ombre de son chapeau sur sa joue. Elle ne semblait pas le moins du monde incommodée par la chaleur. *Si elle tourne la tête vers moi, je l'épouse.* Elle tourna la tête vers lui, lui sourit, l'air un peu absent, le visage pailleté par la lumière. Il fut sur le point de l'aborder, mais la pudeur le retint. *Elle va me prendre pour un malotru, et je ne la reverrai plus jamais*, se dit-il, le cœur déjà rempli d'espoirs fous et de craintes déraisonnables. Et le miracle se produisit. Le talon de l'un de ses escarpins se coinça entre deux planches de bois du trottoir. Elle perdit l'équilibre et tomba à la renverse sans qu'il ait eu le temps de la retenir. Il se précipita vers elle. Un attroupement se forma. Oubliant sa timidité, il chassa les badauds d'un mouvement autoritaire de la main :

— Dégagez ! Dégagez ! Je suis médecin !

Il avait eu honte, après coup, de s'être fait passer pour un médecin alors qu'il n'avait pas encore obtenu sa licence, mais pour conquérir Léontine, il se serait fait passer pour le roi d'Angleterre s'il l'eut fallu. Heureusement, elle ne s'était que foulé légèrement la cheville, juste assez pour qu'il puisse s'offrir pour l'escorter. Il la soutint par le bras et, une fois dans la rue Sainte-Famille, héla un fiacre. À son grand désarroi, il se rendit compte qu'il n'avait pas assez d'argent pour payer la course, mais elle lui dit gentiment :

— La prochaine fois.

Ces seuls mots lui donnèrent tous les courages. Il lui fallut d'abord affronter le père de Léontine, un petit fonctionnaire nerveux et à la mine perpétuellement tracassée, qui rêvait pour sa cadette d'un mariage dans la haute société. Puis sa mère, une femme plantureuse et autoritaire, qui ne le trouvait pas assez « remplumé » à son goût et qui ne comprenait pas que sa fille ait dédaigné des cavaliers autrement mieux mis et à la mine plus accorte pour s'enticher de ce jeune homme gringalet « habillé comme un pauvre ». Mais Henri avait persévéré, et Léontine, avec son assurance tranquille, avait « tenu son bout », comme on dit. Parfois, pris d'une sorte de remords, il lui demandait si elle était aussi heureuse avec lui qu'il l'était avec elle. Connaît-on jamais à fond le cœur d'une autre personne, même si elle partage son intimité, son lit, tous les jours de sa vie ? Elle le regardait chaque fois avec son sourire de Mona Lisa : « Qu'est-ce que tu en penses ? »

Il ne s'était jamais remarié même si, à trente-sept ans au moment de son veuvage, il était encore considéré comme un bon parti. Huit ans plus tard, il se trouvait trop vieux et surtout, il était trop attaché à ses habitudes pour y songer. Le souvenir de Léontine, même s'il ne le comblait pas, lui suffisait. Il reconnaissait toutefois, dans son for intérieur, que ses nombreuses visites à Emma et Eugénie n'étaient pas seulement inspirées par l'amitié sincère qu'il éprouvait pour ces deux femmes intelligentes et cultivées. Eugénie, sans ressembler physiquement à sa femme, la lui rappelait par ses yeux bruns à la fois songeurs et un brin rieurs, sa voix douce et calme, sa façon de se tenir droite sans paraître hautaine. Il avait parfois songé à se déclarer, mais la crainte de briser le charme de ces soirées passées à discuter à bâtons rompus du dernier roman de George Sand ou d'un discours en Chambre de George-Étienne Cartier l'en avait empêché. Et puis Emma était si profondément attachée à Eugénie ! Ne serait-ce pas faire preuve d'égoïsme que de la priver de sa protégée pour un mariage qui n'aurait peut-être pas convenu à Eugénie ?

Ce soir-là, il trouva une petite mine à Eugénie. Son teint était plus pâle qu'à l'accoutumée. Il lui en fit la remarque. Eugénie sourit :

— Vous êtes médecin. Pour vous, tout le monde souffre nécessairement d'une maladie.

Lorsqu'elle se leva pour desservir la table, elle avait le souffle court, comme quelqu'un qui a couru.

Un soir de décembre, alors que la neige tombait dru et que le docteur Lanthier rentrait chez lui après une journée particulièrement épuisante, il vit Emma courir vers lui, la tête couverte d'un châle, faisant des efforts pour ne pas glisser sur le trottoir en bois couvert de neige. Il descendit de son boghei, tenant son cheval par la bride.

— Emma ? Que se passe-t-il ?

Elle tenta de reprendre son souffle, tenant son châle serré autour d'elle.

— C'est Eugénie… Elle est… très malade…

Sans dire un mot, le docteur aida Emma à monter dans sa voiture et fouetta son cheval.

Lorsqu'il entra dans la maison, sa sacoche de médecin sous le bras, il aperçut Fanette debout près de la porte, en larmes. Il lui caressa gentiment la tête, puis franchit l'escalier, précédé par Emma qui tenait une lanterne à bout de bras.

La porte de la chambre d'Eugénie était entrouverte. Le docteur y entra. Eugénie était étendue sur son lit, le visage exsangue et la respiration saccadée. Une lampe à huile posée sur la commode jetait une lueur orangée dans la pièce. Il s'approcha d'elle, déposa sa sacoche sur une table de chevet à côté du lit. Il lui prit la main. Elle sourit faiblement.

— Cette fois-ci, je suis malade pour vrai, dit-elle avec un filet de voix.

Elle se mit à tousser d'une toux sèche qui lui fit monter des larmes aux yeux. Sa respiration était toujours difficile. Emma se pencha au-dessus d'elle, son visage rond plissé par l'inquiétude. Le docteur déposa délicatement sa main sur le front d'Eugénie : il était brûlant. Il souleva son poignet et prit son pouls en observant sa montre.

— Le pouls est rapide.

Le médecin examina ensuite ses ongles, qui étaient bleuâtres. Puis il ouvrit sa sacoche, en sortit un étrange objet muni de deux branches en caoutchouc et d'une sorte de plaque réceptrice à l'extrémité. Emma regarda l'instrument, interloquée.

— Qu'est-ce que ça mange en hiver ?

— Ça s'appelle un stéthoscope. Je l'ai fait venir à grands frais des États-Unis.

Le docteur se mit une branche dans chaque oreille, puis se pencha à nouveau vers Eugénie.

— Vous permettez ?

Il posa délicatement la plaque du stéthoscope sur la poitrine de la jeune femme.

— Avez-vous des douleurs thoraciques ?

Eugénie acquiesça. Un pli d'anxiété barrait le front du docteur. Emma ne put se contenir plus longtemps.

— Qu'est-ce qu'elle a, Henri ?

Le docteur remit le stéthoscope dans sa sacoche.

— D'après les symptômes, c'est une pneumonie. Je crois que les deux poumons sont atteints.

Eugénie le regarda calmement.

— C'est grave ?

Il haussa les épaules. Avec Eugénie, il était inutile de tourner autour du pot.

— Ça pourrait le devenir, si vous ne vous soignez pas convenablement.

Il se tourna vers Emma :

— Il lui faut un repos complet. Elle doit garder le lit, boire beaucoup de liquide.

Il prit la main d'Eugénie dans la sienne.

— Aucune visite à votre cher refuge. Promis ?

Eugénie acquiesça faiblement. Il lui administra une décoction de saule pour abaisser la fièvre, puis sortit de la chambre, suivi par Emma, pâle d'anxiété. Ils s'arrêtèrent à la hauteur de l'escalier, sans s'apercevoir que la porte de la chambre de Fanette était entrouverte.

— Je sais à quel point Eugénie et vous êtes attachées à Fanette, mais dans les circonstances, il serait préférable de l'éloigner pendant quelque temps.

Emma lui jeta un regard navré.

— Vous en êtes certain ?

Le docteur réfléchit avant de poursuivre. Bien des médecins auraient crié à l'imposture, mais il était convaincu que la plupart des maladies pulmonaires étaient contagieuses. Ce n'était pas tant ses lectures de revues scientifiques qui lui avaient donné cette quasi-certitude, mais l'expérience. Il avait soigné beaucoup de patients atteints de pneumonie, de bronchite ou de phtisie, et avait constaté que ces maladies étaient surtout répandues dans les quartiers ouvriers et démunis, où les conditions d'hygiène et la promiscuité régnaient. Eugénie se rendait presque tous les jours au refuge du Bon-Pasteur ; elle avait dû contracter sa pneumonie en soignant des personnes déjà atteintes.

— Je crains la contagion. La santé de Fanette est encore fragile, je préfère ne prendre aucun risque. Je reviendrai demain, à la première heure.

Emma s'assombrit. Déjà, la maladie d'Eugénie la plongeait dans les pires inquiétudes, mais se séparer de Fanette… Elle se demanda comment réagirait la pauvre petite, déjà si éprouvée par la mort de ses parents et sa vie misérable chez les Cloutier. Et surtout, où la placer ?

XXIV

Emma n'avait pas fermé l'œil de la nuit. Le diagnostic de pneumonie et le sort de Fanette l'avaient mise dans tous ses états. Elle était descendue dans la cuisine pour alimenter le feu, afin de s'assurer qu'Eugénie reste bien au chaud, car les nuits étaient de plus en plus froides ; puis, à la lumière d'une lampe, elle avait tenté de lire *Le père Goriot*, que lui avait prêté le docteur Lanthier. Mais l'histoire de ce pauvre homme abandonné par ses filles de la façon la plus cruelle l'accabla. Elle décida de se recoucher, fourbue et anxieuse.

Le matin venu, ses idées s'éclaircirent et elle prit une décision. Emma était ainsi faite : il y avait un temps pour réfléchir et un autre pour agir. Son premier geste fut de se rendre dans la chambre d'Eugénie. Sa respiration était toujours ardue, comme si elle cherchait son air, mais au moins elle dormait. Elle se dirigea ensuite vers la chambre de Fanette. À sa surprise, la petite était debout en robe de nuit, pieds nus, devant sa fenêtre et regardait dehors. Le givre qui couvrait la vitre étincelait sous les premiers rayons du soleil.

— T'es déjà debout ? dit Emma.

La fillette se tourna vers elle. Ses yeux étaient sombres, sans larmes, sa petite bouche contractée.

— Vous voulez pas me garder.

Emma la regarda, prise de court.

— Où t'es allée pêcher une bêtise pareille ?

Elle ne répondit pas. Emma supposa qu'elle avait dû entendre sa discussion de la veille avec le docteur Lanthier. Elle s'assit sur le bord du lit et fit signe à Fanette de s'asseoir à côté d'elle. Cette dernière hésita, puis vint la rejoindre. Emma lui prit la main, la regarda dans les yeux.

— Eugénie et moi, on t'a adoptée dans notre cœur. Jamais on va t'abandonner. Tu comprends ça ?

Fanette garda le silence, mais son corps tendu indiquait qu'elle écoutait de toutes ses oreilles. Emma poursuivit.

— Eugénie est très malade. Le docteur Lanthier croit que sa maladie est contagieuse.

Fanette la regarda sans comprendre.

— Contagieux, ça signifie quelque chose qui s'attrape par d'autres personnes. Le docteur Lanthier pense que c'est mieux de t'éloigner, le temps qu'Eugénie prenne du mieux.

Fanette ne parlait toujours pas, comme si elle tentait de comprendre la portée des paroles de sa protectrice.

— Où je vais aller ? finit par dire la fillette, luttant contre les larmes.

— Ma sœur Marie est religieuse au couvent des Ursulines, dit Emma. J'ai pensé te placer en pension là-bas.

Fanette détourna la tête, réprimant le tremblement de ses lèvres. Emma voulut la prendre dans ses bras, mais elle la repoussa de sa petite main.

— Combien de temps ? dit Fanette, la voix tremblante.

Emma, le cœur serré devant la détresse de Fanette, répondit avec franchise :

— Je ne sais pas, Fanette. Dès qu'Eugénie ira mieux, je te promets que tu pourras revenir à la maison.

— Amanda aussi, elle m'avait promis, et elle est jamais revenue ! s'écria Fanette, aveuglée par les larmes.

Fanette tourna le dos à sa mère adoptive et s'enfouit entièrement sous la couverture. Emma entendit les sanglots étouffés de l'enfant. Elle ne savait pas comment consoler Fanette de son immense chagrin. Elle comprit à quel point l'abandon par sa sœur Amanda l'avait marquée. *Un jour, il faudra que j'aie le courage de lui dire la vérité*, se dit Emma. Elle retira très doucement la couverture, attendit que les sanglots de l'enfant s'apaisent avant d'embrasser tendrement ses joues encore mouillées de larmes.

Comme convenu, le docteur Lanthier vint voir Eugénie avant d'entreprendre la tournée de ses patients. Il la trouva pâle et frissonnante malgré les couvertures et le châle avec lesquels Emma l'avait emmitouflée. Il tourna la tête vers Emma, cachant mal son inquiétude.

— Elle fait encore de la fièvre, dit-il à mi-voix.

Emma acquiesça, anxieuse.

— Je dois rendre visite à ma sœur Marie, mais je n'ose pas la laisser toute seule.

— Je vais rester avec elle.

Emma lui jeta un regard reconnaissant.

— Et vos autres patients ?

Il fit un sourire qui plissa ses yeux.

— Il y a vingt-quatre heures dans une journée.

೧

Emma confia Fanette à la voisine, madame Johnson, le temps qu'elle se rende au couvent des Ursulines. Fanette s'était laissé conduire, docile et silencieuse, ce qui ne manqua pas d'inquiéter Emma. Quand la petite avait eu une crise de larmes, plus tôt, elle avait pu tenter de la consoler, mais elle se sentait désarmée devant son mutisme.

Après avoir franchi la porte Hope qui débouchait dans la rue des Ramparts, Emma engagea sa voiture dans la rue Sainte-Famille. Il avait neigé durant la nuit. Une épaisse couche blanche couvrait les trottoirs en bois et des bourrasques s'engouffraient sous son manteau, soulevant des nuages de poudrerie qui rendaient la route ardue. Quelques voitures étaient enlisées dans de gros bancs de neige qui s'étaient formés dans les rues. Heureusement, elle avait fait poser des patins à sa voiture chez son carrossier un mois auparavant, sinon il lui aurait fallu la remiser pour l'hiver.

Un cheval tirant un énorme rouleau attaché à son harnais avec des chaînes apparut soudain devant la voiture d'Emma, à peine visible dans la poudrerie. Elle tira vivement sur les rênes. Deux ouvriers engagés par le comité des chemins étaient debout de chaque côté du rouleau et le replaçaient à angle droit dans la rue afin que la neige soit bien aplanie sur toute sa largeur, pour faciliter le passage des *sleighs*. Emma dut reculer sur le trottoir en bois pour laisser les ouvriers faire leur travail. Lorsque le rouleau s'enlisait dans un banc de neige, les ouvriers le dégageaient en égrenant un chapelet de jurons. Le cheval de trait penchait la tête sous l'effort, à cause du poids de sa charge, et ses naseaux dégageaient une vapeur dense. Emma ne put s'empêcher de prendre la bête de somme en pitié. Elle pensa à tout ce qu'il avait fallu de courage et de détermination aux premiers colons, pour survivre à ces hivers implacables sans poêle à bois pour se chauffer, sans lampe à huile pour s'éclairer convenablement, et en proie au scorbut, quand ce n'était pas à une attaque d'Iroquois. En regardant les rangées de maisons mansardées, la fumée grise sortant des cheminées, les rideaux coquets aux fenêtres, les lampadaires encore allumés à cette heure matinale, elle mesura tous les progrès accomplis par sa ville depuis sa fondation, près de deux cent cinquante ans auparavant.

Après avoir traversé la place du Marché, déserte à cette heure, elle prit la rue des Jardins qui donnait sur Donnacona. Elle aperçut avec soulagement les murs enneigés du couvent se profiler au bout de la rue. La bise glaciale avait rougi ses joues rondes. Ses pieds et ses mains étaient tellement engourdis par le froid qu'elle ne les sentait plus. Elle descendit de sa voiture, se dirigea vers l'entrée du cloître et frappa à la porte, se frottant les mains pour tenter de les réchauffer. Après un moment, la porte s'ouvrit. Le seuil était désert. Un nouveau venu se serait étonné de voir une lourde porte en chêne s'ouvrir comme par enchantement, sans personne pour en tourner la poignée. Depuis le temps qu'elle visitait sa sœur cadette, Emma savait que le loquet de la porte était relié à une longue chaîne tirée par une religieuse qui était assise derrière une sorte de hublot grillagé donnant sur le hall d'entrée. Ce mécanisme ingénieux évitait aux sœurs cloîtrées d'entrer en contact direct avec les visiteurs, comme le fameux « tour » pour faire passer les objets. Emma s'approcha du hublot. Elle crut reconnaître sœur de la Trinité derrière le double grillage.

— Bonjour, ma sœur. Je viens voir Marie.

Emma s'obstinait à appeler sa sœur cadette par son prénom. Sœur de la Trinité eut un sourire indulgent en voyant la forte silhouette de madame Portelance se profiler devant elle.

— Ce n'est pas votre jour aujourd'hui, madame Portelance.

— Je sais. C'est important, il faut que je lui parle.

Emma entendit la voix de sœur de la Trinité s'adresser à une jeune novice qui était debout près d'elle.

— Mademoiselle Durand, veuillez prévenir sœur de la Visitation que madame Portelance est ici pour elle.

Sœur Marie de la Visitation traversa un corridor au pavement de pierre qui sentait le bois et l'encaustique. Elle aimait cette odeur familière qui lui rappelait son enfance. Seul le cliquetis du chapelet qu'elle portait à sa ceinture brisait le silence. Elle croisa sœur du Saint Sépulcre qui venait en sens inverse. Elles se saluèrent sans se parler. Que de fois Emma lui avait dit qu'elle ne pourrait supporter une journée de silence sans devenir folle ! Elle sourit à l'évocation de sa sœur aînée. Emma... Si généreuse et parfois si excessive. L'un n'allait sans doute pas sans l'autre. Emma n'avait jamais vraiment accepté sa vocation. Elle n'oublierait pas le jour où elle lui avait annoncé sa décision de faire son noviciat.

— Pourquoi aller t'enterrer dans un couvent, au nom du ciel ?

Marie avait réprimé un sourire en entendant sa sœur aînée jurer. Cette dernière s'était reprise :

— Tu peux t'inscrire à l'école normale des Ursulines sans devenir religieuse.

Marie avait tenté de lui expliquer :

— J'ai entendu l'appel, Emma.

— L'appel, l'appel, maugréa sa sœur.

— J'ai pas d'autres mots. C'est comme l'aimant qui attire la limaille : je veux être près de Dieu.

— De là à te cloîtrer... Seigneur !

Emma avait encore juré. Marie avait renoncé à lui faire comprendre son choix. Elle aimait sa sœur tendrement, mais une fois qu'elle avait une idée en tête, impossible de lui en faire changer. Ce qui ne l'empêchait pas d'apprécier infiniment ses visites. Emma se rendait au parloir au moins une fois la semaine. Elle ne manquait jamais de lui emmener un panier de fruits ou de légumes frais en saison, ou des douceurs qu'Eugénie avait cuisinées pour elle. Emma déposait les colis dans le « tour », comme les Ursulines l'appelaient, une sorte de plateau en bois inséré dans un mur en forme de rotonde, à côté d'un hublot muni de grilles, dans le hall du cloître. Le plateau pivotait et permettait aux religieuses de prendre les colis sans avoir de contact avec le visiteur qui les apportait. Emma n'avait pu s'empêcher de faire une remarque caustique quand sa sœur lui avait indiqué la procédure à suivre :

— J'ai plus le droit de te toucher, moi qui ai changé tes langes quand t'étais nourrisson ! Le Bon Dieu veut te garder pour lui tout seul ?

Emma avait été une véritable mère pour elle. C'est elle qui la soignait lorsqu'elle s'éraflait le genou en tombant ou déposait une pièce sous son oreiller lorsqu'elle perdait une dent de lait ; elle était restée nuit et jour à son chevet quand elle avait eu la jaunisse. Marie éprouvait de l'affection pour ses trois autres sœurs, mais la vie les avait éloignées. Anita avait épousé un commerçant d'origine américaine et vivait à Boston depuis une trentaine d'années. Madeleine, qui ne s'était jamais mariée, était devenue enseignante à Montréal et donnait rarement de ses nouvelles. Son cœur se serra à la pensée de Clotilde, la plus jolie des sœurs Portelance, qui était morte des suites d'une pneumonie à l'âge de seize ans. Elle avait un talent inné pour la musique. Elle se rappela avec tendresse de sa jolie voix, lorsqu'elle s'assoyait au piano et chantait une mélodie à la mode...

La voix de mademoiselle Durand la sortit de sa rêverie.

— Sœur Marie, vous avez de la visite.

Sœur Marie de la Visitation fronça les sourcils, intriguée : qui cela pouvait-il être ? Emma venait généralement la voir les mercredis. Ce n'était pas son jour.

Emma prit place sur un banc en bois pour reposer un peu ses jambes. Sur le mur de crépi blanc en face d'elle, une peinture de facture plutôt médiocre représentait Marie de l'Incarnation, la fondatrice du couvent. Sa sœur lui avait souvent dit à quel point l'œuvre de Marie Guyart, qui avait tout abandonné pour fonder une congrégation au Canada, l'avait inspirée. Emma partageait la passion de ces femmes pour l'éducation des jeunes filles. Elle-même contribuait à l'achat de livres et de matériel utile à l'apprentissage des jeunes filles pauvres qui étaient accueillies à l'externat des Ursulines. Ce qu'elle ne comprenait pas, c'était ce besoin de s'isoler du monde. Chaque fois qu'elle abordait le sujet avec Marie, cette dernière secouait la tête en souriant :

— On ne s'isole pas du reste du monde. On s'en retire pour l'accueillir autrement.

Emma écoutait les explications de sa sœur avec une tendresse sceptique, mais elle n'insistait pas. Au fond, la douceur et le caractère égal de sa jeune sœur cachaient une détermination de fer.

Après une dizaine de minutes, mademoiselle Durand entra dans le hall. Elle portait une robe noire avec un collet et des poignets en gabardine d'une blancheur immaculée ; un bonnet bordé de dentelle couvrait ses cheveux. Elle fit signe à Emma de la suivre. Un trousseau de clés à la main, elle ouvrit la porte donnant sur le parloir. Elle laissa Emma y entrer et referma discrètement la porte derrière elle.

Emma s'avança dans le parloir, qui était divisé en deux. D'un côté, des chaises en bois étaient alignées pour recevoir les visiteurs. De l'autre, deux rangées de grilles s'élevaient du plancher au plafond. Un espace d'environ six pouces séparait chaque grille, afin d'empêcher les religieuses de toucher la main du visiteur, fût-il un membre de sa famille ; une autre pratique qui avait indigné Emma, mais à laquelle elle avait dû se résigner bien malgré elle. Lorsqu'elle vit la silhouette noire de sa sœur se profiler derrière les grilles, un élan d'affection s'empara d'elle. Marie, sa petite Marie… Les doigts longs et effilés de sa sœur se posèrent sur l'une des grilles. Emma glissa ses doigts roses et boudinés à travers la sienne. Elles se regardèrent un moment sans parler, émues toutes les deux. Marie fut la première à prendre la parole.

— C'est pas ton jour. Rien de grave, j'espère.

Marie savait lire le cœur des gens avec une acuité qui avait toujours médusé sa sœur aînée.

— C'est Eugénie. Elle souffre de pneumonie.

Le visage de Marie s'assombrit. Elle aimait beaucoup Eugénie, avec laquelle elle se sentait plusieurs affinités : la même douceur sous l'apparente austérité, le même besoin de se mettre au service des autres. Emma s'empressa de la rassurer.

— Elle va s'en sortir. J'en suis convaincue.

S'il y avait une chose que Marie avait toujours appréciée chez sa sœur aînée, c'était son optimisme. Emma réussissait toujours à trouver un côté positif aux situations les plus éprouvantes.

— Avec l'aide de Dieu, dit-elle.

— Et surtout celle du docteur Lanthier, ajouta Emma, dont le dicton préféré était « Aide-toi et le ciel t'aidera ».

— Bien sûr.

Elles gardèrent le silence pendant un moment, toutes deux pensives. Puis Emma poursuivit.

— Tu sais, notre petite Fanette…

Emma, à chacune de ses visites, avait beaucoup parlé de sa fille adoptive à sa sœur.

— Elle n'est pas malade, toujours…

Les épidémies étaient un spectre qui venait hanter les villes et les campagnes à intervalles réguliers et semait la mort et la consternation dans les familles.

— Non, rassure-toi. Mais le docteur Lanthier craint la contagion. Il croit que ça serait mieux d'éloigner Fanette pour un temps. J'ai bien pensé l'emmener à la seigneurie Portelance, mais je ne peux pas laisser Eugénie toute seule, dans son état.

Marie comprit à demi-mot la démarche de sa sœur.

— Tu voudrais qu'on prenne Fanette comme pensionnaire ?

Emma acquiesça.

— Eugénie lui a donné des leçons de français, elle sait lire et écrire à peu près convenablement. C'est une enfant intelligente, elle apprend vite.

Le visage d'Emma irradiait d'affection. Marie en fut vivement touchée.

— Comment Fanette prend-elle la chose ?

Encore une fois, sa sœur cadette avait lu en elle comme dans un livre ouvert. Emma avoua, la mine basse :

— Mal. Elle est convaincue que je veux l'abandonner.

— Ça se comprend. Une orpheline…

Emma releva vivement la tête, la mine coupable.

— C'est pour la protéger que j'ai pris la décision de me séparer d'elle.

— Je sais, Emma. Tu as bien fait.

Sœur Marie se leva.

— Je vais parler tout de suite à notre mère supérieure. Attends-moi ici, ça ne devrait pas être très long.

— Tu diras à Mère de l'Enfant-Jésus que je tiens à payer la pension de Fanette.

Marie sourit. Sa sœur était la droiture même et n'aurait supporté aucun passe-droit ou privilège.

Une demi-heure plus tard, sœur Marie revint, un prospectus à la main. Mère de l'Enfant-Jésus s'était montrée compréhensive et était disposée à accueillir Fanette dès qu'Emma le souhaitait. L'uniforme était obligatoire, mais Fanette aurait la permission de porter ses vêtements de tous les jours, en attendant que son trousseau soit complété. Emma jeta un regard reconnaissant à Marie.

Même si la décision de mettre Fanette en pension lui coûtait beaucoup, elle savait qu'elle serait entre bonnes mains.

Après sa visite au couvent, Emma revint chercher Fanette chez madame Johnson. Cette dernière la prit à part.

— La pauvre p'tite a pas dit un mot depuis qu'elle est ici.

La culpabilité d'Emma revint au galop. Elle prit gentiment Fanette par les épaules.

— Je viens de voir ma sœur Marie. Le couvent est prêt à t'accueillir.

Fanette se dégagea. Elle avait les yeux rougis par la peine.

— Je veux pas y aller.

Fanette était comme un oursin, Emma ne savait plus par quel bout la prendre. Elle sortit le prospectus de sa manche, le montra à l'enfant. Sur une gravure à l'eau-forte, six ou sept pensionnaires, portant de charmantes robes assorties d'une collerette en dentelle, étaient rassemblées dans une salle d'étude. L'une était debout près d'une harpe, un violon à la main. Plusieurs autres observaient un globe terrestre qui avait été déposé sur une table ronde. Les jeunes filles semblaient heureuses.

— Regarde, tu vas porter de jolies robes au couvent. On va aller faire un tour chez madame Vanasse. C'est elle qui va les coudre exprès pour toi.

Fanette ne prit pas le prospectus, mais ne put s'empêcher d'y jeter un coup d'œil, ce qui encouragea Emma. *Allons bon, Fanette finira bien par se faire une raison,* se dit-elle. Elles se rendirent en voiture rue Saint-Paul, où se situait l'atelier de la couturière. Madame Vanasse, l'épouse d'un voyageur de commerce qui était souvent absent, était une femme de taille moyenne aux mains délicates. Le trousseau comprenait deux robes en tartan, six collerettes blanches de jaconas, six chemises, quatre robes de nuit, deux jupons de flanelle, deux coiffes, douze mouchoirs de poche en percale… la liste n'en finissait plus. Madame Vanasse hocha la tête.

— Je vais faire mon possible. J'ai pas mal de commandes, soupira-t-elle, les yeux battus à force de tailler et de coudre.

Emma s'excusa de devoir s'y prendre à la dernière minute, expliquant l'urgence de la situation. Madame Vanasse feuilleta un cahier de patrons déposé sur une grande table de couture encombrée de ballots de tissu, de fils, de rubans et de broderies.

— Je peux vous faire au moins une robe avec collerette et une robe de nuit pour demain.

Emma remercia la couturière et laissa Fanette chez elle, le temps qu'elle prenne ses mesures, puis elle se rendit dans la rue Saint-Pierre pour se procurer draps, couvertures, serviettes et oreiller, sans compter le matelas et même le couvert, qu'il fallait fournir en sus du reste. Un tel trousseau n'était pas à la portée de toutes les bourses. *Heureusement qu'il y a l'externat des Ursulines pour les filles de familles pauvres, où l'on n'a pas toutes ces exigences*, ne put s'empêcher de se dire Emma en rangeant ses achats dans le porte-bagages.

De retour à la maison après être allée chercher Fanette chez madame Vanasse, Emma remit des bûches dans le poêle, prépara du lait chaud pour la fillette et un bouillon de poule qu'elle apporta à Eugénie sur un plateau. Le docteur Lanthier était toujours à son chevet.

— La fièvre a diminué, chuchota-t-il. Elle dort. Je lui ai donné du laudanum pour calmer les douleurs au thorax.

Emma déposa le plateau sur un guéridon. Le docteur Lanthier promit de revenir à nouveau le lendemain matin et partit, non sans recommander à Emma de ne pas hésiter à le réveiller, même durant la nuit, si jamais l'état d'Eugénie devenait préoccupant. Emma resta debout près d'elle, retenant presque sa respiration pour ne pas la déranger dans son sommeil. Mais Eugénie ouvrit les yeux, sourit en reconnaissant Emma, puis les referma en contenant un spasme de souffrance. Emma lui prit la main, bouleversée.

— Tu as mal ?

— Mais non, murmura Eugénie. Ne t'inquiète pas pour moi.

Emma savait qu'Eugénie lui mentait pour l'épargner. Elle fut incapable de retenir le torrent de larmes qu'elle avait endigué depuis la veille.

— Pardonne-moi, dit-elle entre deux sanglots. Je suis une vraie mauviette…

Emma prit place dans un fauteuil et se tamponna les yeux avec un mouchoir.

— Je vais conduire Fanette au couvent des Ursulines demain. Elle ne veut pas partir. J'ai l'impression d'être un bourreau d'enfants…

Eugénie accusa le coup.

— Tout cela à cause de moi. Si je n'étais pas tombée malade…

Emma la gronda gentiment :

— Comme si c'était ta faute ! Mange un peu, ça va t'aider à reprendre des forces.

Eugénie était trop faible pour se nourrir toute seule. Emma lui fit prendre le bouillon à la cuillère, prenant bien soin de ne pas trop lui en donner à la fois, essuyant délicatement sa bouche avec un mouchoir entre chaque bouchée, comme elle l'eut fait pour un nourrisson.

Le lendemain, madame Vanasse vint en fiacre chez madame Portelance avec une partie du trousseau de Fanette, promettant de compléter le reste d'ici à quelques jours. Elle avait même pris la peine de marquer chaque vêtement au nom de Fanette O'Brennan, comme le recommandait le prospectus du pensionnat.

— Vous n'auriez pas dû vous donner tant de peine, s'exclama Emma. Vous avez dû y passer la nuit au complet !

Madame Vanasse haussa les épaules.

— Après ce que vous avez fait pour ma famille, c'est bien le moins…

Emma fit un geste de la main, comme pour minimiser l'importance de la chose. Elle était toujours mal à l'aise lorsque les gens bien intentionnés lui rappelaient sa générosité. C'est vrai qu'elle avait payé les études de trois des enfants de madame Vanasse, deux filles à l'externat des Ursulines et un garçon au séminaire de Québec. Elle ne voulait pas qu'ils se retrouvent comme tant d'autres dans la « Ligue des chevaliers du X », comme les appelait son père, parlant des nombreux analphabètes incapables de signer de leur nom et qui devaient mettre un « x » au bas des papiers officiels, en guise de signature. « Les études, ça n'a pas de prix. »

Madame Vanasse tint mordicus à effectuer un essayage. La robe allait comme un gant à Fanette. Emma regarda sa protégée avec une émotion contenue. Elle avait l'air d'une petite dame, avec sa collerette, son bonnet et ses poignets blancs bordés de dentelle. Madame Vanasse, enthousiaste, prit la fillette par la main et la conduisit devant une glace sur pied.

— Comme tu es jolie !

Fanette vit son reflet dans la glace. Elle eut l'impression qu'une étrangère la regardait.

⌇

Emma installa les affaires de Fanette dans son boghei. L'air était froid et cristallin, la neige de la veille crissait sous ses pas. Fanette se tint coite tout au long du trajet vers le couvent des Ursulines. Elle fondit en larmes en apercevant les façades en pierre grise qui se découpaient dans un ciel sans nuages. Emma sortit un mouchoir de sa poche et lui tamponna les joues et le nez en tentant de la rassurer :

— Tut tut tut… Arrête de pleurer… Ma sœur Marie est un ange, elle prendra bien soin de toi. Et puis je te rendrai visite tous les dimanches.

Les adieux furent déchirants. Fanette s'accrochait à la jupe d'Emma avec l'énergie du désespoir, refusant de lâcher prise et de prendre la main qu'une jeune novice lui tendait. Emma dut s'arracher à elle, impuissante à la consoler. Elle jeta un regard implorant à sa sœur Marie, qui avait obtenu la permission de les accueillir en personne au parloir du pensionnat, qui jouxtait le cloître. Elle fit un signe de la main apaisant à sa sœur.

— Ça va aller. Souviens-toi quand tu es venue me conduire au couvent la première fois. Je pleurais comme une Madeleine…

Emma essaya de sourire, reconnaissante envers sa cadette de chercher à la rassurer, mais sa gorge était si serrée qu'elle lui faisait mal. Elle se rappela une phrase que sa mère répétait souvent quand elle était enfant : « L'inquiétude est le lot des mères. » À l'époque, elle en avait été agacée, car elle avait le sentiment que c'était une façon pour sa mère de lui reprocher le fardeau qu'elle représentait pour elle. Mais en voyant Fanette disparaître derrière la lourde porte qui séparait le parloir du pensionnat, elle comprit toute la portée de ces mots et mesura l'importance que Fanette avait prise dans sa vie. Avant de la connaître, elle menait son existence tambour battant, se dévouant corps et âme pour les démunis, gérant son domaine avec un mélange de fermeté et d'indulgence, sans trop songer au lendemain. Ce petit être haut comme trois pommes avait tout changé et lui faisait maintenant entrevoir un avenir chargé d'angoisses mais aussi de promesses.

XXV

Une sourde appréhension serra le cœur d'Emma lorsqu'elle arrêta sa voiture devant les murs du couvent. Il y avait une semaine jour pour jour que Fanette était chez les Ursulines. Sa chère petite s'accommoderait-elle de sa nouvelle existence entre ces murs austères ?

Emma sonna à la porte du pensionnat, qui s'ouvrit après quelques secondes avec un grincement. Elle entra dans le hall et se dirigea vers la porte qui menait au parloir des élèves. Une novice l'y attendait et lui ouvrit.

Le parloir des pensionnaires était une grande pièce blanche entourée de doubles grilles qui longeaient chaque mur. Des bancs en bois avaient été placés devant chaque grille pour permettre aux visiteurs de s'asseoir. Emma s'avança et aperçut Fanette, installée bien sagement sur une chaise derrière l'une des grilles. Une mèche noire sortait du bonnet blanc qui couvrait ses cheveux. Emma prit place sur le banc, faisant craquer le bois.

— Bonjour Fanette.

— Bonjour, madame.

Emma ne put réprimer une grimace devant ce « madame » trop formel à son goût. Au couvent, les règles de politesse étaient strictes : même les parents étaient vouvoyés et appelés « madame » ou « monsieur ».

— J'ai laissé des confitures pour toi dans le « tour ». Et une boîte de couleurs pour ta leçon d'aquarelle.

— Merci, madame.

— Je t'en supplie, appelle-moi Emma. Quand tu m'appelles madame, j'ai l'impression d'avoir cent ans et du poil au menton !

Fanette ne put s'empêcher de faire un petit sourire. *C'est un bon début*, se dit Emma. *Au moins, j'ai cassé la glace.*

— Tu es heureuse, ici ?

Fanette la regarda un moment, se demandant si elle devait lui dire la vérité ou non. Elle serra la bouche comme elle le faisait toujours lorsqu'elle réfléchissait ou voulait ravaler sa peine. Emma, d'un mouvement instinctif, s'avança sur le bout de son banc. Comme elle aurait voulu pouvoir toucher Fanette, lui prendre la main, l'embrasser ! Elle détesta encore davantage ces grilles qui la séparaient cruellement de sa fille adoptive.

— Tu n'es pas bien traitée ? demanda Emma, inquiète.

— Sœur Marie est gentille.

— Quelqu'un d'autre n'a pas été gentil avec toi ?

Elle secoua à nouveau la tête sans répondre. Emma s'arma de patience :

— Alors qu'est-ce qui ne va pas ?

Elle leva ses yeux d'un bleu presque noir dans la demi-pénombre du parloir.

— Je veux rentrer à la maison.

Emma se rembrunit, mais tâcha de ne pas le montrer.

— Eugénie est encore bien malade. Quand elle ira mieux, je te promets que…

— C'est une prison, ici ! s'écria Fanette.

Une religieuse, assise discrètement près de la porte du parloir, se leva à demi. Emma regarda Fanette, bouleversée. Elle voulut dire quelque chose, mais les mots ne passaient pas dans sa gorge. Après un long moment, elle se leva, réussit à articuler « À dimanche prochain » et sortit du parloir, toute chamboulée. Après avoir fait les cent pas dans le hall pour se calmer, sous le regard intrigué de sœur de la Sainte Trinité qui l'observait derrière son hublot, Emma finit par demander de voir sa sœur Marie.

— Sœur Marie de la Visitation est à la chapelle, en médita-tion. Ça risque d'être long.

— J'attendrai, répliqua madame Portelance, contenant mal son impatience.

Une heure plus tard, Marie fit son entrée dans le parloir du cloître. Elle vit sa sœur qui marchait de long en large derrière la grille, dans l'espace réservé aux visiteurs. Sœur de la Sainte Trinité avait dû l'avertir qu'Emma ne filait pas un bon coton, car elle fut la première à s'adresser à elle, en tâchant de ne pas montrer son inquiétude :

— C'est Eugénie ?

Emma fit non de la tête. Elle avoua, avec un chat dans la gorge tellement elle était émue :

— C'est Fanette. Elle est malheureuse comme les pierres. Elle m'a même dit que c'était une prison, ici !

Sœur Marie leva des yeux calmes vers sa sœur :

— N'en fais pas une montagne. C'est une réaction normale au début. Elle va s'habituer.

— À la prison ?

Sœur Marie prit la réplique de sa sœur aînée avec un grain de sel. Elle était vive et pouvait dire des choses blessantes sans le vouloir. Emma regretta tout de suite ses paroles.

— Pardonne-moi. Je suis tout à l'envers. Qui aurait pensé qu'un jour, j'enfermerais un enfant dans un couvent contre son gré ?

— Justement, c'est une enfant. Tu dois faire preuve de patience et ne pas prendre tout ce qu'elle dit au pied de la lettre.

Comme toujours, les paroles de sa cadette apaisèrent Emma. Elle poursuivit plus calmement :

— Tous les enfants n'ont pas connu autant de malheurs.

— Je t'ai promis de la prendre sous mon aile. Tu peux compter sur moi.

⁓

Fanette, malgré les attentions de sœur Marie de la Visitation, ne s'habituait pas à la vie de pensionnaire. Non pas qu'elle eût un comportement indiscipliné ou qu'elle travaillât mal en classe. D'après sœur Marie, elle obéissait aux règles du couvent et elle apprenait bien ses leçons. Elle était particulièrement douée en grammaire, en géographie et en dessin, se montrant toujours attentive et assidue dans ses tâches. Mais elle l'avait surprise plus d'une fois en train de pleurer lorsqu'elle faisait la tournée du dortoir avant le coucher des pensionnaires. Et puis, il fallait bien l'avouer, Fanette n'était pas très populaire auprès des autres élèves. Elle parlait peu, refusait de se mêler à ses compagnes pendant la récréation.

Un incident lui mit cependant la puce à l'oreille. C'était une belle journée, au milieu du mois de février. Il y avait eu un redoux, l'air embaumait la terre humide ; les pensionnaires avaient eu le droit, pour la première fois depuis le début de l'hiver, de jouer dehors. Sœur Marie, responsable ce jour-là de la surveillance des récréations, observait les pensionnaires qui portaient un manteau muni d'un capuchon et jouaient à la marelle et à la balle. Elle vit soudain un attroupement se former et entendit des cris et des rires fuser. Intriguée, elle s'approcha du groupe. Le silence se rétablit presque tout de suite.

— Quelle est la cause de tout ce raffut ? demanda sœur Marie, la mine sévère.

Les pensionnaires baissèrent la tête sans répondre. Sœur Marie était aimée des élèves, mais elle pouvait faire preuve de fermeté lorsqu'il y avait un manquement important aux règles du couvent. Sœur Marie aperçut Fanette, debout au milieu du cercle. Elle était tête nue et tremblait de tous ses membres. Sœur Marie vint vers elle. Elle se rendit compte que l'enfant ne tremblait pas de froid mais de colère.

— Que se passe-t-il, Fanette ?

Fanette serra les lèvres. Sœur Marie commençait à la connaître suffisamment pour savoir qu'elle ne tirerait rien d'elle. Elle se tourna vers les autres élèves.

— Quelqu'un va me répondre ? dit-elle, la voix posée mais ferme.

Une élève leva timidement la main et fit un pas en avant. C'était Marie-Louise Larue, la fille d'un avocat bien en vue de Québec et l'une des meilleures élèves du pensionnat. Elle était rouge comme une pivoine.

— C'est Sarah, dit-elle avec une petite voix. Elle a traité Fanette de… de sale Irlandaise.

Des rires étouffés se firent entendre, provenant d'un groupe d'élèves dont faisait partie une grande fille qui les dépassait d'une tête. Sœur Marie se tourna vers elle.

— Sarah, je ne vois pas du tout ce qu'il y a de drôle.

Sarah Ferguson toisa sœur Marie avec insolence. Elle était la fille d'un marchand d'armes prospère qui avait un magasin place Royale. Une partie de l'élite anglaise envoyait ses filles chez les Ursulines, réputées pour l'excellente éducation qu'elles prodiguaient à leurs pensionnaires. Sarah se donnait des airs de supériorité et menait régulièrement des cabales contre d'autres élèves, particulièrement les plus vulnérables, mais comme son père était un donateur généreux pour les œuvres éducatives des Ursulines, les religieuses avaient comme mot d'ordre tacite de faire preuve d'une certaine tolérance. La seule qui refusait de traiter Sarah différemment des autres élèves était sœur Marie.

— Mademoiselle Ferguson, est-il vrai que vous avez utilisé ces mots ?

Sarah pointa un doigt vers Fanette.

— C'est elle qui a commencé ! affirma-t-elle avec assurance, la voix haut perché.

— Menteuse ! s'écria Fanette, hors d'elle.

— Assez ! répliqua sœur Marie.

Elle attendit que le silence se rétablisse à nouveau, puis elle s'adressa à Sarah et Fanette :

— Peu importe qui a commencé la première. L'insulte n'est pas tolérable, ni la réponse à l'insulte. Vous serez toutes les deux privées de récréation et de collation pour le reste de la semaine.

Sarah donna un coup de pied furieux sur une balle qui rebondit contre un mur de pierre. Fanette, indignée par une punition qu'elle jugeait visiblement injuste, ravala néanmoins son ressentiment et sortit du cercle, l'air buté et le pas ferme.

Lorsque sœur Marie fit part de l'événement à Emma au cours d'une de ses visites, celle-ci s'écria, indignée :

— Mais pourquoi punir les deux, alors qu'une seule était coupable ?

Marie s'attendait à cette objection de sa sœur.

— Fanette a traité sa compagne de menteuse.

Emma hocha la tête, médusée.

— Et puis après ? Fanette s'est fait traiter de « sale Irlandaise », c'est elle, la victime !

Sœur Marie ne répondit pas. Emma avait peut-être raison, mais il n'y avait rien de plus délicat que de trancher un litige entre deux élèves lorsqu'il y avait deux versions contradictoires, et que l'on n'avait pas été soi-même témoin de l'incident. Emma sortit son mouchoir, s'épongea le front.

— Je ne comprendrai jamais qu'un enfant puisse être aussi cruel.

Sœur Marie la regarda, pensive. En presque six ans d'enseignement, elle avait souvent observé ce genre de cruauté. Elle était convaincue que le cœur des enfants était foncièrement bon mais que l'influence des parents et les disparités sociales pouvaient provoquer d'étranges dérives. Les enfants avaient un flair surprenant pour repérer un être différent d'eux, et leur premier réflexe était souvent d'attaquer cet « étranger », le plus souvent par peur ou par ignorance, l'un nourrissant l'autre. Il fallait sévir, bien sûr, mais surtout tâcher d'en comprendre la cause. Elle se promit cependant d'être encore plus vigilante.

Un autre incident jeta un éclairage plus cru sur l'hostilité dont Fanette était l'objet depuis son arrivée au couvent des Ursulines. Sœur Saint-Joseph était la surveillante attitrée du dortoir. Elle n'était pas très populaire parmi les pensionnaires, car elle avait pour habitude de prendre le chapelet accroché à sa ceinture dans sa main pour que les élèves trop bavardes ne l'entendent pas s'approcher. Ce soir-là, à onze heures passées, sœur Saint-Joseph s'apprêtait à faire une dernière tournée du dortoir avant d'aller se coucher lorsqu'elle entendit des voix provenant du fond de la grande salle. Elle crut reconnaître Sarah et Marie-Louise, dont les lits étaient côte à côte. Il fallait régulièrement les réprimander quand elles chuchotaient et empêchaient les autres de dormir, mais cette fois, le ton était plus élevé. Sœur Saint-Joseph, utilisant sa stratégie habituelle, s'approcha doucement des lits d'où provenaient les voix, prenant soin de tenir son chapelet dans une main, un cierge éteint dans l'autre.

— Je vais te rapporter si tu continues, dit une voix.

— Porte-panier ! répondit l'autre.

— Laisse Fanette tranquille. Elle t'a rien fait.

Sœur Saint-Joseph s'arrêta à leur hauteur.

— Mesdemoiselles ! éructa-t-elle. On doit garder le silence dans le dortoir.

Les deux élèves poussèrent un cri étouffé. Sœur Saint-Joseph profita de leur désarroi pour allumer le cierge. Deux visages effrayés apparurent dans le halo de lumière. Elle baissa la voix pour ne pas réveiller les autres pensionnaires.

— Mesdemoiselles Ferguson et Larue, levez-vous immédiatement !

Les deux pensionnaires, portant une robe de nuit blanche en flanelle, se levèrent à contrecœur et suivirent sœur Saint-Joseph, qui les plaça chacune dans un coin du dortoir.

— Restez-y pendant une heure, dit sœur Saint-Joseph en retournant d'un mouvement sec un sablier qui était posé sur un guéridon, à l'entrée de la grande salle. Elle s'assit sur une chaise en poussant un soupir : il lui faudrait sacrifier une heure de sommeil dans une nuit qui était déjà trop courte à son goût...

— Tu vas me le payer, siffla Sarah à Marie-Louise, furieuse.

Le lendemain après la classe, Marie-Louise, le visage pâle et tendu, demanda à parler à sœur Marie, sous le regard appuyé de Sarah. Sœur Marie attendit que toutes les élèves soient sorties de la classe et lui demanda gentiment ce qu'elle voulait lui dire. Marie-Louise éclata en pleurs.

— C'est Fanette, réussit-elle à articuler entre deux sanglots.

Sœur Marie attendit patiemment que Marie-Louise poursuive. Cette dernière prit son courage à deux mains et dit, la voix étranglée par l'émotion :

— Sarah est tout le temps après Fanette depuis qu'elle est arrivée ici. Elle lui dit des choses méchantes.

— Quel genre de choses ?

Marie-Louise hésita. Les porte-panier étaient mal vus à l'école, et Sarah avait beaucoup d'ascendant sur les autres élèves.

— Qu'elle est une Irlandaise, une pauvresse, qu'elle n'a pas de vrais parents.

Sœur Marie ne put réprimer une réaction d'indignation.

— Ah, vraiment !

Marie-Louise regretta d'avoir parlé.

— J'aurais pas dû vous le dire. Sarah va être sur mon dos à moi aussi, maintenant.

— C'est ce qu'on va voir.

Sœur Marie, après l'office, se rendit au bureau de la mère supérieure et lui raconta l'incident. Sœur de l'Enfant-Jésus, une femme aux traits énergiques, les mains croisées sur son pupitre en chêne, contint un soupir. La situation l'embêtait visiblement. Le père de Sarah Ferguson était l'un des plus généreux donateurs des Ursulines. Il leur avait fait don, entre autres choses, d'une harpe, d'un clavecin et d'un chromatomètre, un appareil qui permettait aux religieuses d'accorder leurs instruments de musique sans être obligées de faire appel à un accordeur. D'un autre côté, elle devait faire montre de justice et ne pouvait tolérer que des médisances soient répandues sur une élève sans sévir, même si l'élève en question se mêlait peu à ses consœurs et pouvait ainsi avoir prêté le flanc à un tel rejet. Mais son premier devoir était de protéger sa communauté afin que les sœurs puissent continuer à mener à bien la mission d'éducation et d'évangélisation que la fondatrice de la communauté, Marie de l'Incarnation, leur avait assignée. Après un long moment de réflexion, elle leva les yeux vers sœur Marie.

— Fanette est la protégée de votre sœur. Je comprends que vous preniez ses intérêts à cœur.

Sœur Marie comprit entre les lignes que sa supérieure mettait en doute son objectivité. Elle la regarda dans les yeux :

— Ma mère, c'est vrai que ma sœur me l'a confiée, et je me sens responsable de son bien-être. Mais je ne crois pas que cela nuise à mon jugement. Ce n'est pas la première fois que Fanette est l'objet des persécutions de mademoiselle Ferguson. Le témoignage de mademoiselle Larue me semble digne de foi. Tout ce que je vous demande, c'est de l'entendre.

Sœur de l'Enfant-Jésus prit un autre temps de réflexion, les yeux fixés sur un portrait de Marie de l'Incarnation placé sur le mur blanc, en face d'elle, comme si elle lui demandait conseil. Puis elle prit une décision :

— Emmenez ces demoiselles à mon bureau. Je veux tirer tout cela au clair.

Fanette, Marie-Louise et Sarah entrèrent dans le bureau de la mère supérieure, précédées par sœur Marie. Sœur de l'Enfant-Jésus, debout derrière son pupitre, les bras croisés devant elle, arborait une mine sévère.

— Assoyez-vous, mesdemoiselles.

Elles obéirent. Même Sarah semblait impressionnée, mais elle tentait de le cacher sous un air frondeur. La mère supérieure se tourna vers Marie-Louise et lui demanda de répéter ce qu'elle avait rapporté à sœur Marie de la Visitation. Marie-Louise, pâle et tremblante, s'exécuta, sous le regard hostile et hautain de Sarah. Fanette, quant à elle, gardait le silence, les yeux fixant la pointe de ses chaussures. La mère supérieure se tourna vers Sarah, le visage sévère :

— Mademoiselle Ferguson, qu'avez-vous à répondre ?

Sarah fit une moue méprisante.

— Fanette n'est pas de la même classe que nous. C'est un fait.

— Dieu ne nous a-t-Il pas créés égaux ? ne put s'empêcher de s'exclamer sœur Marie.

La couleur avait rosi ses joues. La mère supérieure leva une main apaisante.

— Donc, vous admettez avoir tenu de tels propos à l'égard de mademoiselle O'Brennan.

Sarah Ferguson soutint le regard acéré de la mère supérieure sans broncher.

— Mon père dit que les Irlandais sont pas comme nous autres. Ils transportent des maladies, ils sont sales et sentent mauvais.

Fanette bondit de sa chaise.

— C'est juste des mensonges !

La mère supérieure dut intervenir elle-même pour faire rasseoir Fanette. Puis elle s'adressa de nouveau à Sarah.

— Je vous donne un premier avertissement, mademoiselle Ferguson. Si jamais un autre incident se produit, je devrai me résoudre à en faire part à monsieur votre père.

Sarah afficha un sourire de triomphe. Sœur Marie fit un effort pour ne pas montrer son désaccord devant ce qu'elle jugeait une clémence excessive de la part de sa supérieure.

❧

Le dimanche suivant, lors de la visite hebdomadaire d'Emma, sœur Marie mit ses gants blancs pour lui raconter les derniers événements. Ses précautions n'empêchèrent pas Emma de faire une colère dont elle seule était capable. Elle était si rouge que sœur Marie craignit qu'elle eût une attaque d'apoplexie. Elle fit venir sœur de la Sainte-Trinité pour demander un verre d'eau. Emma le prit et le but d'un trait.

— Vous allez mieux ? s'enquit timidement sœur de la Sainte-Trinité en reprenant le verre.

— Qu'est-ce qui vous fait dire que je vais mal ? tonna Emma Portelance.

Sœur de la Sainte-Trinité battit en retraite sans demander son reste. Emma s'épongea le front avec un large mouchoir en percale sur lequel Eugénie avait brodé son nom.

— Il n'y a pas trente-six solutions. Je retire Fanette du pensionnat.

Sœur Marie fut atterrée par la décision de sa sœur.

— Sarah Ferguson a tout de même eu un avertissement. À la moindre incartade…

Emma la coupa :

— Crois-tu vraiment que ça lui a servi de leçon ? Son père a le bras long, elle ne le sait que trop bien. Elle recommencera à la première occasion !

Emma avait parfaitement raison, comprit sœur Marie. Le peu de sévérité de la mère supérieure était un aveu de faiblesse et justifiait presque Sarah de se comporter comme bon lui semblait.

— Qu'est-ce que tu vas faire de Fanette ? demanda-t-elle, la gorge serrée.

— Elle va revenir à la maison.

— Et Eugénie ?

— Eugénie va mieux. S'il le faut, j'engagerai une domestique pour me donner un coup de main.

Sœur Marie acquiesça, ressentant pour la première fois depuis longtemps un sentiment d'impuissance et d'échec.

Contre toute attente, Fanette refusa de quitter le couvent. Emma elle-même en eut le souffle coupé.

— Tu étais malheureuse comme les pierres, ici ! Tu me l'as répété à chacune de mes visites !

Fanette la regarda dans les yeux, l'air déterminé :

— Si je pars, c'est comme si je donnais raison à Sarah de me traiter comme elle le fait.

C'était probablement la phrase la plus longue que Fanette eût prononcée depuis qu'elle la connaissait. Et son raisonnement était d'une justesse sans faille. Il est vrai qu'un persécuteur a du pouvoir tant que sa victime lui en donne. Après une première réaction de surprise, Emma ressentit une bouffée de fierté.

— Tu as du cran, ma fille. Tu iras loin dans la vie.

Les yeux bleus de Fanette se mirent à briller. Ces simples mots, elle se les rappellerait toute sa vie, comme un talisman qui la protégerait contre tous les malheurs.

XXVI

L'hiver de 1850 tirait à sa fin. Eugénie reprenait des forces peu à peu, mais son état inspirait encore de l'inquiétude au docteur Lanthier, qui lui rendait visite tous les jours malgré son horaire chargé. Il craignait qu'Eugénie reprenne ses activités normales trop rapidement et subisse une rechute. Emma veillait au grain et la disputait gentiment lorsqu'elle la surprenait en train de remplir le poêle, ou de s'habiller pour se rendre au refuge du Bon-Pasteur. « Mais je vais bien ! » protestait Eugénie.

Une quinte de toux lui faisait alors monter les larmes aux yeux et elle se laissait ramener docilement à sa chambre. Eugénie, qui était courageuse et stoïque, avait les défauts de ses qualités : elle ne se plaignait jamais et refusait qu'on prenne soin d'elle. Emma devait se battre pour lui apporter ses repas, l'aider à faire sa toilette. Elle s'était souvent demandé quelle était la source d'une telle abnégation. Peut-être qu'Eugénie, mal aimée durant son enfance, avait appris à vivre sans affection, comme les soldats amputés apprennent à vivre avec une jambe ou un bras en moins.

∽

Un matin, Eugénie se leva, fit sa toilette et s'habilla toute seule. Elle tira les rideaux et regarda par la fenêtre. La lumière était si vive qu'elle cligna des yeux. D'un mouvement leste, elle ouvrit la fenêtre. L'air printanier lui caressa le visage. Les bourgeons commençaient à poindre. Elle eut alors la certitude qu'elle était guérie.

Cette journée-là, Eugénie décida de sortir, malgré les objections d'Emma, qui craignait qu'elle prît froid. Elle se rendit jusqu'au parc des Plaines d'Abraham, respirant avec délices le parfum de terre chauffée par le soleil et l'air légèrement marin sans que ses poumons lui fassent mal. Elle avait contracté sa pneumonie en décembre ; plus de trois mois avaient passé depuis. Une éternité. Elle avait même cru à certains moments qu'elle succomberait à la maladie, tellement elle souffrait. Mais elle était vivante. Tout lui sembla neuf, les couleurs plus vives, d'une beauté presque irréelle.

❧

Fanette, assise sur son lit, regardait ses compagnes aller et venir dans le dortoir. Des rires fusaient, des vêtements s'empilaient dans des valises. La plupart des élèves s'apprêtaient à retourner chez elles pour le congé de Pâques. Sarah annonça avec emphase qu'elle se rendait à Montréal avec ses parents, pour visiter un oncle riche qui possédait un manoir juché en haut d'une montagne appelée le mont Royal. Marie-Louise, voyant que Fanette était seule, s'approcha d'elle.

— Tu retournes pas chez toi pour les vacances de Pâques ?

— Ma tante Eugénie est encore malade, répondit Fanette.

— Pauvre toi. Je te plains de rester ici.

Elle s'éloigna. Fanette sentit une bouffée de détresse l'envahir. À cet instant, elle aurait tout donné pour revoir la maison, rue Sous-le-Cap, dormir dans son lit, entendre le rire d'Emma résonner dans l'escalier, apercevoir le doux visage d'Eugénie penché au-dessus d'un livre… La voix de sœur Saint-Joseph la fit tressaillir.

— Mademoiselle O'Brennan, vous êtes demandée au parloir.

Fanette suivit la religieuse. Le cliquetis de son chapelet et le claquement de ses talons résonnaient dans le couloir sombre. En entrant dans le parloir, elle vit tout de suite la silhouette d'Emma Portelance. Son cœur bondit de joie, mais en même temps, une sourde appréhension la gagna : pourvu que les nouvelles soient bonnes ! Emma se tourna vers elle, un sourire ému aux lèvres.

— Fanette, je suis venue te chercher !

֍

En descendant de voiture, Fanette trouva la maison plus petite que dans son souvenir. Lorsqu'elle grimpa les marches quatre à quatre pour se rendre dans la chambre d'Eugénie, cette dernière, installée dans un fauteuil, un châle sur les épaules, s'exclama en la voyant :

— Fanette, tu as grandi !

Emma, qui la visitait pourtant chaque semaine, ne l'avait pas vraiment remarqué, mais la fillette avait gagné quelques pouces et les manches de sa robe commençaient déjà à être un peu courtes. À la fin de l'été, il faudra lui refaire une garde-robe, songea Emma, médusée. Eugénie fit signe à Fanette de s'approcher d'elle.

— Tu peux m'embrasser, dit-elle avec un sourire en coin. Je ne suis plus contagieuse…

Fanette se précipita vers elle et lui fit deux baisers sonores sur les joues. Eugénie serra l'enfant contre elle. Comme il était bon de pouvoir prendre Fanette dans ses bras, de sentir sa peau douce contre la sienne ! Emma l'avait tenue au courant de la persécution dont elle avait été l'objet au couvent, et de sa décision d'y rester malgré tout.

— Chère Fanette. Il y a tant de courage chez cette enfant. Presque trop, avait répondu Eugénie, sans songer à son propre courage devant la maladie.

Le séjour de Fanette à la maison, rue Sous-le-Cap, passa comme un éclair. Le matin de son retour au couvent, Emma prit sa fille à part.

— Maintenant qu'Eugénie est guérie, rien ne t'oblige à retourner chez les Ursulines.

Fanette leva les yeux vers sa mère. Une part d'elle-même aurait voulu se jeter dans ses bras, se réfugier contre sa poitrine réconfortante, mais une autre voix, encore timide mais résolue, voulait se faire entendre.

— J'apprends plein de choses au couvent. Je voudrais continuer à étudier.

Ces simples mots remplirent Emma d'une joie profonde. Elle avait dû sacrifier ses propres rêves d'études pour remplir ses devoirs familiaux. Ce qu'elle n'avait pu accomplir, Fanette, elle, le ferait.

XXVII

La journée avait été particulièrement exténuante. Le docteur Lanthier avait vu tant de patients, que leurs visages et leurs maladies se confondaient en une sorte de spirale sans fin. Il se rendit à l'écurie et y laissa son cheval, comme c'était son habitude, puis retourna chez lui à pied. C'était une belle soirée de juin, fraîche mais pas trop humide. Les lampadaires étaient allumés et répandaient une lumière douce sur les façades des maisons à trois étages bâties les unes contre les autres, que les derniers rayons de soleil éclaboussaient de lueurs orangées. Le port grouillait encore d'activités. Des goélettes de pêcheurs jetaient l'ancre. Les mâts des voiliers accostés hachuraient le ciel perlé de nuages. Il s'arrêta devant le 133, rue Saint-Paul.

Quand le docteur Lanthier rentrait chez lui, son premier geste était d'allumer la lampe dans le hall, près de laquelle il laissait toujours des allumettes. Puis il faisait de même dans le salon et la cuisine. Il n'aimait pas l'obscurité. Il s'assit dans son fauteuil préféré, juste en face de celui où Léontine s'installait pour lire ou pour broder. Au lieu de le rasséréner, cette vision du fauteuil vide depuis si longtemps le rendit triste. Il se rendit compte pour la première fois qu'il ne se rappelait plus le visage de sa femme. Il regarda la table sur laquelle était disposé un seul couvert, l'ordre méticuleux de la pièce, les rangées de livres qui tapissaient les murs ; tout ce qui composait sa vie quotidienne lui apparut soudain morne, sans vie. Il regretta vivement que ce ne fût pas sa soirée chez Emma et

Eugénie. Il n'y avait qu'en leur compagnie qu'il aurait pu dissiper sa mélancolie.

Il prit sa pipe d'un geste machinal et l'alluma, songeur. Jusqu'à présent, il n'avait jamais voulu mettre des noms sur les sentiments qu'il éprouvait pour Eugénie, préférant sans doute les maintenir dans une ambiguïté rassurante. Mais ce soir-là, il osa l'imaginer assise dans le fauteuil de Léontine sans avoir l'impression de trahir sa femme, comme si leurs traits se confondaient et formaient les contours d'un seul visage aimé. Il se demanda un instant si c'était la crainte de la solitude qui faisait miroiter la possibilité d'une vie commune avec une autre femme que Léontine. Pourtant non, il aimait plutôt être seul après le tourbillon des visites et des misères quotidiennes, dans la paix de sa demeure, avec sa pipe et un bon livre. Non, c'était autre chose. Peut-être le sentiment d'une certaine sécheresse. Sous ses dehors distants, le docteur Lanthier était un être sensible et expansif. Avec Léontine, il pouvait s'épancher sans qu'elle ne considère cela comme une marque de faiblesse. Et Eugénie avait la même indulgence teintée d'affection. Ou était-ce... autre chose ? Durant les heures passées à son chevet, il avait perçu dans son regard une confiance qui l'avait bouleversé. Mais la confiance n'est pas un sentiment amoureux. Tiens, il avait osé les prononcer intérieurement, ces mots qu'il s'interdisait depuis qu'il la connaissait. Il avait éprouvé une telle inquiétude lorsqu'elle était tombée malade ! Il ne pouvait supporter l'idée que la pneumonie l'emporte, tout comme il n'avait pu se pardonner la mort de Léontine, même si la raison lui disait qu'il n'aurait rien pu faire pour la sauver. Mais l'amour ne raisonne pas. La mort d'Eugénie lui aurait rappelé trop cruellement son impuissance. Lorsqu'il avait compris qu'Eugénie vivrait, ce n'était pas seulement du soulagement qu'il avait éprouvé, mais une véritable allégresse, comme si le mauvais sort avait été conjuré.

Cette nuit-là, il prit un peu de laudanum pour trouver le sommeil.

Le lendemain, le docteur Lanthier décida de retarder sa tournée de visites. Il était fébrile et distrait, à tel point qu'il laissa le poêle ouvert après l'avoir allumé. Ce n'est qu'une fois dehors qu'il s'en rappela et revint chez lui pour le refermer. Il marcha jusqu'à la maison d'Emma Portelance. Il avait plu durant la nuit. La matinée était fraîche, une légère brume s'accrochait aux arbres et adoucissait les contours des lampadaires. Mille pensées se bousculaient dans sa tête. Il espérait de tout son cœur qu'Emma et Eugénie seraient chez elles, et en même temps, il priait pour qu'elles n'y soient pas.

« Quel imbécile je fais », murmura-t-il, s'arrêtant devant le passage de la Demi-Lune qui menait à la rue Sous-le-Cap. Un passant le regarda d'un drôle d'air. Le docteur poursuivit son chemin, rouge d'embarras. Voilà qu'il se mettait à parler tout seul, maintenant… Il aperçut la maison d'Emma Portelance qui se profilait au milieu de la rue. Elle lui apparut soudain différente, encore plus gaie, plus pimpante qu'à l'accoutumée. Il cogna à la porte. *Voilà, les dés sont jetés.* Il attendit, l'oreille presque collée à la porte. Rien. Pas de réponse. Il ressentit un mélange de soulagement et de déception. Il n'y avait personne. Il n'aurait pas à se ridiculiser devant elles. Tant pis ou tant mieux ! Mais la porte s'ouvrit. Emma était sur le seuil, portant des gants de jardinage et un chapeau de paille. Un peu de terre avait sali sa joue. Elle sourit en voyant le docteur Lanthier.

— Henri ! Quelle bonne surprise, dit-elle en enlevant ses gants. Excusez-moi, je travaillais dans le potager.

Le docteur Lanthier resta debout, se balançant d'une jambe sur l'autre, pris d'un accès de timidité. Emma le regarda du coin de l'œil, intriguée par son comportement inhabituel.

— Ne restez pas là, vous allez prendre racine sur le trottoir…

— Est-ce que… Eugénie est-elle là ? réussit-il à balbutier.

Emma, en voyant le rouge monter aux joues du pauvre docteur et ses mains qui tremblaient légèrement, comprit la situation en un éclair. Elle se racla la gorge, gagnée elle aussi par le malaise de son ami.

— Eugénie est au refuge. Je l'ai suppliée de ne pas y aller, mais vous la connaissez. Quand elle a une idée en tête…

— Bon, je… je reviendrai plus tard.

Il fit mine de repartir. Emma le retint.

— Restez donc pour une tasse de thé. Je viens d'en faire.

Le docteur se tenait droit sur la chaise, l'air contraint. Il s'étouffa presque avec sa première gorgée de thé tellement il était nerveux. Emma observait tout cela, un sourire indulgent aux lèvres.

— C'est si difficile que ça ?

— Plaît-il ? dit le docteur en tentant de calmer sa toux.

Elle eut pitié de lui.

— C'est Eugénie, n'est-ce pas ?

Le docteur fut soulagé qu'Emma ait deviné la raison de sa visite et lui épargne des explications embarrassantes.

— Croyez-vous que… enfin, que j'aie… une chance ?

Emma lui répondit avec sa franchise habituelle.

— Il faudrait le demander à la personne concernée.

— Oui, bien sûr.

Ils gardèrent le silence un moment. Le docteur fut le premier à le briser.

— Et vous… qu'est-ce que vous en pensez ?

— Vous êtes la meilleure personne que je connaisse.

Il la regarda, touché.

— Ma chère Emma, je connais votre attachement pour elle. Je m'en voudrais terriblement de…

Elle l'interrompit avec une fermeté amicale.

— Eugénie ne m'appartient pas. C'est vrai que je suis très attachée à elle, j'aime beaucoup sa compagnie, mais jamais je ne l'empêcherai de vivre sa vie comme elle l'entend.

Il fut rassuré par ses paroles, qu'il savait sincères. Mais un autre scrupule le taraudait.

— J'ai quarante-quatre ans, et elle en a seulement trente et un. Ne croyez-vous pas qu'une telle différence d'âge… Enfin, serait-il juste pour elle d'être avec un… un vieux bouc comme moi ?

— C'est à elle d'en juger, répondit Emma, une lueur coquine dans l'œil.

— Vous devez me trouver ridicule.

— Non. Amoureux.

Sur ces entrefaites, la porte s'ouvrit et Eugénie entra dans la maison, enleva son chapeau et le déposa sur une petite table dans l'entrée.

— Vous n'y échapperez pas, Henri, chuchota Emma.

Eugénie s'arrêta sur ses pas, surprise en voyant le docteur. La promenade avait mis un peu de couleur à ses joues. Une mèche rebelle sortait de son chignon.

— Henri ?

Emma déposa sa tasse sur la soucoupe, se leva.

— Je vous laisse. Je dois biner mes plants de tomates.

Emma, affichant un air neutre pour ne pas mettre le docteur dans l'embarras, se dirigea vers la cuisine dont la porte donnait sur le jardin. Eugénie, intriguée par son manège, prit place à côté du docteur Lanthier.

— Qu'est-ce que vous avez, tous les deux ? On dirait des conspirateurs…

Le docteur devint cramoisi.

Emma, portant ses gants de jardinage, avait presque fini de biner son potager. Il y avait une bonne demi-heure qu'elle avait laissé le docteur Lanthier et Eugénie seuls. Elle se demanda si c'était bon signe. Son expérience dans le domaine était limitée. Elle avait reçu à l'âge de vingt-deux ans une demande en mariage d'un vague cousin, l'air un peu benêt, qui venait parfois passer quelques jours à la seigneurie durant les vacances d'été. Elle lui avait répondu sans même y réfléchir:

— Pour quoi faire ?

Le pauvre était reparti sans demander son reste… Elle se redressa, s'appuya un moment sur le manche de sa binette, s'essuya le front avec le revers de son gant. Le soleil était déjà haut, la journée serait chaude. Elle se tourna vers la maison et, pour la première fois, tenta d'imaginer sa vie sans Eugénie. De protégée, elle était devenue sa grande complice, l'âme sœur avec qui elle partageait tout, les peines comme les joies. Et avec l'arrivée de Fanette, un lien supplémentaire s'était forgé, celui de parent. Elle n'avait rien dit de tout cela au docteur Lanthier, se refusant à faire obstacle à ses sentiments. Mais à partir d'aujourd'hui, il lui faudrait apprivoiser cette séparation, la souhaiter même, pour le bien d'Eugénie.

Le cœur en charpie, elle s'apprêtait à se remettre au travail lorsqu'elle vit Eugénie s'avancer vers elle. Elle la regarda, tentant de lire ses sentiments sur son visage. Eugénie s'arrêta à sa hauteur, le visage empreint à la fois de gravité et de douceur. Emma fut incapable de parler la première tellement sa gorge était serrée. Eugénie s'assit sur le banc en pierre derrière lequel fleurissaient des rosiers rugueux.

— J'ai refusé sa demande en mariage, finit-elle par dire.

Emma prit place à côté d'elle.

— Eugénie, la dernière chose que je voudrais, c'est que tu te sacrifies pour moi.

Eugénie secoua la tête.

— Ça n'a rien d'un sacrifice, Emma. Je suis heureuse ici. Cette vie me comble, je n'en veux pas d'autre.

— Henri ? s'inquiéta Emma. Comment a-t-il pris ton refus ?

— Il ne semblait pas surpris. Et il a fait un peu d'humour : «Vous l'avez échappé belle. Je ronfle et, le matin, j'ai des quintes de toux.»

C'était bien Henri, cette élégance dans l'adversité. Tout ce qu'elle espérait, c'est que cet épisode n'altère pas leur amitié.

Les soupers avec le docteur Lanthier reprirent comme si de rien n'était. Jamais plus le docteur ne fit allusion à sa demande en mariage ; Emma et Eugénie eurent la délicatesse de ne jamais aborder le sujet.

XXVIII

À la rentrée, en septembre, une nouvelle élève fut admise au couvent des Ursulines. Elle s'appelait Rosalie Grandmont. C'était la fille du notaire Grandmont, l'un des bienfaiteurs du couvent, qui était aussi le frère de la directrice, Mère de l'Enfant-Jésus. Quand elle fit son entrée en classe, Fanette fut frappée par sa silhouette gracile, son visage aux traits fins. Elle boitait légèrement à cause d'un pied bot, ce qui provoqua quelques regards moqueurs et la sympathie immédiate de Fanette.

Fanette et Rosalie devinrent vite inséparables. Elles s'échangeaient des billets en classe, se faisaient des confidences le soir, au dortoir, car un heureux hasard avait voulu que leurs lits soient contigus. Rosalie parlait souvent de Philippe, son frère aîné, auquel elle était très attachée. C'était un passionné de botanique et de biologie. Il n'aimait rien autant que d'observer les étangs pour y découvrir les drôles de créatures qui y vivent, et collectionnait les plantes rares dans son herbier. Il avait parfois la « mauvaise » habitude de ramener des batraciens ou des souris dans sa chambre pour les disséquer. « Pouah ! » s'était exclamé Fanette.

Un soir, sœur Saint-Joseph, selon sa stratégie habituelle, s'était approchée d'elles sans faire de bruit :

— Silence, mesdemoiselles !

Un autre soir, Rosalie confia à Fanette qu'elle aimait beaucoup sa mère. Elle jouait du piano et chantait comme un ange.

— Et ton père ? demanda Fanette, curieuse.

Rosalie s'assombrit.

— Mon père n'aime rien, ni personne.

Elle lui expliqua qu'il s'était opposé à ce qu'elle devienne pensionnaire chez les Ursulines parce qu'il avait honte de son infirmité et craignait qu'elle soit la risée des autres élèves. Si sa tante, mère de l'Enfant-Jésus, ne l'avait pas appuyée, elle serait encore chez elle, aux prises avec Miss Cramps, une préceptrice sévère et prompte aux coups de règle.

~

Noël arrivait à grands pas et les répétitions pour le récital de musique et de chant des fêtes battaient leur plein. Rosalie avait des dispositions pour le clavecin et une jolie voix, ce qui lui valut d'être choisie par sœur de l'Immaculée Conception pour la présentation de morceaux choisis de Bach et de Lully. Fanette devait quant à elle réciter une fable de La Fontaine. Sœur Marie constatait avec joie les progrès rapides de Fanette depuis qu'elle s'était liée d'amitié avec Rosalie. Ces deux-là s'entendaient comme larrons en foire, bien qu'elles fussent très différentes l'une de l'autre. Fanette, qui avait eu dix ans au mois de juillet, était devenue élancée et vigoureuse; son caractère était vif, parfois ombrageux. Rosalie, plus menue, dégageait cependant une sorte de force intérieure. Il y avait dans son sourire un fond de mélancolie qui la faisait paraître un peu plus vieille que ses dix ans. La mère supérieure s'était inquiétée un moment de cette amitié qu'elle jugeait trop exclusive, mais sœur Marie avait pris le parti des deux couventines avec une fermeté qui ne lui était pas coutumière : « Ce ne sont pas elles qui s'excluent du groupe, mais le groupe qui les exclut. »

Dans la cour de récréation, sœur Marie voyait souvent Fanette prendre la défense de son amie lorsque des pensionnaires, surtout Sarah, se moquaient de son handicap. Fanette ne supportait pas que sa meilleure amie pût être l'objet de vexations dont elle avait elle-même souffert.

Le jour du récital, la chapelle des Ursulines, habituellement calme et propice au recueillement, bruissait du son des éventails et des conversations. L'air était chargé de relents de parfums et d'encens. Les religieuses, installées sur les banquettes en chêne qui longeaient les murs, avaient l'air d'une nuée d'étourneaux posés sur une branche. Les pensionnaires, assises au parterre, s'étiraient le cou pour apercevoir leurs parents et leurs frères et sœurs, debout en rangs d'oignons dans la longue galerie fermée par des grilles qui surplombait la nef. Fanette aperçut avec émotion Emma Portelance, reconnaissable entre toutes avec son grand chapeau garni de volants et qui lui faisait des signes de sa main gantée tout en tenant le bras d'Eugénie de l'autre. Fanette leur sourit et leur envoya discrètement un baiser, sous le regard amusé de sœur Marie de la Visitation et celui, désapprobateur, de la mère supérieure. Fanette se pencha vers Rosalie, lui chuchota à l'oreille que ses bienfaitrices étaient là. Rosalie leva la tête vers elles et leur sourit. Fanette lui avait souvent parlé de « ses deux mères », comme elle les appelait.

Fanette fit la connaissance des parents de Rosalie au parloir, après le récital. Le notaire Grandmont était un bel homme, très élégant dans sa redingote noire et son gilet en soie blanche. Son front large et ses pommettes hautes encadrées par de longs favoris lui donnaient un air patricien, mais une sorte d'austérité émanait de sa personne, accentuée par ses yeux d'un bleu glacial. La mère de Rosalie, Marguerite, était tout le contraire de son mari : gaie, primesautière dans une robe en soie verte égayée de manches en dentelle, elle semblait sortie tout droit d'une gravure de la chronique mondaine publiée toutes les semaines dans la *Gazette de Québec*. Elle souriait à Rosalie, ses jolies mains gantées de blanc posées sur la grille :

— Rosalie, tu as joué à la perfection.

Le notaire Grandmont fit une moue.

— Il y avait tout de même quelques fausses notes. Surtout dans la *Suite en* mi *bémol majeur*.

Rosalie se rembrunit légèrement et jeta un regard entendu à Fanette. Le notaire examina cette dernière de pied en cap, la mine dubitative.

— Ainsi, c'est vous, Fanette.

Il avait prononcé le nom de Fanette sèchement, comme s'il eut fait la lecture d'un inventaire des biens dans un testament. Sa femme, pour dissiper le malaise, renchérit un peu trop vivement :

— Vous êtes dans toutes les lettres de Rosalie.

Sur ces entrefaites, Emma et Eugénie entrèrent dans le parloir. Emma se tamponnait les yeux avec un mouchoir.

— Vous avez pleuré ? dit Fanette, inquiète.

— Pas du tout ! protesta Emma. J'ai une poussière dans l'œil.

— Admets-le, dit Eugénie en souriant. Il n'y a pas de honte à cela.

Elle fit un clin d'œil complice à Rosalie.

— Emma pleure chaque fois qu'elle écoute de la musique.

Le notaire, qui était debout non loin d'elles, pinça légèrement les lèvres. Il avait rencontré Emma Portelance à l'occasion d'une kermesse qu'elle avait organisée pour le refuge du Bon-Pasteur l'année précédente. Il n'appréciait guère ses manières directes et ses allures de dame patronnesse, même s'il devait reconnaître que la seigneurie de Portelance dont elle était l'héritière avait une valeur indubitable. Il la toisa froidement :

— Ravi de vous revoir, madame Portelance.

— Comment allez-vous, monsieur Grandmont ?

Emma lui tendit sa main comme l'eut fait un homme. Le notaire, visiblement scandalisé, se racla la gorge et lui effleura les doigts sans lui serrer la main.

— Je vous présente Eugénie Borduas.

Le notaire eut à peine un regard pour elle. Il avait entendu dire à travers les branches que madame Portelance l'avait tout bonnement ramassée dans la rue. Il n'osait imaginer quel genre de vie misérable avait mené cette femme avant d'être sortie de la fange par sa bienfaitrice. Eugénie baissa la tête avec modestie en guise de salutation, sentant d'instinct qu'il valait mieux ne pas indisposer le notaire. Il jeta un coup d'œil à Fanette. *En voilà une autre que madame Portelance a dû trouver dans la rue, comme un chien sans collier.*

— Je ne savais pas que vous aviez une autre… protégée.

Emma le toisa :

— Fanette est ma fille.

Le notaire leva ses yeux froids vers elle.

— Pourtant, elle porte le nom d'O'Brennan. N'est-ce pas un patronyme irlandais ?

— J'ai adopté Fanette, mais j'ai voulu qu'elle garde son nom de famille. Je ne crois pas qu'il y ait de mal à cela, monsieur Grandmont ?

Le lendemain, jour du départ de la majorité des pensionnaires pour leurs vacances de Noël, ce fut un véritable branle-bas de combat. Le pensionnat, si calme d'habitude, était devenu une ruche. On entendait les bruits des malles et des portes qui s'ouvraient et se refermaient, des rires, les claquements de fouet et les cris des cochers qui résonnaient dans l'air froid de décembre, à peine assourdis par une fine neige qui avait commencé à tomber dès l'aube.

Fanette et Rosalie se firent leurs adieux les yeux pleins d'eau, même si elles ne se quittaient que pour trois semaines. Elles se promirent de s'écrire tous les jours. Elles n'habitaient pourtant pas si loin l'une de l'autre, mais elles pressentaient qu'il y avait un mur intangible entre la haute ville et la basse ville que seules leurs lettres pourraient franchir.

❧

Eugénie se rendait chaque matin au refuge du Bon-Pasteur malgré les objections d'Emma et du docteur Lanthier. Comme le sont souvent les personnes douces, elle pouvait être têtue comme une mule pour les choses qui lui tenaient à cœur. Et le refuge était l'une de celles-là. Chaque année, à l'approche de Noël, il y avait toujours un surcroît d'activités au Bon-Pasteur, comme si la misère avait attendu trop longtemps avant d'éclater au grand jour.

— C'est grâce au refuge que j'ai eu la chance de te connaître. C'est bien le moins que je remette un peu ce qu'on m'a donné.

— Pas au point de compromettre à nouveau ta santé, répliquait fermement Emma.

Eugénie promit qu'elle n'y consacrerait qu'une ou deux heures par jour. Quant à Fanette, elle passait le plus clair de son temps installée sagement à sa table pour écrire de longues lettres à Rosalie, qu'elle remettait ensuite à Emma qui se rendait au *Post Office*. Comme le coût de l'envoi était déterminé au poids et que Fanette écrivait beaucoup, Emma faisait des blagues sur le coût de plus en plus élevé des envois :

— Ma foi, tu es en train de lui écrire un roman, à ta Rosalie. Ça va me coûter une fortune d'affranchissement !

Ou bien :

— Qu'a-t-il bien pu se passer en une journée pour que tu trouves le moyen d'écrire autant ?

— J'ai juste écrit dix pages ! protestait Fanette.

Emma était néanmoins rassurée de voir Fanette tisser des liens avec une compagne de son âge, même si c'était la fille du notaire Grandmont, dont elle n'aimait pas les manières hautaines. *On choisit ses amis, mais pas leurs parents*, conclut-elle, philosophe.

XXIX

Les préparatifs de Noël allaient bon train. Emma, comme chaque année, avait organisé une kermesse dont les profits serviraient à offrir un repas de Noël aux familles nécessiteuses du refuge. Emma et Eugénie avaient prévu souper avec le docteur Lanthier et Fanette, et ensuite se rendre à la messe de minuit à la petite église Notre-Dame-des-Victoires, située dans la rue Sous-le-Fort, dans le quartier du Palais Saint-Louis. Le matin de Noël, après un échange d'étrennes, elles iraient au refuge du Bon-Pasteur pour donner un coup de main aux bénévoles qui serviraient le repas des fêtes et participeraient au chant de cantiques. Emma avait une belle voix de contralto ; celle d'Eugénie, dont le registre était plus élevé, la complétait à merveille.

Emma avait reçu une rare lettre de sa sœur Anita, lui annonçant la venue au monde d'un premier petit-fils prénommé Ernest. Elle avait dressé la liste de toutes les activités mondaines auxquelles elle était obligée de participer pour son mari, « car Herbert veut se présenter en politique, et le pauvre *darling* est timide devant le monde ». Emma n'avait pas de difficulté à imaginer Anita, qui n'avait pas la langue dans sa poche, vanter à qui voulait l'entendre les mérites de son Herbert (qu'Emma appelait « air bête » dans son for intérieur, lui trouvant une mine d'enterrement dans les rares occasions où elle l'avait rencontré, dont son propre mariage avec Anita, qui avait été célébré à la petite église Notre-Dame-de-la-Victoire). Quant à Madeleine, elle avait envoyé un court télégramme leur annonçant sa visite à Québec, puis un autre tout aussi expéditif annulant son voyage sans donner d'explication. Emma s'inquiétait du sort de Madeleine, qui avait deux ans de plus que Marie, la benjamine. Même petite, elle avait un caractère ombrageux. Elle entrait parfois dans de telles colères que leur père avait pensé un temps la faire soigner à l'hôpital. Emma s'y était vivement opposée : avoir du caractère, ce n'est pas nécessairement un signe de troubles mentaux… Elle se promit de visiter sa sœur à Montréal, dès que le refuge lui laisserait un peu de répit.

Une semaine avant Noël, un domestique en livrée vint porter rue Sous-le-Cap une lettre destinée à « Mademoiselle Fanette O'Brennan ». Emma prit l'enveloppe, intriguée. Elle était fabriquée en papier chiffon épais couleur coquille d'œuf et cachetée avec le seau personnel du notaire Grandmont. Fanette ne tenait pas en place de joie et de curiosité lorsque Emma la lui remit en mains propres. Elle l'ouvrit avec précaution pour ne pas déchirer le beau papier et en sortit un carton de la même fabrication. Elle le parcourut, fébrile, puis leva les yeux vers ses deux bienfaitrices, à la fois émue et embêtée.

— Je suis invitée à fêter Noël chez les Grandmont, murmura-t-elle.

L'invitation précisait qu'une voiture irait chercher Fanette chez elle le 23 décembre en matinée et la conduirait jusqu'à la maison du notaire, puis la ramènerait chez elle le 26 décembre. Emma et Eugénie firent de leur mieux pour cacher leur déception, mais Fanette s'en rendit compte.

— J'aime mieux rester avec vous, mentit-elle.

Emma lui prit la main, touchée par sa réaction généreuse, mais qui ressemblait trop à un sacrifice pour lui plaire.

— Il n'est pas question que tu te prives du plaisir de revoir Rosalie.

— Vous comprenez tout !

Fanette lui sauta dans les bras, soulagée et reconnaissante. Emma lui tapota maladroitement le dos. Elle était expansive par nature, mais avait été habituée dès son plus jeune âge à prodiguer de l'affection aux autres plutôt qu'à en être elle-même l'objet. Elle entendit quelqu'un se racler la gorge, vit que le domestique faisait toujours le pied de grue dans le portique.

— Monsieur le notaire attend une réponse de votre part, dit-il, l'air légèrement dédaigneux.

Voilà un domestique qui a pris les manières de son maître, pensa Emma. Elle griffonna un mot en hâte pour confirmer la présence de Fanette et remercier le notaire et sa femme de leur aimable invitation. Elle remit le mot plié au domestique qui s'inclina de façon cérémonieuse et partit.

— Quel fla-fla, ne put s'empêcher de commenter Emma, qui trouvait cet étalage un peu ridicule.

Eugénie déposa gentiment sa main sur le bras d'Emma, pour lui faire comprendre que le moment était mal choisi pour critiquer le notaire Grandmont et ses fastes. Fanette était si heureuse !

Emma fit venir madame Vanasse afin de lui faire confectionner deux robes pour Fanette en prévision de son séjour chez les Grandmont. Ses robes de tous les jours, quoique convenables, commençaient déjà à être un peu serrées aux entournures. Elle permit à Fanette de choisir elle-même ses modèles dans un catalogue que la couturière avait apporté. Les yeux brillants d'excitation, elle jeta d'abord son dévolu sur une robe bouffante en velours vert ceinturée à la taille par un ruban en satin de la même teinte. Madame Vanasse opina du chef:

— Ça vous ira au teint, mademoiselle, dit-elle.

Puis elle choisit un autre modèle plus simple, en gabardine.

Fanette avait si hâte de retrouver son amie Rosalie qu'elle décida de marquer chaque jour d'un « x » le calendrier qu'Eugénie avait accroché dans la cuisine, à côté d'un rouleau en bois où séchaient des linges de maison. Le calendrier étant trop haut pour elle, elle décida de grimper sur un tabouret pour l'atteindre. Au moment où elle s'apprêtait à tracer son « x », une sorte de vertige s'empara d'elle. Elle avait déjà vécu ce moment, il y a longtemps, dans un autre lieu, dans une autre vie qui lui semblait si lointaine. Elle avait fait exactement ce geste, avec le même espoir, la même ferveur. Lorsque Amanda était partie avec monsieur Bruneau, Fanette avait marqué chaque jour qui la séparait d'elle sur le vieux calendrier des Cloutier. Tant de jours sans nouvelles d'elle… Tant de matins où elle s'était rendue à la croisée des chemins, devant la ferme, dans l'espoir d'apercevoir la voiture de monsieur Bruneau. Et la déception atroce qui suivait ces attentes vaines, la morosité et la tristesse de ces heures interminables… Et les paroles cruelles de la mère Cloutier, qui lui avait crié au visage :

— Arrête de l'attendre ! Elle ne reviendra jamais, ton Amanda ! Jamais ! Elle t'a abandonnée pour de bon !

Les mots résonnaient encore dans sa tête comme si elle venait de les entendre. Elle s'appuya sur le mur pour ne pas tomber.

— Fanette !

La voix d'Emma tira Fanette de son étrange rêverie. Emma se précipita vers elle, les bras tendus pour la soutenir.

— J'ai bien cru que tu tomberais dans les pommes.

— C'est rien, la tête me tournait.

Le matin du 23 décembre, Emma entendit un claquement de sabots et le « hue » d'un cocher. Elle souleva le rideau de la fenêtre du séjour qui donnait dans la rue Sous-le-Cap et vit une calèche à quatre places tirée par deux chevaux s'immobiliser devant la maison. Même Emma, qui ne s'en laissait pourtant pas imposer, fut impressionnée par la taille de la voiture, qui prenait tout l'espace de la rue. Les dorures qui ornaient les bas-côtés et les portières étincelaient dans la lumière matinale. Le cocher portait un habit rouge à boutons dorés qui s'harmonisait avec les couleurs rouge et or de la voiture.

— Fanette ! Viens voir !

Fanette descendit l'escalier en trombe. Elle se précipita vers la fenêtre et jeta un coup d'œil à son tour. Jamais Fanette n'avait vu plus bel attelage, sauf sur les gravures illustrant les contes de Perrault qu'Emma et Eugénie avaient coutume de lui lire avant de dormir, avant son entrée au couvent.

— C'est comme dans *Cendrillon* ! s'exclama Fanette.

Espérons que le carrosse ne se changera pas en citrouille, se dit Emma, qui n'aimait décidément pas les goûts de luxe ostentatoires du notaire. Son propre père, sans être radin, était un homme frugal qui se contentait de peu et avait coutume de dire des gens dépensiers qu'ils « avaient les poches trouées ».

Emma remit au cocher le sac de voyage de Fanette. Eugénie, debout sur le seuil de la porte, un châle sur les épaules, envoya la main à Fanette, qui lui envoya la main à son tour en souriant. Elle avait perdu une autre dent la veille, ce qui lui donnait un air mutin et attendrissant. Emma remonta le col du manteau de Fanette pour qu'elle ne prenne pas froid, puis lui donna un baiser sonore sur chaque joue.

— Surtout, amuse-toi bien.

Le cocher ouvrit la portière et aida la fillette à grimper dans la voiture. Une fourrure avait été installée à l'intérieur pour garder les passagers bien au chaud. Au moment où le cocher s'apprêtait à refermer la portière, Fanette s'écria :

— Bon Noël, maman !

La portière claqua. Le cocher grimpa sur sa banquette et fouetta les chevaux. Les sabots claquaient sur la terre gelée. Emma vit Fanette qui lui envoya la main jusqu'à ce qu'elle disparaisse au coin de la rue. En rentrant chez elle, Emma pensa à sa propre mère. Elle avait treize ans quand elle était morte. Elle la voyait encore, étendue sur son lit, les mains croisées, le visage paisible. Que de souffrances cette paix apparente cachait ! Tant de femmes mouraient en couches qu'on ne s'en indignait même pas. Elle avait dû devenir elle-même une mère pour ses sœurs, alors qu'elle aurait tant eu besoin de la sienne. Jamais elle n'aurait cru que, trente ans plus tard, à l'âge vénérable de quarante-trois ans, elle accepterait ce rôle de mère avec tant de joie.

La calèche, après avoir emprunté la rue de Salaberry, s'engagea dans la Grande Allée. Fanette, bien au chaud sous la fourrure, observait la rue avec fascination. C'était la première fois qu'elle voyait ce quartier huppé de la haute ville. La rue était large, entièrement pavée, bordée d'érables couverts de neige. Des lampadaires au gaz se succédaient de loin en loin. Les maisons en pierre, dont certaines ressemblaient à des châteaux, avec leurs tourelles ajourées et leurs fenêtres en ogive, lui semblaient immenses. *Les gens qui vivent là doivent avoir de grandes familles*, se dit Fanette. La calèche s'arrêta devant une maison de quatre étages garnie de lucarnes. Le toit mansardé, couvert de bardeaux argentés, luisait dans la lumière froide.

Un jeune valet de pied portant le même uniforme que le cocher vint à sa rencontre et l'aida à descendre. Fanette s'avança vers la maison, intimidée tout à coup. Une porte en chêne massif munie d'un heurtoir de bronze en forme de tête de lion dominait l'escalier en pierre. Le valet de pied frappa à la porte à l'aide du heurtoir et attendit, battant la semelle. Le verrou fut tiré, puis la porte s'ouvrit. Une bonne de couleur portant tablier et bonnet blanc était debout sur le seuil. Fanette, qui n'avait jamais vu une personne noire de sa vie, resta bouche bée.

— Attention, mam'selle, faut garder la bouche fermée, sinon vous risquez d'avaler des mouches, même en hiver, dit la bonne en refermant la porte, pince-sans-rire.

Fanette ferma la bouche, trop surprise pour répondre. La bonne se pencha vers Fanette en souriant.

— Je m'appelle madame Régine. Et vous, mam'selle ?

— Fanette ! cria une voix derrière la servante.

Rosalie courut à sa rencontre, les yeux brillants et les joues rouges d'excitation.

— Ma Fanette !

Rosalie lui prit la main. Fanette entendit un « chut », leva la tête et aperçut madame Grandmont, la mère de Rosalie, un doigt sur la bouche.

— Il ne faut pas faire de bruit, Rosalie… Tu sais bien que ton père a horreur d'être dérangé quand il travaille.

Fanette trouva madame Grandmont encore plus jolie que la première fois, avec sa robe vaporeuse et ses cheveux sombres remontés en savantes torsades. Elle eut l'impression qu'il y avait une sorte de tristesse dans son sourire, sans qu'elle en comprenne la cause. Elle s'avança dans le hall dominé par un candélabre en cristal de roche, derrière lequel se profilait un imposant escalier. À gauche, Fanette vit un salon au moins trois fois plus grand que celui d'Emma Portelance. Un feu avait été allumé dans un foyer qui aurait pu contenir un bœuf entier tellement il était grand. Deux tableaux trônaient au-dessus de l'âtre. L'un d'eux était un portrait de madame Grandmont, étendue sur un récamier, le coude reposant avec élégance sur le rebord du fauteuil. Sur l'autre, on voyait monsieur Grandmont, une main glissée dans son gilet, l'air sévère avec ses favoris grisonnants et ses yeux d'un bleu presque transparent. Marguerite Grandmont sourit en voyant Fanette immobile, en train de contempler les portraits.

— Tu aimes la peinture ?

Fanette acquiesça, trop intimidée pour répondre. Une voix derrière elle la fit sursauter.

— Ce sont des portraits d'Antoine Plamondon, le célèbre portraitiste. Ils m'ont coûté une fortune, mais le résultat en vaut la peine, n'est-ce pas ?

Fanette se retourna et vit le notaire Grandmont, le dos aussi droit et la mine aussi sévère que sur son portrait. Il tenait une pipe à la main. Marguerite, une lueur d'inquiétude dans l'œil, vint à sa rencontre.

— J'espère qu'on ne vous a pas dérangé, Louis.

— Mais non, ma chère. J'avais besoin de me dégourdir les jambes.

Il sortit une montre de son gousset, y jeta un coup d'œil.

— Je dois terminer la rédaction du testament de Joseph Biron. Veuillez me prévenir quand le souper sera prêt.

Il tourna les talons et sortit, laissant un effluve de tabac derrière lui.

La chambre de Fanette était petite mais charmante. Le lit à baldaquin, flanqué d'une table de chevet sur laquelle on avait déposé un broc à eau et un bassin en porcelaine blanche orné de petites fleurs bleues, prenait presque tout l'espace. Un fauteuil capitonné et un chiffonnier surmonté d'un miroir complétaient le mobilier. Fanette s'assit sur le bord du lit, effleura le rideau de tulle blanc qui en drapait le contour, l'édredon en satin d'un rose tendre. Elle ne put résister à la tentation de s'étendre sur le lit, caressant l'édredon si doux sous ses doigts, envahie par une sorte de torpeur et une impression d'irréalité. Soudain, des cris aigus et le bruit d'une porte qui claque la sortirent de sa rêverie. Elle s'assit sur son séant, le cœur battant. Les cris continuèrent à résonner dans le couloir attenant à sa chambre. Elle se leva d'un bond, se dirigea vers la porte, l'ouvrit. Elle vit la bonne passer en trombe devant elle, les yeux remplis de panique.

— Une souris ! Une souris !

Madame Régine courut vers la cage de l'escalier et s'y arrêta pour reprendre son souffle, les yeux écarquillés par la peur. Au même moment, Fanette entendit une autre porte claquer. Un garçon d'environ treize ans apparut au fond du couloir. Il était long et mince, presque gringalet dans son costume noir un peu trop sévère.

— N'ayez pas peur, madame Régine ! La souris est morte !

Il faillit buter contre Fanette et resta interdit. Un peu de rouge monta à son visage, qui était d'une blancheur presque diaphane. Ses yeux noisette étaient bordés de longs cils noirs.

— Oh, pardon, mademoiselle.

Ils restèrent un moment debout l'un en face de l'autre, embarrassés.

— J'espère… J'espère que les souris ne vous font pas peur.

— Non. Surtout quand elles sont mortes.

Ils échangèrent un sourire complice. Le notaire apparut dans la cage de l'escalier, pâle de fureur. Sa silhouette faisait une ombre sous l'éclairage diffus d'une lampe torchère suspendue au-dessus de la balustrade.

— Qu'est-ce que ça signifie ? Qui fait tout ce raffut ?

Il avisa le garçon, le toisa sans aménité.

— Philippe ?

Ainsi c'était lui, le frère dont Rosalie lui avait tant parlé, pensa Fanette. En entendant la voix de son père, son corps s'était raidi et son visage, déjà pâle, était devenu blême. Il balbutia :

— J'ai disséqué une souris pour mon cours de biologie, père. Madame Régine l'a trouvée en faisant le ménage.

— Je t'avais pourtant interdit de ramener ces sales bêtes à la maison !

— Je sais père, mais…

— Il n'y a pas de mais ! Dans mon bureau. Et que ça saute !

Marguerite et Rosalie apparurent à leur tour dans l'escalier. Philippe jeta un coup d'œil désespéré à sa mère, qui fit un mouvement vers lui.

— Philippe n'a pas voulu mal faire, Louis. Vous savez bien qu'il est passionné par la biologie…

— Marguerite, restez en dehors de ça.

Le ton du notaire était sans réplique. Marguerite, l'air impuissant, se tourna vers son fils. Philippe se dirigea vers l'escalier, tête basse, les dents serrées. Le notaire lui emboîta le pas. Marguerite attendit un moment et les suivit. Fanette et Rosalie étaient restées seules.

— Que va-t-il lui faire ? murmura Fanette, la voix blanche.

Des larmes montèrent aux yeux de Rosalie.

— Il va le punir. Six coups de martinet.

Fanette la regarda, saisie. Rosalie s'assombrit :

— C'est un fouet à trois lanières. Ça fait très mal.

Fanette comprit à demi-mot que Rosalie avait déjà subi ce châtiment. Son regard était rempli de la même révolte impuissante que Fanette avait vue dans les yeux d'Amanda quand le père Cloutier s'était apprêté à la battre. C'était sans doute celui qu'elle avait lorsque la courroie avait pénétré sa propre chair. Ainsi, il n'y avait pas que les pauvres qui châtiaient les enfants ; les riches aussi. Ce malheur partagé scella à jamais leur amitié.

Deuxième partie

La haute ville

XXX

Sept ans plus tard
Juin 1857

La remise des prix de fin d'année eut lieu dans la chapelle du couvent. En cette occasion spéciale, les parents et amis furent autorisés à s'asseoir sur les bancs à l'arrière de l'église, tandis que les couventines étaient installées dans les premières rangées. Les religieuses avaient pris place sur les bancs en bois délicatement ouvragés qui longeaient la chapelle. Emma et Eugénie virent avec fierté Fanette monter sur l'estrade et recevoir le prix de la Composition française. Elle avait déjà obtenu celui de la Versification française et anglaise, de l'Histoire ancienne et moderne, de la Géographie et du Dessin. *Ce qu'elle a grandi!* pensa Emma en la regardant franchir les gradins pour la septième fois. Elle avait de la difficulté à croire que l'enfant maigrichonne et renfermée qu'elle et Eugénie avaient accueillie était devenue cette grande jeune fille aux épaules larges et à la taille fine, même sous la robe sévère du couvent. Emma sortit subrepticement un mouchoir de sa manche et se tamponna les yeux. Eugénie tourna la tête vers elle et lui sourit, émue.

— Je ne pleure pas, chuchota Emma.

Lorsque l'épidémie de choléra avait frappé la population de Québec, trois étés auparavant, et tué des centaines de personnes, elle avait eu si peur pour la santé de Fanette et d'Eugénie qu'elle avait pris la décision de quitter Québec et de les emmener quelques mois à sa seigneurie de Portelance. Madame Dolbeau les avait accueillies à bras ouverts, mais Isidore s'était enfermé dans un silence méfiant. Il s'était mis en tête que sa patronne revenait à la seigneurie pour reprendre ses terres, car le régime seigneurial avait été aboli cette même année et certains seigneurs en profitaient pour obliger les anciens censitaires à revendre leurs terres afin de toucher la taxe de vente de douze pour cent.

— Pour voir si je vous obligerais à vendre ! s'était exclamée Emma.

— Le seigneur Fortier l'a bien fait avec ses anciens censitaires, près de Deschambault, répliqua le métayer.

— Je ne suis pas le seigneur Fortier !

Emma lui expliqua qu'elle lui louerait désormais ses terres, à la différence qu'il ne serait plus tenu de lui verser des redevances, comme dans l'ancien régime, mais de lui payer un loyer. Sans compter l'abolition du droit de banalité.

— Vous pourrez moudre tout votre grain sans qu'il vous en coûte un sou ! C'est tout à votre avantage, monsieur Dolbeau.

Il hochait la tête devant ses explications, comme s'il tentait d'y flairer un piège. Il avait fallu toute la diplomatie d'Eugénie et de madame Dolbeau pour qu'Emma ne perde pas patience.

En fin de compte, ce ne furent pas les arguments rationnels d'Emma ni la patience de madame Dolbeau ou la gentillesse d'Eugénie qui eurent raison de monsieur Dolbeau, mais Fanette. Elle fit la conquête du métayer en moins d'une semaine, sans même y mettre trop d'efforts. Elle lui avait demandé si elle pouvait l'accompagner dans sa journée de travail. Il avait refusé, ne voulant pas s'encombrer d'une jeune fille de quatorze ans dont le teint pâle et les mains fines trahissaient la vie citadine et qui serait une nuisance plus qu'autre chose. Mais elle avait gentiment insisté, la tête un peu inclinée, la mine sérieuse et attentive, et il avait fini par accepter en maugréant. À la fin de l'après-midi, Emma avait eu la surprise de sa vie en voyant monsieur Dolbeau et Fanette revenir à pied, sur le chemin de campagne, bavardant comme s'ils avaient été les plus vieux amis du monde.

À la fin de leur séjour, monsieur Dolbeau donna à Fanette un goéland qu'il avait sculpté dans un morceau de bois d'épinette. L'oiseau avait les ailes déployées : on eut dit qu'il était en plein vol. Fanette s'était écriée, les larmes aux yeux :

— Un cygne !

Monsieur Dolbeau n'avait pu s'empêcher de sourire.

— En fait, c't'un goéland. Mais si tu préfères un cygne, t'as beau… ça se ressemble pas mal…

Fanette prit l'oiseau et courut vers le fleuve, soulevant la sculpture dans les airs comme pour la faire voler. Monsieur Dolbeau se racla la gorge pour masquer son émotion. C'était la première fois qu'Emma était témoin d'un tel geste de sa part. Elle savait par madame Dolbeau qu'il passait ses soirées d'hiver à sculpter, et qu'il cachait ensuite ses figurines dans un hangar auquel il avait interdit l'accès, même à sa femme. Fanette avait gardé le goéland en bois dans son coffret à souvenirs, avec les vieilles pages de *L'Ami des campagnes*, toutes jaunies, qu'Emma avait rapportées de la ferme des Cloutier et dont elle n'avait jamais voulu se départir. La voix de mère de l'Enfant-Jésus s'éleva, sortant Emma de sa rêverie :

— Et maintenant, le prix de Lecture va à mademoiselle Rosalie Grandmont.

Rosalie, qui était installée avec les autres pensionnaires, se leva et marcha en claudiquant vers l'estrade. Elle était menue, mais la détermination dans son regard et son maintien digne malgré son handicap forçaient l'admiration. Elle eut un sourire lumineux en croisant Fanette dans les bancs de la chapelle. *Ces deux-là ne se sont pas lâchées d'une semelle depuis qu'elles se sont connues au couvent,* pensa Emma. Pendant les vacances estivales, elles continuaient à s'écrire fidèlement, au moins trois lettres par semaine, quand ce n'était pas plus. Aussi, lorsque Fanette lui avait demandé la permission de passer l'été de ses dix-sept ans à la maison de campagne des Grandmont, à La Malbaie, elle n'avait pas eu le cœur de le lui refuser, même si la perspective de se priver de sa Fanette pendant quelques mois ne lui souriait guère. Elle tourna la tête, aperçut le notaire Grandmont assis droit sur son banc, à quelques rangées de la sienne. Son visage taillé au couteau n'exprimait aucun sentiment, même si Rosalie avait récolté quatre prix d'excellence. *Quel rabat-joie*, ne put s'empêcher de se dire Emma. Le notaire, comme s'il l'avait entendue, la toisa de ses yeux froids. Sa femme Marguerite, si éblouissante, lorsqu'elle l'avait rencontrée sept ans auparavant, au récital de Noël, était pâle, son regard éteint. *Cette femme n'est pas heureuse*, songea Emma. Qui le serait, avec un homme pareil ? Ses pensées revinrent à Fanette, dont elle voyait le beau visage rayonner. Que l'avenir lui réservait-il ? Que deviendraient toutes ces jeunes filles sagement assises en rangs d'oignons ? La plupart se marieraient et auraient des enfants. Quelques-unes prendraient le voile, d'autres termineraient l'école normale et deviendraient institutrices. Fanette avait une belle plume et du talent en dessin ; les Ursulines l'avaient initiée à la botanique, à la biologie, aux mathématiques. Elle aurait pu être un bon médecin, si les femmes avaient eu le droit d'exercer la profession. Elle hocha la tête, amusée par cette idée audacieuse : une femme médecin… *Les poules auront des dents, comme dirait monsieur Dolbeau*, se dit-elle.

— Qu'est-ce qui te fait sourire ? chuchota Eugénie à son oreille.

— L'avenir, répondit Emma.

༺༻

Fanette et Rosalie firent leurs adieux à sœur Marie de la Visitation. Toutes trois avaient les larmes aux yeux.

— Venez me voir de temps en temps, dit sœur Marie en essuyant ses yeux avec un mouchoir.

Fanette se jeta dans ses bras. C'était absolument interdit par la règle du couvent, mais sœur Marie la serra fort contre elle, respirant le parfum de ses cheveux. Puis elle se dégagea, la regarda longuement, comme pour garder en mémoire tous les traits de cette enfant qu'elle avait vue grandir et qu'elle aimait comme sa propre fille.

⬦

Le notaire Grandmont et sa femme étaient déjà à La Malbaie depuis quelques semaines avec Rosalie et Philippe. Il avait été entendu avec le notaire, avant son départ, qu'Emma accompagnerait Fanette jusqu'à La Malbaie en bateau vapeur et passerait quelques jours à la maison de villégiature du notaire avant de prendre le prochain bateau pour Québec. Après réflexion, Emma avait décidé qu'Eugénie serait du voyage, ne se résignant pas à la laisser seule et, surtout, voulant lui procurer une rare distraction, dans sa vie consacrée à soulager la misère des autres.

— Et le refuge ? avait dit Eugénie.

— Le refuge peut bien se passer de toi durant quelques jours, avait répliqué Emma.

La calèche s'arrêta au quai Napoléon. Emma, Eugénie et Fanette en descendirent, légèrement éblouies par la lumière matinale. Les quais grouillaient d'activités. Des débardeurs transportant de lourdes caisses croisaient des passagers chargés de valises. Des gens faisaient la queue devant des passerelles alignées le long des quais. C'était la première fois que Fanette s'embarquait sur un bateau depuis sa longue traversée de l'Atlantique, à l'âge de sept ans. Elle fut impressionnée par la taille de certains voiliers, dont les mâts semblaient toucher le ciel quadrillé par les haubans. Des marins s'invectivaient sur le gaillard d'avant d'un navire plus grand que les autres. Emma cherchait leur bateau des yeux.

— Ah, le voilà ! s'exclama-t-elle.

C'était l'un des fameux « bateaux blancs » de la Quebec & Trois-Pistoles Steam Navigation Company qui emmenaient estivants et marchandises vers le Saguenay, avec un arrêt au quai de Pointe-au-Pic, à Charlevoix. Le nom du bateau, le *Saguenay*, était inscrit en grosses lettres sur la coque.

— Quel joli bateau ! s'écria Eugénie, qui n'avait jamais voyagé en *steamboat*.

261

Le cocher aida Emma et Eugénie à porter leurs bagages jusqu'à la passerelle. En la franchissant, Fanette aperçut un homme de grande taille aux cheveux d'un roux flamboyant, habillé avec une élégance recherchée, les coudes appuyés sur le bastingage. Elle eut soudain la vision de son père appelant Arthur, qui courait sur le pont du *Rodena* et tentait de grimper sur le grand mât. *C'est lui*, se dit-elle tout en sachant que son père était mort et ne reviendrait plus jamais. Elle s'approcha de l'homme, le cœur battant. Il leva la tête et la regarda un moment. Ses yeux étaient d'un vert saisissant. Puis, il se détourna et se dirigea vers l'avant du bateau. Fanette le suivit des yeux, subjuguée. Il disparut derrière un groupe de passagers. Emma s'approcha d'elle, lui mit une main sur le bras, l'air inquiet.

— Fanette, qu'est-ce que tu as ? On dirait que tu as vu un fantôme.

Fanette fit un effort pour sourire.

— C'est un peu ça. J'ai vu quelqu'un qui ressemblait à mon père.

Emma se rendit compte que ce trajet en bateau risquait de lui ramener des souvenirs douloureux.

— On aurait dû voyager en diligence, dit-elle, s'en voulant de ne pas y avoir pensé.

Fanette la rassura.

— Au contraire. Ce voyage sera bien différent.

Eugénie les rejoignit, légèrement hors d'haleine. Depuis sa pneumonie, elle avait le souffle plus court. Elle s'appuya sur le bastingage, inspirant l'air marin.

— La vie est belle, dit-elle, heureuse d'être encore de ce monde et de pouvoir contempler le fleuve d'un mauve sombre parsemé d'écume.

Fanette passa le plus clair du voyage sur le gaillard d'avant, fascinée par la rapidité du bateau à vapeur. Les vagues brisées bouillonnaient contre la coque d'un blanc immaculé. Une grosse cheminée crachait une fumée grise et âcre. Des goélands faisaient de larges cercles derrière le bateau. Le fleuve s'élargissait de plus en plus ; le contour des rives se noyait dans une légère brume. Fanette ne revit pas le passager aux cheveux flamboyants. Peut-être n'avait-il été qu'une vision, après tout…

Le vapeur accosta à La Malbaie après sept heures de navigation. Le fleuve traçait un large méandre derrière lequel se profilaient les contreforts bleutés des Laurentides. Une petite foule composée d'habitants du village s'était assemblée près du quai pour regarder le bateau accoster et observer les touristes, portant parfois d'étranges tenues qui faisaient rire les enfants et pâlir d'envie les villageoises plus aisées. Des calèches attendaient les voyageurs et les emmenaient jusqu'à leur maison d'été ou une auberge de Pointe-au-Pic.

Emma jeta un coup d'œil autour d'elle. Puis, elle aperçut un cocher à la mine taciturne qui attendait près du débarcadère. Elle reconnut monsieur Joseph, le cocher des Grandmont, et lui fit de grands signes. Il chargea leurs valises dans le coffre à l'arrière de son *coach*. Eugénie et Fanette y montèrent les premières, excitées comme des couventines faisant l'école buissonnière. Emma se hissa à son tour, soufflant sous l'effort. Monsieur Joseph s'approcha d'elle et dut lui donner une petite poussée pour l'aider à franchir le marchepied. Emma s'affala sur la banquette avec un gros soupir, et sortit son mouchoir pour s'éponger le front. Il était presque midi, la chaleur était accablante, surtout dans la voiture.

Après avoir parcouru quelques milles sur un chemin bordé d'épilobes mauves et de marguerites jaunes, la voiture s'engagea sur une côte escarpée en terre battue. Les roues gémirent sous le poids des valises et des passagères. Le chant mélancolique d'une fauvette s'éleva. Les sapins et les bouleaux blancs poussaient en rangs si serrés, qu'il était impossible de voir au travers. Fanette eut soudain l'impression d'être entrée dans une forêt magique qui n'avait pas de fin.

Après force grincements, la voiture s'arrêta devant une grande maison en pierre grise et en bardeau blanc qui surplombait le fleuve. Un immense pin ombrageait le portique flanqué de deux colonnes cannelées. Des juliennes des dames mêlées à des cœurs-saignants se balançaient sous la brise. Un fiacre était stationné près d'un joli hangar qui servait aussi d'écurie. Fanette, les joues roses d'excitation, sortit de la voiture et courut vers la maison, tandis que le cocher sortait les bagages. Elle frappa à la porte. La maison semblait inhabitée tellement elle était silencieuse. Emma et Eugénie suivirent Fanette.

— On dirait qu'il n'y a personne, dit Emma, intriguée.

Elles entendirent soudain des voix qui semblaient provenir de l'arrière de la maison. Fanette décida d'y faire un tour, tandis qu'Emma et Eugénie préférèrent attendre devant la porte, au cas où quelqu'un viendrait répondre. Fanette contourna la maison, s'approchant de la source des voix. Derrière un bosquet de rosiers sauvages, un étrange spectacle l'attendait. Le notaire Grand-mont, les manches retroussées, braquait le canon d'une carabine sur une levrette couchée sur le côté, visiblement blessée. Un jeune homme élancé et aux traits fins était accroupi près de la bête et lui caressait doucement la tête. Fanette reconnut Philippe sans peine. Il avait beaucoup grandi depuis qu'elle l'avait vu, l'hiver précédent, lors d'une visite qu'il avait faite à Rosalie au parloir, mais il avait le même front droit et une bouche pleine et bien dessinée. Rosalie était debout, à quelques pas de lui, pâle et tendue.

— Je vous en supplie, ne la tuez pas, murmura-t-il. Je peux la soigner.

— À quoi bon ? Elle ne pourra plus m'accompagner à la chasse.

Le jeune homme revint à la charge.

— Je m'en occuperai, moi ! Il n'y a pas que la chasse qui compte !

Le notaire le toisa durement.

— Assez ergoté. Tu ne vois pas qu'elle souffre, bougre d'im-bécile ? Éloigne-toi donc !

Philippe, le visage enflammé, obéit et recula de quelques pas. Rosalie lui prit la main et la serra dans la sienne, comme pour l'enjoindre au calme. Le notaire abaissa le bras et acheva l'animal d'un coup de carabine dans la tête. La levrette tressaillit, puis ne bougea plus. Le sang avait giclé, éclaboussant la chemise blanche du notaire. Fanette était muette d'horreur. Son regard croisa celui de Rosalie, qui secoua la tête en signe d'impuissance.

Philippe retourna dans la maison en claquant la porte. Fanette resta debout au même endroit, incapable de faire un geste. Rosalie vint à sa rencontre et la prit par le bras.

— Père, Fanette est arrivée, fit-elle, faisant un effort pour affermir sa voix.

Le notaire se tourna vers Fanette, souriant comme si de rien n'était.

— Bienvenue à La Malbaie, mademoiselle O'Brennan.

Fanette, toujours sous le choc de la scène dont elle venait d'être témoin, ne répondit pas. Emma et Eugénie surgirent sur ces entrefaites.

— On a entendu un coup de feu, dit Emma, la mine inquiète.

Le notaire regarda les deux femmes, la mine circonspecte. Il ne s'attendait pas à voir Eugénie et, visiblement, n'était pas ravi de sa présence. Il dit froidement :

— Ravi de vous revoir, mesdames.

Puis il se pencha vers la levrette. Du sang s'écoulait de la plaie. Il lui caressa le flanc.

— Pauvre bête. Elle a été attaquée par un sanglier. Il fallait l'achever.

Il se redressa, interpella un jardinier qui binait dans le potager.

— Paul ! Veuillez l'enterrer.

Il jeta à peine un regard à ses invitées.

— Le valet va porter vos bagages dans vos chambres.

Il se tourna vers Eugénie.

— Je vais demander à la femme de chambre de préparer la vôtre. Madame Portelance ne nous avait pas prévenus de votre visite.

Il entra dans la maison, les laissant seules dans le jardin. Le jardinier prit une pelle et commença à creuser une fosse, dans un coin reculé du jardin. On entendait le bruit sec de la terre projetée sur le sol.

Le premier repas chez les Grandmont fut plutôt lugubre. Marguerite, la mère de Rosalie et de Philippe, assise à une extrémité de la longue table couverte d'une nappe damassée, avait l'air absent, presque mélancolique. Philippe était muet et sombre. Seul le notaire Grandmont pérorait devant un auditoire silencieux, bien que poli.

— La région a été développée par des seigneurs écossais, Malcolm Fraser et John Nairn, des visionnaires, s'il en est. Il faudrait que nous, Canadiens français, participions enfin à l'essor de notre pays. Dans trente ou quarante ans, La Malbaie sera l'un des endroits de villégiature les plus courus de l'élite. Parlant d'élite, nous attendons le juge Sicotte et sa famille dans quelques jours.

Le notaire tourna la tête vers Emma :

— Vous connaissez le juge Sicotte, j'imagine, madame Portelance.

— De réputation, répliqua Emma. Il y a quelques années, il avait condamné à cent coups de fouet un pauvre garçon qui avait eu le malheur de voler un pain.

— Qui vole un œuf vole un bœuf, rétorqua le notaire.

Philippe intervint pour la première fois. Il garda les yeux baissés et parla à mi-voix :

— Et qui tue un animal sans défense a un cœur de pierre.

Un silence lourd accueillit sa réplique. Même Marguerite sembla sortir de sa léthargie.

— Philippe, dit-elle faiblement.

Le notaire fixa son fils sans aménité.

— Philippe, épargne-nous ta sensiblerie, veux-tu.

Le jeune homme se leva brusquement en faisant grincer sa chaise. Le notaire ne le quitta pas des yeux.

— Tu ne déserteras pas nos charmantes invitées, n'est-ce pas ?

Philippe reprit sa place à contrecœur. Rosalie jeta un coup d'œil à Fanette à la dérobée, comme pour la prendre à témoin de la dureté de son père. Fanette, n'y tenant plus, décida de prendre la parole. Elle sentait son cœur battre à tout rompre.

— Était-ce vraiment nécessaire d'achever cet animal, monsieur Grandmont ?

Tous les regards se tournèrent vers elle. Eugénie se mordit la lèvre. Philippe avait relevé la tête et fixait Fanette avec intensité. Emma fit tout son possible pour contenir le sourire qui lui venait aux lèvres devant l'audace de sa fille. Le notaire prit un temps avant de répondre.

— Ce que vous prenez pour un geste cruel en était un de compassion, mademoiselle. Un jour, vous apprendrez peut-être à faire la différence.

Le reste du repas se déroula dans le silence. On n'entendait que le tintement des ustensiles et le va-et-vient des deux domestiques qui faisaient discrètement le service.

Après le repas, chacun gagna sa chambre. Fanette, en passant devant le boudoir de madame Grandmont, l'aperçut en train de mettre quelques gouttes d'un flacon dans un verre d'eau. Marguerite leva les yeux vers elle. Son regard était étrangement absent, ses mains tremblaient. Fanette, embarrassée, détourna les yeux et fut soulagée d'entrer dans sa chambre et d'en refermer la porte. Elle s'assit sur le lit, songeuse. La fenêtre était entrouverte, elle entendait le bruissement des feuilles et le son lointain du fleuve emmené par le vent. Elle se rappela les confidences que Rosalie lui avait faites sur son père dans le dortoir du couvent, sa dureté de cœur, le visage crispé de Philippe, lorsque madame Régine avait découvert une souris morte dans sa chambre et que son père lui avait ordonné de l'attendre dans son bureau pour le châtier. Elle se demanda d'où venait cette dureté. Le notaire, contrairement au père Cloutier, était né avec une cuillère en argent dans la bouche. Pourquoi cette violence ? De quel âpre souvenir se vengeait-il en l'exerçant sur des êtres plus faibles que lui ? Du plus loin qu'elle se souvienne, jamais son propre père n'avait levé la main sur elle. Emma et Eugénie avaient toujours fait montre de la plus grande patience : jamais un mot plus haut que l'autre. Seul le père Cloutier l'avait battue, peut-être parce qu'il ne savait rien faire d'autre. Elle plaignit Rosalie et Philippe d'avoir un père pareil, et mesura sa propre chance d'avoir rencontré Emma Portelance sur le chemin du Roy, par cette journée ensoleillée de juin 1849, alors qu'elle se croyait seule au monde. *Il suffit parfois d'une seule personne pour nous sortir de la misère, ou pour nous y plonger*, songea-t-elle en revoyant le regard fixe et sans pitié du notaire, lorsqu'il avait tiré sur la pauvre levrette.

Fanette fut réveillée tôt par le chant suave des frédérics à gorge blanche et le soleil qui entrait à flots par la fenêtre dont elle avait oublié de fermer les rideaux, la veille. Elle se leva. Son premier geste fut d'ouvrir la croisée et de regarder dehors. Le fleuve scintillait au loin. Philippe était assis sur un banc en pierre, près d'un vieux tilleul, et lisait ; ses cheveux sombres et bouclés lui couvraient en partie les yeux. Elle ferma les rideaux, fit sa toilette et s'habilla.

Philippe était si absorbé par sa lecture qu'il n'entendit pas Fanette s'approcher.

— Bonjour.

Il mit ses mains en visière. Ses yeux bruns étaient presque verts dans la lumière du matin. En la reconnaissant, il se leva d'un bond. Son livre tomba par terre dans le mouvement. Fanette se pencha pour le ramasser. Il se précipita vers elle.

— Non, non, laissez, mademoiselle…

Elle le devança, prit le livre, le remit à Philippe, qui était rouge d'embarras.

— Un traité de médecine, dit-elle en souriant. C'est une lecture très sérieuse.

Philippe repoussa ses cheveux avec sa main, mal à l'aise.

— J'aimerais devenir médecin.

Elle redevint grave.

— C'est un beau métier, dit-elle en pensant au docteur Lanthier.

Il la regarda avec une telle reconnaissance qu'elle en fut émue.

— N'est-ce pas ? Le plus beau du monde... Mon rêve le plus cher serait d'étudier la médecine à Montréal, à l'école Victoria.

Il ouvrit le livre, montra à Fanette une planche sur laquelle avait été gravé un corps humain sans peau, avec d'étranges nervures qui ressemblaient à des branches d'arbres.

— Le réseau sanguin, expliqua Philippe, les yeux brillants. Ce sont les veines dans lesquelles le sang circule.

Fanette sourit, amusée et touchée par son enthousiasme.

— Croyez-le ou non, j'ai fait un peu de biologie, au couvent.

Il ravala.

— Je ne voulais pas vous traiter en ignorante.

— Je sais. Je peux m'asseoir ?

— Bien sûr, balbutia-t-il.

Il fit un mouvement pour s'asseoir, se rendit compte que c'était impoli, lui fit signe de prendre place. Elle s'installa sur le banc, puis tapota familièrement la place à côté d'elle.

— Asseyez-vous, vous me donnez le vertige.

Il obtempéra, déposant le livre sur ses genoux. Un silence un peu embarrassé s'installa entre eux. Fanette fut la première à le briser.

— Vous avez été courageux, hier.

Il la regarda, surpris.

— Moi, courageux ?

— Quand vous avez dit à votre père que quelqu'un qui tuait un animal sans défense avait un cœur de pierre...

Il sourit pour la première fois. Fanette se rendit compte à quel point il ressemblait à sa mère.

— Vous aussi, vous avez fait preuve de courage.

Ce fut à son tour d'être étonnée.

— J'ai dit ce que je pensais, c'est tout.

Il secoua la tête.

— Ç'est la définition même du courage. Il en fallait pour prendre ma défense devant mon père.

Ses yeux s'assombrirent.

— Je le déteste. Parfois, je… je voudrais qu'il soit mort.

Il regretta aussitôt sa phrase.

— Ce n'est pas ce que je voulais dire. Je n'en pense pas un mot.

Fanette haussa les épaules.

— On ne tue personne avec des pensées.

Philippe la regarda, frappé par ses paroles. Elle hésita avant de poursuivre, puis décida de plonger :

— Ma sœur Amanda et moi avons été accueillies par des fermiers, à la mort de nos parents. Le père Cloutier nous battait. Je le détestais. Moi aussi, j'aurais voulu qu'il meure.

Elle tourna les yeux vers le fleuve.

— Amanda est partie. Je ne l'ai jamais revue.

Des larmes lui vinrent aux yeux, comme chaque fois qu'elle évoquait sa sœur aînée. Philippe lui prit spontanément la main.

— Fanette, pardonnez-moi, je n'aurais jamais dû aborder le sujet.

— Au contraire. Ça m'a fait du bien de parler d'elle. Je donnerais beaucoup pour savoir ce qu'elle est devenue.

Ils se rendirent compte soudain qu'ils se tenaient par la main. Il retira la sienne, comme à regret. Il poursuivit après un léger silence, la voix rauque d'émotion :

— Confidence pour confidence… Mon père me battait à l'occasion.

Elle acquiesça.

— Rosalie m'en a parlé.

Philippe arqua légèrement les sourcils. Fanette s'empressa d'ajouter, avec une note d'humour :

— Je sais presque tout de vous.

Philippe sourit. Ils se regardèrent avec confiance, comme s'ils lisaient à l'intérieur d'eux-mêmes. Soudain, la voix du notaire Grandmont s'éleva, brisant le charme.

— Philippe ? Philippe !

Philippe se leva brusquement, tendit le traité de médecine à Fanette.

— Il ne faut pas que mon père me voie avec ce livre.

— Mais…

— Il veut que je travaille dans son étude de notaire. S'il apprenait que je persiste à vouloir devenir médecin, il serait furieux.

Le visage de Philippe était redevenu tendu, sa voix, contrainte.

— Philippe ? Où es-tu passé, nom de Dieu ?

Philippe s'éloigna d'un pas pressé. Ses épaules étaient légèrement courbées.

XXXI

Dans les jours qui suivirent, Fanette et Philippe cherchèrent à s'éviter, comme s'ils n'osaient pas ou ne savaient pas comment renouer le fil des confidences et retrouver cette complicité qui les avait pris tous deux par surprise. Rosalie remarqua bien leur manège, mais n'arrivait pas à en comprendre la cause. Lors d'un pique-nique dont elle avait eu l'idée, Rosalie constata qu'ils restaient chacun de leur côté, évitant de se regarder, silencieux. Même chose pendant le souper qui avait suivi. Décontenancée, elle prit Fanette à part.

— Que se passe-t-il, Fanette ? On dirait que tu es fâchée contre mon frère. A-t-il été déplaisant avec toi ?

— Mais non. Où es-tu allée pêcher ça ?

En parlant plus tard à Philippe, elle eut droit à une réponse tout aussi évasive. Se perdant en conjectures, elle profita d'un moment où Eugénie était assise seule au jardin pour lui confier son désarroi. Eugénie réfléchit un moment. Elle aussi avait remarqué leur comportement étrange.

— Je crois en connaître la cause, dit-elle, l'air mystérieux.

Rosalie la regarda, intriguée. Eugénie, un demi-sourire aux lèvres, se pencha vers elle et chuchota :

— Ils sont peut-être amoureux.

Rosalie secoua la tête, sceptique.

— Les amoureux se regardent dans les yeux, se tiennent par la main, cherchent à être toujours ensemble. En tout cas… dans les livres.

Eugénie sourit.

— Pas forcément. Parfois, ils s'évitent comme la peste, détournent le regard quand ils se croisent, sont muets comme des carpes à table.

— Je ne comprends pas.

— Par timidité, ou par amour-propre, expliqua Eugénie. Ou tout simplement parce qu'ils ne comprennent pas eux-mêmes ce qui leur arrive et ne savent plus quel comportement adopter.

Rosalie fronça les sourcils.

— C'est compliqué.

— Oui, ça peut l'être, dit Eugénie, songeuse.

Le souvenir du docteur Lanthier lui revint. Elle éprouvait parfois des regrets d'avoir refusé sa proposition de mariage. Non pas qu'elle ne fût pas heureuse de partager son existence avec sa chère Emma. Mais une part d'elle rêvait encore des longues mains fines du docteur, de son regard tendre et ironique derrière ses lunettes rondes cerclées d'or.

Lorsque Eugénie raconta à Emma sa conversation avec Rosalie, Emma s'exclama :

— Notre Fanette, amoureuse ? Voyons, elle est bien trop jeune !

— Elle a dix-sept ans, bientôt dix-huit, lui fit remarquer Eugénie. Elle est en âge de se marier.

Emma resta silencieuse. Fanette, en âge de se marier… Elle avait beau savoir de façon rationnelle que Fanette avait grandi, pour elle, c'était encore une petite fille. Elle finit par balbutier :

— Il faut lui parler. On doit la préparer à… Mon Dieu, dire qu'elle était haute comme trois pommes il n'y a pas si longtemps !

Eugénie ne put s'empêcher de sourire. Autant Emma était une femme pratique qui entreprenait toutes ses activités tambour battant, autant elle devenait pusillanime quand il s'agissait des choses du cœur.

Après le souper, Emma vint rejoindre Fanette dans sa chambre. La jeune fille, debout devant la fenêtre, respirait l'air frais du soir. Le soleil se couchait sur le fleuve. La silhouette d'un héron bleu se découpait dans le ciel fauve. Emma contempla sa fille un moment, la gorge serrée. Elle aurait voulu pouvoir ralentir le temps, garder Fanette avec elle encore quelques années dans leur petite maison de la rue Sous-le-Cap. Mais elle savait que les enfants n'appartiennent pas à leurs parents, qu'elle et Eugénie avaient fait leur possible pour bien éduquer Fanette, et qu'elle était prête à voler de ses propres ailes.

— Tu n'as pas froid ? dit Emma.

Fanette se tourna vers elle.

— Vous savez bien que je ne suis pas frileuse.

Emma s'avança vers un fauteuil et s'y installa, les mains croisées sur les genoux, visiblement mal à l'aise. Fanette, intriguée, s'assit familièrement sur l'accoudoir.

— Quelque chose vous tracasse, maman ?

— Mais non.

Emma croisait et décroisait les doigts. Fanette se pencha vers elle, l'embrassa sur la joue, l'air mutin.

— Mais oui.

Emma se décida à parler :

— Il est parfaitement normal qu'à ton âge, on... on ait des attachements...

Elle s'interrompit, cherchant ses mots.

— Des attachements ?

— Oui, enfin... Tu sais ce que je veux dire. Des... sentiments... particuliers.

Emma se racla la gorge et commença à s'éventer avec son mouchoir. Fanette secoua la tête, médusée par le comportement inhabituel de sa mère adoptive.

— Où voulez-vous en venir, au juste ?

Emma se jeta à l'eau :

— J'ai su... Enfin, on m'a dit que... qu'un certain jeune homme ne te laissait pas indifférente.

— Quel jeune homme ? dit Fanette, plus troublée qu'elle ne l'eût voulu.

— Philippe Grandmont, cette affaire ! s'écria Emma, que cette conversation mettait au supplice.

Fanette mit un doigt sur sa bouche. Emma poursuivit à mi-voix :

— Enfin, as-tu des sentiments pour lui ?

Un long silence suivit. Emma aurait donné beaucoup pour savoir ce qui se tramait dans la tête de sa fille.

— Je ne sais pas, finit-elle par avouer. Je pense à lui sans arrêt, je cherche sa compagnie et en même temps, je voudrais fuir quand je l'aperçois. Les mots m'échappent quand je suis avec lui. J'ai les mains moites et le cœur en charpie. Est-ce que c'est ça, l'amour ?

Emma contint un soupir. Si ce n'était pas de l'amour, en tout cas, cela en avait tous les symptômes.

— J'en ai bien peur.

Fanette la regarda, saisie.

— Vous croyez que c'est mal ?

Emma sourit.

— Mais non ! Je voulais dire que rien ne presse.

Elle hésita avant de poursuivre, cherchant les mots justes.

— Les jeunes hommes sont parfois… impulsifs. Leurs élans, même sincères, peuvent mener à des situations… délicates.

Fanette eut un cri du cœur :

— Vous ne le connaissez pas ! Philippe est si doux, il ne ferait jamais rien qui puisse me nuire ou me faire de la peine.

Si Emma voulait une preuve supplémentaire des sentiments de Fanette, elle venait de la lui fournir de façon éloquente.

— Apprends à bien le connaître. L'amitié est le ciment le plus solide de l'amour.

Fanette réfléchit à ces paroles.

— Maman, est-ce que… vous avez déjà été amoureuse ?

Emma hocha la tête.

— Il y a bien longtemps. Je n'en ai pas gardé un souvenir impérissable. Comme un meuble qu'on a remisé dans le grenier et qui a pris la poussière.

Fanette sourit. Elle avait toujours la même fossette sur la joue droite. Emma lui caressa les cheveux tendrement. Fanette posa sa tête contre celle d'Emma, dans un mouvement spontané qui avait gardé un parfum d'enfance.

Le lendemain, Emma et Eugénie firent leurs préparatifs pour leur départ. Elles avaient réservé deux places sur le *Saguenay*, qui partait pour Québec tôt dans la matinée. C'est à regret qu'Emma laissait Fanette, qu'elle ne reverrait pas avant la mi-août. Mais elle ne s'ennuierait certainement pas des conversations avec le notaire Grandmont, si plein de sa propre importance et de son rang social qu'il en devenait parfois ridicule. Il était très strict sur l'étiquette et exigeait que les convives mettent leurs plus beaux habits pour les repas du soir, même si on était à la campagne. Emma avait croisé le fer à plusieurs reprises avec lui, ne pouvant supporter de l'entendre affirmer que les pauvres étaient responsables de leurs propres malheurs ou que la place des femmes était à la maison ou au couvent.

— Ainsi, il faudrait qu'Eugénie et moi portions la cornette pour avoir le droit de nous occuper des familles dans le besoin ? avait-elle rétorqué.

— Que vous donniez généreusement aux bonnes œuvres est une chose. Que vous trempiez vos mains dans la fange en est une autre.

Eugénie jetait des regards apaisants à Emma, mais cette dernière ne put contenir son indignation :

— La *fange*, comme vous dites, ce sont des femmes et des enfants abandonnés par leurs maris ou des veuves dans le besoin. Ce sont de jeunes mères et leurs nourrissons qui mourraient de faim, si on ne les accueillait pas au refuge. Des hommes qui ont perdu un bras ou une jambe en travaillant à la sueur de leur front et qui en sont réduits à mendier dans la rue pour survivre !

Marguerite assistait à ces joutes verbales avec une lassitude teintée d'ennui. Rosalie et Philippe buvaient les paroles d'Emma sans toutefois oser intervenir. Seule Fanette avait pris la parole lorsque le notaire avait traité George Sand de bas-bleu, « qui jetait la honte sur son propre sexe en se déguisant en homme ».

— Elle ne porte pas l'habit d'homme par manque de féminité, avait dit Fanette, la voix légèrement tremblante. Elle le fait pour exercer son métier d'écrivain librement.

Emma cacha son sourire sous sa serviette de table, à la fois fière de l'aplomb de sa fille et inquiète lorsqu'elle vit les traits du notaire s'assombrir et son visage devenir presque hostile.

Emma referma sa malle, la mine préoccupée. Eugénie s'approcha d'elle, lui mit gentiment la main sur l'épaule.

— Ne t'inquiète pas, Emma. Tout ira bien.

Emma et Eugénie franchirent la passerelle du *steamboat*, précédées par un jeune matelot qui transportait leurs bagages. Emma se retourna et vit Fanette qui lui faisait de grands signes avec son mouchoir. Philippe et Rosalie, debout à ses côtés, envoyèrent la main à l'unisson. Emma et Eugénie leur envoyèrent la main à leur tour.

— Comme ils sont charmants, dit Eugénie.

Emma sortit son mouchoir, se tamponna les yeux tout en bougonnant.

— Le soleil me brûle les yeux.

La sirène du bateau retentit. On entendait les cris rauques des goélands. Le navire se mit en route, fendant l'eau sombre. Appuyée sur le bastingage, Emma regarda le rivage s'éloigner. Les trois silhouettes rétrécissaient de plus en plus.

— On l'a perdue, notre Fanette, dit Emma en se mouchant.

— Elle n'a pas cessé de nous aimer parce qu'elle est amoureuse. L'amour, ça s'ajoute, ça ne se soustrait pas.

XXXII

Quelques jours après le départ d'Emma et d'Eugénie, le notaire annonça au petit-déjeuner qu'il avait reçu la veille un télégramme l'informant que le juge Sicotte et sa famille arriveraient à La Malbaie cet après-midi même. Il enjoignit tout son monde de les accueillir avec la tenue et le respect dus à un magistrat de cette importance. Rosalie et Fanette échangèrent un sourire amusé : on eut dit que le notaire parlait de la reine Victoria en personne ! Le notaire surprit leur manège :

— Le respect ! C'est un mot dont les jeunes gens ne semblent plus comprendre le sens ! s'exclama-t-il, dépité.

Au début de l'après-midi, le notaire fit atteler son fiacre par monsieur Joseph afin d'aller chercher les Sicotte au débarcadère de Pointe-au-Pic. Les chevaux pommelés avaient été soigneusement brossés sur son ordre. La voiture, astiquée la veille par monsieur Joseph, brillait de propreté. Le notaire exigea que tout le monde se mette sur son trente-et-un et se dispose en rang d'oignons devant la maison pour accueillir dignement le juge et sa famille.

Le fiacre revint au bout d'une heure. La glace de la portière luisait au soleil, de sorte qu'il était impossible de distinguer les visages. Un vent du nord se mit à souffler, faisant voleter les jupes, le ruban des chapeaux et les pans des redingotes du « comité d'accueil ». Seule Marguerite Grandmont manquait à l'appel : elle avait prétexté une mauvaise migraine pour rester dans sa chambre.

Le notaire Grandmont s'avança d'un pas, l'air solennel. Monsieur Joseph descendit de son siège, courut vers la portière, installa le marchepied, une main sur sa casquette pour éviter qu'elle s'envole au vent. Il ouvrit la portière et un flot de mousseline rose lui chatouilla le nez aussitôt. Une main boudinée couverte de bagues sortit de l'amas de tissu. Monsieur Joseph tendit nerveusement sa main calleuse pour la saisir. Une poitrine opulente émergea ensuite, surmontée d'un visage poupin sur lequel trônait un immense chapeau de paille du même rose que la robe, garni de camélias artificiels. La dame gratifia le cocher d'un regard hautain.

— Merci, mon brave.

Elle trébucha sur le marchepied et se serait étalée par terre de tout son long si Philippe n'était accouru pour lui prêter main forte. Il arriva juste à temps pour lui saisir le bras. Monsieur Joseph, affolé, la prit ensuite sous les aisselles pour la remettre sur pied. Une bourrasque s'éleva et lui arracha son immense chapeau, qui s'envola dans le ciel comme un cerf-volant.

— Mon chapeau ! Mon chapeau ! glapit la dame, furieuse.

Ce fut au tour de Fanette de courir pour rattraper le chapeau qui voletait dans les airs. Elle s'en empara juste avant qu'il disparaisse dans un ravin qui surplombait le fleuve et le ramena à la dame. Elle l'examina, vit qu'il était enduit de poussière, puis s'adressa à Fanette, furieuse :

— Mon chapeau ! Il est ruiné ! Je l'avais fait venir de Paris. Il m'a coûté les yeux de la tête !

Elle prononçait « Péris ». Une voix s'éleva derrière elle.

— Ce n'est rien, mon cœur. Je vais t'en procurer un autre !

Un homme bien en chair et au visage rubicond vint les rejoindre. Son crâne dégarni luisait de sueur. Sa lavallière pendait mollement sur son col. Il s'épongea le front avec un mouchoir. Le notaire Grandmont accourut vers le juge et son épouse, les deux mains tendues.

— Bienvenue dans ma modeste demeure, monsieur le juge. J'espère que vous avez fait bonne route.

Le magistrat fut sur le point de répondre, mais sa femme le devança.

— Épouvantable ! Le bateau tançait…

— … tanguait, corrigea le juge.

— C'est ça que j'ai dit, rétorqua-t-elle, vexée.

Sur ces entrefaites, un pied fin chaussé d'un escarpin en che-vreau des plus élégants se posa sur le marchepied. Une jeune fille sauta par terre, aussi légère qu'une tourterelle. Elle portait une robe en soie bleue pâle coupée à la dernière mode et cintrée à la taille par une boucle en satin blanc du plus bel effet. Elle s'empres-sa d'ouvrir une ombrelle assortie à sa robe pour éviter que son teint « de lys et de roses », comme disait sa mère, ne soit gâté par les rayons du soleil. Elle s'avança vers le notaire, lui tendit une petite main gantée de fil de soie. Le notaire lui fit un baisemain.

— Mademoiselle Sicotte, vous grandissez en grâce et en beauté, dit-il, admirant son visage d'un ovale pur, sa bouche rose, ses cheveux blonds délicatement bouclés sous un bonnet de den-telle du même bleu que la robe.

Rosalie et Fanette s'approchèrent à leur tour et lui firent poliment la révérence. Mademoiselle Sicotte les gratifia d'un sourire gracieux et distrait, puis examina leur tenue, cachant mal son dédain.

— Mon Dieu, si j'avais su qu'on mettait des habits de cam-pagne ici, je n'aurais pas apporté mes robes de Paris.

Fanette et Rosalie échangèrent un regard entendu : elles avaient pourtant mis leurs meilleures robes ! Puis mademoiselle Sicotte avisa Philippe, le couva de ses yeux couleur de porcelaine de Delphes.

— Je n'ai pas eu l'honneur de vous être présentée, murmura-t-elle.

Philippe s'avança vers elle. Il était devenu rouge comme une pivoine. Elle lui tendit délicatement la main. Il la prit et la serra dans la sienne, trop embarrassé pour tenter un baisemain. Made-moiselle Sicotte lui sourit avec indulgence, dégagea doucement sa main, puis glissa son bras sous le sien comme s'ils étaient déjà de vieilles connaissances.

— Quelle charmante maison ! s'exclama-t-elle. Tout à fait rustique. On se croirait chez des paysans.

Philippe l'escorta vers la maison. Rosalie se tourna vers Fanette, qui souriait pour donner le change, mais avait baissé les yeux pour cacher son désarroi. Rosalie vit son père et madame Sicotte échanger un regard satisfait, comme pour dire : notre affaire va bon train…

Le lendemain, mademoiselle Sicotte tint à faire une promenade en calèche pour « visiter ces lieux si exotiques » et demanda à Philippe d'« être son guide dans cette jungle ». La bienséance exigeant qu'ils ne partissent pas seuls, madame Sicotte s'offrit pour les accompagner. Fanette, assise sur le banc de pierre dans le jardin, regarda la calèche s'éloigner sur le chemin étroit, le cœur gros. Rosalie vint la rejoindre. Elles gardèrent le silence un moment, écoutant le chant des grillons. Rosalie fut la première à parler :

— Simone Sicotte ne te va pas à la cheville.

— Elle est très jolie, répliqua Fanette.

Rosalie haussa les épaules.

— Et puis après ? Elle est superficielle. Philippe est beaucoup trop sensible pour s'intéresser à cette péronnelle.

Fanette lui répliqua un peu trop vivement :

— Si tu veux tout savoir, Philippe me laisse complètement indifférente.

Rosalie la regarda, une lueur amusée dans les yeux.

— C'est pour ça que tu l'évites comme la peste, que tu détournes le regard quand tu le croises, que tu es muette comme une carpe à table ?

Fanette haussa les épaules, vexée. Rosalie mit un bras affectueux autour de sa taille.

— Je connais mon frère mieux que personne. Il est amoureux de toi.

— Tu crois ? dit Fanette, les yeux soudain remplis d'espoir.

Rosalie sourit, l'air malicieux.

— Qu'est-ce que je disais ? Tu l'aimes par-dessus la tête !

Cette fois, Fanette ne protesta pas. Elle se contenta de poser la tête sur l'épaule de son amie.

Le soir, après souper, tandis que deux bonnes débarrassaient la table, le notaire sortit une feuille de papier de la poche intérieure de sa redingote et se racla la gorge.

— Mon fils n'a pas seulement du talent pour rédiger des contrats et des testaments, dit-il. Il écrit également des poèmes. En alexandrins, par-dessus le marché.

Philippe blêmit.

— Vous avez fouillé dans mes affaires ?

— Voyons, Philippe, ce poème traînait sur ton pupitre. Si tu tenais à ce point à ce que je ne le trouve pas, tu n'avais qu'à le cacher dans un tiroir.

Le notaire se tourna vers ses convives.

— Vous verrez, ces vers ne sont pas si mal tournés.

Philippe fit mine de se lever.

— Père, vous n'avez pas le droit de…

Le juge Sicotte, qui était installé à côté de Philippe, lui tapota paternellement le bras, le forçant à se rasseoir.

— Moi aussi, dans mon jeune temps, j'ai commis quelques vers. Il n'y a rien de mal à cela, jeune homme, bien au contraire. Les jeunes gens, de nos jours, ne songent qu'à s'amuser et à courir les bals. Voyez plutôt combien votre père est fier de vous, et ne soyez pas faussement modeste.

Mademoiselle Sicotte battit des mains.

— S'il vous plaît, Philippe ! Laissez votre père lire votre poème.

Philippe se rassit, visiblement humilié de l'indiscrétion commise par son père. Fanette bouillait d'envie d'intervenir, mais le regard implorant de Rosalie l'en empêcha. Le notaire défroissa la feuille de papier du plat de la main, se leva et se mit à lire d'une voix légèrement pompeuse :

Ode à ma bien-aimée
Le soir tombe et je m'abandonne au sommeil.
Aussitôt endormi, est-ce l'éclat du soleil,
Qui m'éblouit sans cesse et éclaire mes nuits,

Me laissant au matin épuisé mais ravi ?
Non, madame, c'est l'éclat pur de vos yeux
Dont la couleur rivalise avec celle des cieux.
D'obtenir de vous, ne serait-ce qu'un regard
Me rendrait à la vie et me donnerait l'espoir
D'un jour tenir votre cœur contre le mien
Dans un élan auquel seule la mort mettrait fin.

— Comme c'est mignon ! s'exclama madame Sicotte, s'éventant avec sa serviette. Avez-vous remarqué, ça rime !

Le juge Sicotte, mal à l'aise, se racla la gorge, puis donna une tape dans le dos de Philippe.

— Voyez donc ce talent que vous nous aviez caché ! Je crois deviner à quelle charmante personne vous destiniez ces vers…

Le juge se tourna vers sa fille en souriant. Cette dernière était devenue rouge comme un coquelicot et souriait derrière sa main. Fanette regardait fixement son couvert. Ses oreilles bourdonnaient ; elle aurait voulu disparaître six pieds sous terre. Rosalie se retint de se lever, de courir vers elle et de la prendre dans ses bras. Elle se contenta de la regarder à la dérobée. Philippe, après un long silence, se tourna vers la fille du juge.

— Mademoiselle Sicotte, je ne m'attendais pas à ce que ces vers soient lus en public. J'en suis navré.

La jeune fille eut une moue coquette.

— Navré ? Vos alexandrins n'étaient pas mal, pourtant…

Philippe prit une inspiration, comme pour se donner du courage :

— Ce poème ne vous était pas destiné.

Mademoiselle Sicotte s'étouffa presque dans son verre de vin. La couleur s'était retirée de son visage. Elle déposa le verre sur la table, se leva et sortit de la pièce, faisant un effort pour garder la tête haute. Madame Sicotte se leva à son tour et courut rejoindre sa fille. Seul le froufrou de sa robe en soie moirée rose remplit le silence.

XXXIII

L'aube pointait. Fanette n'avait pas fermé l'œil de la nuit. Elle revivait chaque instant de cette soirée avec un mélange d'exaltation et d'incertitude. Dans son enfance, elle avait souffert de la faim et des mauvais traitements infligés par les Cloutier ; l'abandon d'Amanda lui avait causé une blessure qui n'avait jamais complètement guéri. Mais la peine qu'elle avait éprouvée durant la lecture du poème de Philippe, sa détresse à la seule pensée qu'il l'avait écrit pour une autre, sa joie démesurée lorsque Philippe avait dit à Simone Sicotte : « Ce poème ne vous était pas destiné », tous ces sentiments étaient nouveaux pour elle. Elle avait soudain l'impression d'être une autre personne, comme un voyageur qui visite un pays étranger pour la première fois et en découvre la beauté sans en comprendre la langue et les coutumes. Se pouvait-il que Philippe eût écrit ce poème en pensant à elle ? D'un mouvement leste, elle rejeta sa couverture et s'habilla. Elle ne pouvait plus supporter d'être confinée entre ses quatre murs, devenus trop étroits pour contenir son bonheur.

Fanette se rendit au jardin, prit place sur le banc en pierre qui faisait face au fleuve, ce même banc où elle avait surpris Philippe en train de lire un traité de médecine, où ils s'étaient échangé des confidences comme s'ils se connaissaient depuis toujours. Elle était tellement absorbée par sa rêverie qu'elle n'entendit pas le bruit de pas sur le gravier.

— Fanette...

Elle se retourna vivement. Philippe était debout à quelques pieds d'elle. Il avait les yeux battus comme s'il n'avait pas dormi. Il s'assit à côté d'elle. Ils restèrent ainsi en silence, regardant le fleuve nimbé par la brume. L'étoile polaire brillait par intermittence, comme une lanterne de bateau. Fanette finit par parler.

— La première fois qu'on s'est rencontrés, je me souviens, tu m'as dit : « J'espère que les souris ne vous font pas peur. »

— Et tu as répondu : « Non. Surtout quand elles sont mortes. »

Ils s'étaient tutoyés sans même s'en rendre compte. Philippe lui prit la main. Elle ne la retira pas.

— Je t'ai aimée dès cet instant, murmura-t-il.

— Parce que je n'avais pas peur des souris ?

— Parce que tu étais très jolie dans ta robe verte.

Il se pencha vers elle et l'embrassa. Ses lèvres avaient un goût d'amande.

Le notaire, debout devant la fenêtre de sa chambre, vit les jeunes gens s'embrasser. Il fut pris d'une telle rage, qu'il s'empara d'un vase en cristal taillé de Murano qu'il avait fait venir à grands frais d'Italie et avait apporté à sa maison de campagne afin d'en égayer le bureau. Il fut sur le point de le jeter par terre, puis se ravisa et le remit en place. Son sot de fils ne valait pas qu'il fît le sacrifice d'un objet aussi précieux. Il se jura qu'il mettrait fin à cette folie.

⁓

Au début de la matinée, sans même prendre le temps de déjeuner, la famille Sicotte repartit pour Québec. Le notaire Grandmont eut beau tenter de les retenir, ce fut peine perdue. Il vit la calèche s'éloigner sur le chemin de campagne, la rage et la déception au cœur.

Après le départ des Sicotte, le notaire eut une explication orageuse avec son fils, dans la pièce qui lui servait de bureau à l'étage.

— Simone Sicotte est l'un des meilleurs partis de Québec. Tu as tout gâché pour cette pauvresse qui vient d'on ne sait où et qui est sans dot ! cria le notaire, hors de lui.

Philippe soutint le regard de son père sans broncher.

— Fanette est orpheline, cela n'en fait pas une pauvresse pour autant ! C'est une femme intelligente et cultivée. Et je me moque comme de l'an quarante qu'elle ait une dot ou pas !

— Tu n'useras pas de ce langage vulgaire dans ma maison !

Philippe reprit, plus calmement :

— J'aime Fanette et je veux l'épouser.

— Tu n'auras jamais mon consentement, entends-tu ?

— Eh bien, je m'en passerai !

Le notaire leva la main pour frapper son fils, mais Philippe lui empoigna fermement le poignet.

— Je ne suis plus un enfant que vous pouvez battre à votre guise.

Le notaire réussit à se dégager. Le père et le fils se dévisagèrent longuement. Les lèvres blanches du notaire tremblaient de fureur. Philippe partit en claquant la porte. Le notaire fit un effort pour retrouver son calme, puis se dirigea à pas décidés vers la chambre de sa femme. Il cogna à la porte et entra sans attendre de réponse.

— Votre fils est devenu fou ! s'exclama le notaire.

La pièce était sombre. Il ouvrit les rideaux d'un geste brusque. Marguerite était étendue sur son lit, pâle et les cheveux défaits. Ses yeux étaient ouverts mais étrangement vitreux. Le notaire vint vers elle.

— Marguerite, vous êtes souffrante ?

Il avisa un objet qu'elle tenait à la main. C'était une fiole de couleur verte. Il s'en empara sans qu'elle fît un geste pour l'en empêcher. Il l'examina, puis dévissa le capuchon, en respira le contenu.

— C'est du laudanum, n'est-ce pas ? Vous m'aviez promis de ne plus en prendre !

— J'en ai besoin pour dormir, murmura Marguerite d'une voix faible.

— Mais vous passez vos journées au lit !

— Je vous en prie, ne criez pas. J'ai mal à la tête.

Le notaire mit la fiole dans sa poche, puis prit place dans un fauteuil près de sa femme.

— Marguerite, il faut vous reprendre en main. Votre fils s'est mis en tête d'épouser cette fille de rien, Fanette O'Brennan.

— « Votre » fils, répéta-t-elle avec une pointe d'ironie. Philippe devient toujours « mon » fils lorsque vous avez quelque chose à lui reprocher.

— Vous devez lui faire entendre raison. S'il persiste dans sa folie, j'en ferai un prêtre, parbleu !

Marguerite se redressa sur son séant.

— Un prêtre ! Depuis quand est-ce un crime de tomber amoureux ?

— Ne me dites pas que vous approuvez sa lubie !

— Pour vous, tout sentiment est une lubie, dit-elle à mi-voix.

— Je croyais pouvoir compter sur vous. Je me suis trompé, dit-il en se levant d'un mouvement sec. Vous avez toujours fait preuve de trop d'indulgence à son égard.

— Et vous, de trop de dureté ! s'écria Marguerite.

Il la regarda, interdit. Elle poursuivit, la gorge serrée :

— À force de toujours vouloir plier les êtres à sa seule volonté, on finit par les briser.

Un long silence suivit. Le notaire fit quelques pas vers elle, lui effleura l'épaule de la main, puis dit, la voix rauque :

— Vous êtes donc si malheureuse ?

Elle ne répondit pas directement à sa question.

— N'obligez pas Philippe à épouser une femme qu'il n'aime pas. Les mariages de raison sont rarement heureux.

༄

Le notaire s'enferma dans son bureau. Les paroles de sa femme résonnaient encore dans sa tête. Bien sûr, leur mariage avait été « arrangé », comme on disait. Quel mariage ne l'est pas ? C'est d'abord et avant tout une institution qui vise à enrichir les familles, à consolider leur pouvoir, à bâtir leur notoriété. Son propre père, qui était fils de cultivateur, un « cul-terreux », avait réussi à épouser la fille du notaire Caron. Engagé comme simple gratte-papier à l'étude de son beau-père, il avait gravi les échelons un à un. À force de travail et de détermination, il avait fini par en hériter. Marguerite était charmante, certes. Mais elle était la fille du juge Dugas ; c'est ce qui, avant tout sentiment, avait présidé à leur union. Le bonheur ? Qui se soucie de bonheur ? Être heureux, c'est bon pour les mijaurées qui lisent les romances à deux sous ! C'est à ce moment précis que le souvenir de Cecilia lui revint. Le notaire dut prendre appui sur le rebord de la fenêtre pour ne pas chanceler. Cecilia… Dieu qu'il y avait longtemps qu'il n'avait prononcé ce nom… Il l'avait enfoui loin, très loin, dans un tiroir secret de son cerveau encombré de chiffres et de protêts. Il avait vingt ans quand il s'était amouraché d'elle. C'était une jolie vendeuse d'origine irlandaise qui travaillait dans une chapellerie sur Little Champlain Street, dans la basse ville. Il ne se rappelait guère son visage, sinon son sourire, à la fois discret et pétillant. C'est cela, pétillant. Il lui aurait acheté tous les chapeaux du magasin, tellement il était sous le charme. Il doit l'admettre, son cœur avait battu pour elle. Chaque fin d'après-midi, après son travail au cabinet de son père, il allait la rejoindre à la chapellerie et l'emmenait se promener aux Plaines d'Abraham ou à la Citadelle. Ils grimpaient l'escalier Casse-cou en se tenant par la main et, une fois en haut, s'appuyaient en riant sur la balustrade, tâchant de reprendre leur souffle. Il l'avait embrassée à plusieurs reprises sous des portes cochères. Ils avaient réussi à déjouer la vigilance de madame Geoffroy, la propriétaire de la maison de chambres située dans le quartier Saint-Roch où Cecilia habitait. Au début, il s'était contenté de l'embrasser, mais un soir, ils avaient été emportés par une sorte de fièvre et elle s'était donnée à lui. Il avait été ébloui, comme s'il vivait un rêve éveillé. Pourtant, il n'était pas puceau. À l'âge de dix-huit ans, son père l'avait emmené dans une maison close pour « qu'il devienne un homme », avait-il dit. Ces femmes qui sentaient le parfum bon marché et la poudre de riz et qui riaient un peu trop fort l'avaient intimidé. Après, il s'était senti étourdi et vaguement dégoûté. Mais avec

Cecilia, tout était si différent : sa peau douce, sa bouche tendre… Il revoyait ses bras blancs, ses cheveux sombres répandus sur l'oreiller, il entendait encore le bruit des charrettes et la voix des passants qui déambulaient dans la rue.

Le notaire réprima un frisson. Il ne fallait plus penser à elle. Il fallait l'oublier, l'enfermer à nouveau dans un coffre-fort qu'il n'ouvrirait plus jamais. Ce souvenir qui avait été heureux jadis était devenu un spectre sinistre. *N'y pense plus. Tu as fait ce que tu devais faire.* Pauvre Cecilia. Pauvre petite vendeuse, sacrifiée à l'autel de l'ambition…

— Non !

Le timbre de sa propre voix le surprit lui-même. Il se rendit vers une armoire en pin, en sortit une bouteille de cognac, s'en versa un verre qu'il but d'un coup. La chaleur du liquide ambré dans sa gorge le calma. Il fallait à tout prix éloigner Fanette. Comment avait-il pu être aveugle au point de ne pas voir l'attraction qu'une fille comme elle pouvait exercer sur un jeune homme exalté et romantique comme son fils ? Comment ses propres égarements ne l'avaient-ils pas mis davantage sur ses gardes ? Il comprenait mieux, maintenant, la sorte d'attirance mêlée de crainte qu'il avait éprouvée pour Fanette : une jolie orpheline sans statut social, sans argent, qui avait jeté son dévolu sur un jeune homme plein d'avenir et l'avait séduit en un tournemain. Une pensée horrible lui vint à l'esprit. Pourvu que son fils n'ait pas commis l'irréparable. Pourvu que… Il écarta cette hypothèse avec un mouvement impatient de la main. Non, Philippe était trop… comment dire… trop innocent et imbu d'idées chevaleresques pour déshonorer une jeune fille. Comme lui-même l'avait fait, songea-t-il, amer. Avec des conséquences si effroyables qu'encore aujourd'hui… Trêve d'idées noires. Il fallait agir. C'est dans l'action qu'il avait toujours réussi à tirer son épingle du jeu. Fanette était d'autant plus dangereuse qu'elle semblait honnête et désintéressée. Son fils devait épouser Simone Sicotte, pour le bien de la famille et le sien. Il ferait tout ce qu'il faudrait pour parvenir à ses fins.

XXXIV

Après dîner, le notaire, l'air calme et dégagé, demanda à Philippe de se rendre au village pour y quérir le courrier au bureau de poste. Il attendait une lettre importante. Qu'il en profite aussi pour faire réparer l'essieu du *coach*, qui était légèrement fendu et risquait de se briser. Philippe, agréablement surpris de voir son père dans de meilleures dispositions, accepta la course avec reconnaissance. Son fils parti, le notaire profita du fait que Fanette se promenait seule au jardin pour la rejoindre. Le fleuve avait pris une teinte opaline. La jeune femme, debout près du banc de pierre, contemplait l'horizon.

— Le ciel semble plus grand ici qu'ailleurs, dit-il, suivant son regard.

Fanette tourna la tête vers lui, étonnée par la douceur inhabituelle de sa voix.

— Je ne savais pas que vous aimiez la nature.

Le notaire sourit.

— Je vois que vous n'avez pas une très haute opinion de moi.

Elle voulut parler, mais il poursuivit, le ton léger :

— Il est vrai que je passe plus de temps enfermé dans mon bureau à rédiger des contrats qu'à contempler le fleuve. Tant de beauté…

Il fit quelques pas, se pencha, arracha une tige de chiendent qui poussait dans la plate-bande et la jeta au loin.

— Vous croyez que je suis un être sévère au cœur de pierre, n'est-ce pas ?

Fanette, d'abord décontenancée par sa question, prit intuitivement le parti de la franchise.

— C'est vrai.

Le notaire approuva de la tête.

— À la bonne heure ! J'apprécie les gens qui mettent cartes sur table.

Il s'arrêta près d'un buisson d'aubépines, en respira le parfum suave.

— Quels sont vos sentiments pour mon fils ?

Fanette répondit sans hésiter.

— Je l'aime.

Le notaire ne répondit pas. Fanette le regarda, appréhendant un orage.

— Eh bien, sachez que j'ai été jeune moi aussi. Mon cœur de pierre a battu, a aimé, plus que vous ne pouvez l'imaginer.

Il leva les yeux vers elle. Pour la première fois depuis qu'elle le connaissait, elle y vit une émotion sincère.

— J'ai aimé une jeune fille qui vous ressemblait. J'ai dû renoncer à elle pour épouser Marguerite. Au début, j'en ai terriblement voulu à mon père qui avait arrangé ce mariage, je l'ai voué aux gémonies. Mais le temps lui a donné raison. Le devoir d'un père est de faire tout en son pouvoir pour le bien de sa famille.

Fanette resta silencieuse. Elle avait compris maintenant où le notaire voulait en venir.

— Philippe est promis à un bel avenir. Si vos sentiments pour lui sont sincères, et je suis convaincu qu'ils le sont, je vous en supplie, ne ruinez pas ses chances en l'obligeant à épouser quelqu'un sous sa condition. Tôt ou tard, il en sera malheureux.

Fanette accusa le coup sans broncher.

— Je n'oblige pas Philippe à m'épouser, monsieur Grandmont. S'il le fait, ce sera de son plein gré. Et je ne crois pas qu'il considère ma condition comme étant inférieure à la sienne.

— Vous avez mis cartes sur table, mademoiselle O'Brennan, permettez-moi de faire la même chose. Vous êtes orpheline, sans relations, sans fortune, tandis que…

— … Tandis que Simone Sicotte est la fille d'un juge !

— C'est la réalité, qu'elle vous plaise ou non.

— La réalité, c'est que Philippe n'est pas amoureux de mademoiselle Sicotte.

— Mon fils vous aime aujourd'hui, il en aimera une autre demain. Il vous oubliera, Fanette. Croyez-moi, je le sais d'expérience. Les hommes sont ainsi faits.

— Pas Philippe ! dit-elle dans un cri du cœur.

Il lui jeta un regard étrange, avec une sorte de pitié mêlée d'admiration.

— Vous êtes jeune, et encore pleine d'illusions. Dans un sens, je vous envie.

Il tendit la main, effleura sa joue.

— Si vous l'aimez, partez. Mettez son amour à l'épreuve.

— Je ne comprends pas.

— Écoutez-moi bien, Fanette. Si mon fils, après quelques mois de séparation, persiste à vouloir vous épouser, alors j'y consentirai.

Fanette lui prit les deux mains d'un mouvement spontané et les embrassa. Le notaire Grandmont se dégagea doucement et s'éloigna. Le gravier crissait sous ses pas.

⁂

Fanette était debout devant son lit, sur lequel elle avait déposé ses deux valises. Des larmes silencieuses roulaient sur ses joues tandis qu'elle empilait ses vêtements. Le visage inquiet de Rosalie apparut dans l'interstice de la porte.

— Fanette ? Qu'est-ce que tu fais ?

Fanette continua à faire ses valises sans se retourner pour que Rosalie ne la voie pas pleurer.

— Je dois partir, Rosalie.

Rosalie entra dans la chambre et s'approcha de Fanette, bouleversée.

— Partir ? Mais pourquoi ?

— Je t'en prie, ne me demande rien.

— C'est à cause de mon père ?

Fanette secoua la tête. Rosalie repoussa une valise et s'assit sur le bord du lit.

— Je vous ai vus discuter dans le jardin, près du banc. Vous aviez l'air si sérieux ! Qu'est-ce qu'il t'a dit ? Il a été méchant avec toi ?

— Non, au contraire.

— Alors ?

— Rosalie, fais-moi confiance. Je dois partir. Dis à Philippe… Dis-lui que je l'aime. Je lui écrirai. Je lui expliquerai tout.

Rosalie, que la fébrilité et les larmes de Fanette inquiétaient, mit une main sur son épaule.

— Je le lui dirai. Mais je suis sûre qu'il aimerait mieux que tu lui fasses le message en personne…

Le notaire avait fait atteler la calèche. Joseph, le cocher, déposa les valises de Fanette à l'arrière de la voiture. Il avait reçu pour instruction de la reconduire jusqu'à Québec, rue Sous-le-Cap, et de revenir à La Malbaie le lendemain, ce qui ferait un voyage d'au moins une vingtaine d'heures. Rosalie et son père sortirent de la maison et rejoignirent Fanette, qui les attendait près de la voiture. Le notaire lui fit un baisemain un peu cérémonieux sous les yeux étonnés de Rosalie, qui n'avait pas l'habitude de voir son père se mettre en frais pour Fanette.

— Bon voyage, mademoiselle O'Brennan. Je suis désolé que ma femme ne puisse se joindre à nous, elle est souffrante.

Rosalie prit Fanette dans ses bras.

— Tu vas me manquer. Tu vas m'écrire, à moi aussi ?

Les deux amies s'étreignirent en pleurant.

— Allons, allons, les enfants, trêve de larmes, ce n'est qu'un au revoir ! dit le notaire presque joyeusement.

Le cocher aida Fanette à monter dans la voiture. La portière se referma avec un claquement sec. Le cocher fouetta les deux chevaux. La calèche se mit en route. Rosalie la regarda s'éloigner, le cœur serré par un sourd pressentiment.

Il y avait une quinzaine de minutes que la voiture roulait. Fanette, absorbée par son chagrin, ne vit pas le *coach* qui croisa la voiture sur le chemin poussiéreux. Philippe reconnut le carrosse de son père, surpris. Il tenta de voir qui se trouvait à l'intérieur, mais le soleil en éclaboussait les glaces et il n'aperçut qu'une ombre rencognée sur la banquette. *Père a sans doute voulu faire une promenade en voiture,* se dit Philippe. Il poursuivit son chemin, le cœur léger. Son père finirait bien par se résigner à l'idée de ce mariage. En tout cas, lui n'y renoncerait jamais.

⤸

En entrant, Philippe trouva la maison étrangement silencieuse, comme si elle avait été désertée. Il monta à l'étage, s'avança dans le couloir et aperçut sa sœur Rosalie assise sur le lit de Fanette, les yeux rouges et les mains serrées sur un mouchoir.

— Rosalie ? Que fais-tu toute seule ? Où est Fanette ?

— Elle est partie, réussit à dire Rosalie, la voix étranglée par l'émotion.

Elle expliqua à son frère les circonstances du départ de Fanette, et sa promesse de lui écrire. Le visage de Philippe s'assombrit.

— C'est père. Il l'a obligée à partir. J'en mettrais ma main au feu !

Philippe sortit de la pièce en trombe.

Par la fenêtre de son bureau, le notaire Grandmont avait vu son fils arriver en voiture. Il s'attendait à recevoir sa visite et avait soigneusement préparé ses arguments, comme un procureur peaufinant son plaidoyer pour faire condamner un prévenu qu'il sait innocent. Il était debout devant la fenêtre lorsqu'on cogna rudement à la porte.

— Entre, Philippe.

La porte s'ouvrit brusquement. Philippe était blême de fureur.

— Pourquoi Fanette est-elle partie ? Que lui avez-vous dit ?

— Mais rien, mon pauvre Philippe, répondit le notaire d'une voix calme en prenant place dans son fauteuil. Fanette est partie de son propre chef.

— Je ne vous crois pas. Vous m'avez éloigné exprès.

— Puisque tu veux tout savoir, c'est elle qui tenait à me parler seule à seul.

Philippe regarda son père, pris de court.

— Fanette ?

Le notaire prit un coupe-papier qui se trouvait sur son pupitre et le tourna distraitement dans sa main.

— Elle m'a dit qu'elle t'aimait trop pour compromettre tes chances de faire un bon mariage avec une personne de ton rang.

— Fanette ne peut pas avoir dit une chose pareille. Ça ne lui ressemble pas !

— Fanette est une jeune femme raisonnable qui connaît sa place dans la société, répliqua sèchement le notaire. Elle souhaite ce qu'il y a de mieux pour toi. Si tu l'aimes un tant soit peu, tu respecteras sa décision.

Philippe secoua la tête et se dirigea vers la porte.

— Où vas-tu ?

Philippe se tourna vers son père.

— À Québec. Je veux savoir de la bouche de Fanette si ce que vous prétendez est vrai.

Le notaire déposa le coupe-papier sur la table. Son visage était de glace.

— Mettrais-tu ma parole en doute ?

Le notaire ne quittait pas son fils des yeux. Philippe eut l'impression que son regard bleu le transperçait. Il y eut un long silence. Philippe se débattait entre le doute et la loyauté filiale. Le notaire choisit ce moment pour se lever. Il fit quelques pas vers son fils, s'arrêta à sa hauteur. Son visage s'était adouci.

— Philippe, je te conjure d'être raisonnable. La santé de ta mère est fragile. La dernière chose dont elle a besoin en ce moment, c'est d'un fils qui sème le scandale et le désarroi dans sa propre famille.

— Est-ce scandaleux que de vouloir épouser une femme qu'on aime ? murmura Philippe, désarçonné par la douceur inhabituelle de son père.

— Si tu aimes Fanette autant que tu le prétends, tu ne voudras pas l'épouser contre l'avis de ton père. Tu as vingt ans, il est plus que temps que tu apprennes à mesurer les conséquences de tes actes. Vous seriez tous les deux mis au ban de la société, montrés du doigt, exclus. Est-ce le genre d'existence que tu veux lui offrir ? Que tu voudrais offrir à vos enfants ?

Le soir tombait. Philippe marcha jusqu'au faîte du chemin et respira l'air marin à pleins poumons. Le ciel et le fleuve se fondaient en un bleu outremer. La lune, presque pleine, faisait rutiler le fleuve d'un éclat blanc. Il était entré dans le bureau de son père convaincu de son bon droit, et il en sortait l'âme troublée. Il ne craignait pas le scandale pour lui-même, mais pour sa mère et Rosalie. Il n'avait pas peur d'affronter le jugement de la société, mais ne voulait pas entraîner Fanette avec lui dans une existence de parias. Elle ne méritait pas d'être méprisée, montrée du doigt et rejetée à cause de lui.

Il entendit quelqu'un s'approcher. C'était Rosalie. Son cœur se serra de pitié lorsqu'il la vit, marchant avec difficulté, son pied bot se coinçant entre les pierres. Elle s'arrêta à sa hauteur, mit son bras autour de sa taille.

— Que dois-je faire, Rosalie ?

Elle tourna la tête vers lui.

— Attends de recevoir sa lettre. Après, tu décideras.

Il la serra contre lui. Elle avait raison. La lettre de Fanette déciderait de tout.

XXXV

La journée avait été particulièrement chargée au refuge du Bon-Pasteur. Il y avait bien sûr les habituées, dont Babette, une mendiante qui connaissait par cœur tous les refuges en ville et y trouvait à manger les jours où les passants étaient trop grippe-sous, et deux filles de mauvaise vie dont l'une était régulièrement battue par son soi-disant protecteur et l'autre toussait à fendre l'âme. Mais dès le matin, une famille entière, chassée de son logis de la basse ville pour n'avoir pas payé le loyer, était arrivée dans une charrette déglinguée ; puis, au début de l'après-midi, une jeune fille d'à peine quinze ans avait fait la route à pied de son village jusqu'au refuge. Eugénie avait remarqué tout de suite son ventre qui saillait sous sa jupe sale et poussiéreuse. Entre deux sanglots, Mélie expliqua qu'elle s'était enfuie de la ferme de ses parents pour qu'ils ne découvrent pas qu'elle était dans un état « intéressant », comme on disait à la campagne. Elle s'était d'abord réfugiée dans une église, mais le curé ne voulait pas la garder et lui avait conseillé de se rendre au refuge du Bon-Pasteur.

Eugénie quitta le refuge vers sept heures du soir, épuisée et presque découragée devant ce flot de misère qui semblait n'avoir jamais de fin. Elle décida de marcher jusqu'à la maison, rue Sous-le-Cap. Un peu d'air lui ferait du bien. Elle n'était pas pressée de rentrer, car Emma était partie pour une tournée de bienfaisance, quelques jours auparavant, et elle ne l'attendait que le lendemain. Il avait fait très chaud durant le jour. Les trottoirs brûlants tiédissaient sous une brise fraîche qui semblait monter du fleuve.

Comme la ville change ! se dit Eugénie en admirant les rues nouvellement pavées et les lampadaires au gaz flambant neufs qui s'allumaient graduellement comme des lucioles. De belles maisons en pierre se construisaient un peu partout, à la fois solides et gracieuses. Pas comme ces baraques qui poussaient comme des champignons dans la basse ville et étaient régulièrement ravagées par des incendies. *C'est toujours pareil*, songea Eugénie. La brique et la pierre pour les bien nantis ; le bois et la terre battue pour les pauvres.

La rue Sous-le-Cap n'avait pas encore été pavée et les talons d'Eugénie faisaient un bruit mat sur la terre battue. Une ménagère, debout sur son balcon, était en train d'étendre une brassée sur la corde à linge qui traversait la rue et avait été attachée au balcon d'en face. Eugénie respira avec délices l'odeur de pain frais qui sortait d'une boulangerie dont les portes étaient ouvertes pour laisser entrer la fraîcheur. Elle se rendit compte qu'elle avait une faim de loup : elle n'avait pas eu une minute pour manger, tellement elle avait été occupée. Elle entra dans la boulangerie et acheta une miche dont elle mangea un morceau tout en marchant. Flâner dehors à sept heures du soir, manger un bout de pain dans la rue… Le bonheur tenait à si peu de choses. Elle eut soudain une envie folle de se rendre chez le docteur Lanthier. Il était sûrement rentré chez lui, à cette heure. Elle l'imaginait, installé dans son vieux fauteuil, fumant tranquillement sa pipe après avoir tenté, lui aussi, de soulager toutes les misères du monde. Elle hésita lorsqu'elle arriva devant le passage de la Demi-Lune qui menait à la rue Saint-Paul, puis renonça à son projet. Elle ne devait pas nourrir de regrets, ni susciter de vains espoirs. Elle avait refusé de l'épouser, c'était inéluctable, il ne fallait pas revenir en arrière. Elle entendit soudain un claquement de sabots et le grincement de roues derrière elle. Elle se retourna et aperçut un carrosse tiré par deux chevaux qui prenait toute la largeur de la rue et roulait rapidement. Elle dut reculer et se plaquer contre un mur de peur d'être happée par la voiture. *Quel conducteur imprudent. Encore heureux qu'il n'y ait pas plus d'accidents !* se dit-elle. À sa grande surprise, la calèche s'arrêta devant chez elle. Elle vit une silhouette longue et gracieuse en descendre.

— Fanette ! s'écria Eugénie en courant vers elle et en l'étreignant. Tu es déjà de retour ?

Elle fut saisie par la pâleur de la jeune fille, sa mine grave et songeuse. Le cocher effleura sa casquette avec son index en guise de salutation et déposa les valises de Fanette sur le trottoir. Il se rassit ensuite sur sa banquette et fouetta les chevaux en claquant la langue. La voiture disparut au coin de la rue dans un nuage de poussière.

Eugénie fut tentée de demander à Fanette pourquoi elle était revenue si tôt de La Malbaie, mais elle décida de la laisser tranquille. Fanette avait gardé un trait de caractère de son enfance : elle se refermait sur elle-même dès qu'on la pressait de questions. Elle finirait bien par lui parler, lorsqu'elle s'en sentirait prête. Eugénie prit son trousseau de clés et ouvrit la porte, puis aida Fanette à transporter ses bagages à l'intérieur. Il commençait à faire sombre dans la maison. Eugénie alluma une lampe au kérosène qu'Emma venait de faire installer dans l'entrée. Aussitôt, la maison reprit son allure familière et rassurante. Lorsque Fanette s'inquiéta de l'absence d'Emma, Eugénie la rassura :

— Elle fait le tour des paroisses pour « soutirer » de l'argent aux curés.

Fanette ne put s'empêcher de sourire. Avant de s'engager dans l'escalier, ses valises à la main, elle se tourna vers Eugénie.

— Ne t'inquiète pas pour moi. Je vais bien.

Eugénie fut touchée par cette marque d'attention de la part de Fanette. Malgré une enfance difficile, celle-ci semblait avoir développé la faculté de comprendre les autres, de se mettre à leur place, contrairement à beaucoup d'enfants malheureux qui fréquentaient le refuge et s'enfermaient dans un puits de souffrance, de rage et de solitude. Elle espérait que certains d'entre eux s'en étaient sortis et, qui sait, connaîtraient un peu de bonheur.

Fanette avait déposé ses valises au pied de son lit sans prendre le temps de les défaire. Elle s'installa à son secrétaire, aiguisa une plume et ouvrit l'encrier si vite qu'elle répandit quelques gouttes d'encre sur la feuille de papier qu'elle avait placée devant elle. Elle s'efforça de retrouver son calme, prit une nouvelle feuille et se mit à écrire aussi vite que sa main le lui permettait. Elle recommença sa lettre à plusieurs reprises, avec l'impression frustrante que les mots ne rendaient pas justice aux sentiments qu'elle éprouvait.

Eugénie prit un linge et souleva le couvercle d'une marmite en fonte. Le pot-au-feu était prêt. Elle jeta un coup d'œil à l'horloge grand-père qui trônait dans la cuisine. Huit heures déjà. Il y avait presque une heure que Fanette était montée dans sa chambre. Elle entendit alors un pas léger dans l'escalier. Elle sourit : Fanette avait peut-être son jardin secret, mais elle devait avoir l'estomac dans les talons après un si long voyage. Fanette entra dans la cuisine, une lettre à la main. Elle s'arrêta à quelques pas d'Eugénie, ses yeux bleus presque noirs dans la lumière feutrée de la lanterne suspendue sur le mur à côté du poêle.

— Eugénie, à quelle heure ouvre le bureau de poste demain ?

Entre deux bouchées, Fanette lui raconta par le menu les circonstances de son départ de La Malbaie, et sa surprise en découvrant que la dureté du notaire cachait une sensibilité qu'elle n'avait jamais soupçonnée.

— « Mettez son amour à l'épreuve », répéta Eugénie. Le notaire t'a vraiment dit cela ?

Fanette acquiesça, les yeux brillants.

— Et il m'a dit aussi que si, dans quelques mois, Philippe persistait à vouloir m'épouser, il consentirait à notre mariage.

Eugénie prit une gorgée de thé, l'air songeur.

— Tu crois qu'il n'était pas sincère ? murmura Fanette, anxieuse.

— Je ne sais pas, Fanette. D'après ce que tu m'as raconté, le notaire Grandmont semblait tenir mordicus au mariage de son fils avec mademoiselle Sicotte. Je suis étonnée qu'il y renonce si facilement.

— Philippe n'acceptera jamais d'épouser Simone ! s'écria Fanette avec ferveur.

— Même contre les vœux de son père ?

Fanette ne répondit pas, la gorge serrée. Eugénie lui prit gentiment la main.

— Fanette, je ne suis qu'une rabat-joie. Oublie ce que je t'ai dit. Il faut avoir confiance. Le temps jouera en votre faveur, j'en suis convaincue.

Le lendemain, Fanette se rendit elle-même au *Post Office*, rue Saint-Pierre, tenant sa précieuse lettre serrée contre sa poitrine. Elle fit la queue devant le comptoir en bois surmonté d'une grille percée d'un guichet étroit. La salle était sombre, sans air. Elle écouta distraitement le bruit du tampon et le bourdonnement d'une mouche qui se frappait contre une vitre. Enfin, le comptoir se libéra. La postière, madame Painchaud, une femme au visage maigre et cireux, pesa soigneusement sa lettre dans une balance.

— Ça vous fera trois sous, mademoiselle.

Fanette déposa les pièces de monnaie dans l'interstice.

— Ça va prendre combien de temps à ma lettre pour se rendre jusqu'à La Malbaie ?

— C'est de valeur, la malle-poste qui fait la *run* de l'est vient de partir. Y a un départ tous les deux jours, sauf les jours chômés. On est jeudi, donc pas de départ avant lundi. Votre lettre devrait arriver mardi, au plus tard.

— Mardi ! C'est long ! s'exclama Fanette.

La postière la regarda du coin de l'œil.

— Comptez-vous chanceuse. Dans mon temps, la poste mettait un bon trois semaines !

༄

Le lendemain du départ de Fanette, en fin de matinée, le notaire Grandmont sella son cheval et se rendit au village. Le

303

soleil était déjà haut dans le ciel. Des asclépiades aux bouquets mauves et odorants bordaient le chemin. Il vit à distance des maisons blanches qui semblaient accrochées à la falaise. Puis le clocher dentelé de l'église se profila devant lui. Le magasin général était situé en face. Le notaire attacha sa monture à un poteau en bois et entra dans le magasin. Il constata avec satisfaction qu'il n'y avait personne devant le guichet du petit bureau de poste situé à l'arrière du magasin. Napoléon Roy, le jeune maître de poste, portant une visière et des ronds de cuir cousus aux coudes, était en train de classer des colis dans des casiers en bois derrière le comptoir.

— Bonjour Napoléon.

Le maître de poste se tourna vers lui, visiblement content d'avoir enfin un client.

— Monsieur le notaire ! Quel bon vent vous amène ?

— Napoléon, je sais que vous êtes fiable et discret.

Le jeune homme se rengorgea, fier du compliment.

— Je fais mon gros possible, m'sieur le notaire.

— J'ai un petit service à vous demander.

— Si je peux vous accommoder…

— C'est… délicat.

Le notaire se pencha vers lui et expliqua que son fils s'était amouraché d'une actrice aux mœurs…

— Enfin, je n'ai pas besoin de vous faire de dessin, susurra le notaire.

Le jeune maître de poste rougit jusqu'aux oreilles.

— Le devoir d'un père est de protéger son enfant dans toutes les circonstances de la vie, n'est-ce pas Napoléon ?

— Ah, pour ça oui, m'sieur. J'ai deux p'tits gars, j'y tiens comme la prune de mes yeux !

— *Prunelle*, dit le notaire, on dit *prunelle*…

Le notaire se pencha encore davantage, chuchotant presque :

— Je vous demande tout simplement de me remettre en mains propres toute lettre adressée à cette personne, et toute lettre qu'elle ferait parvenir à mon fils. Elle s'appelle Fanette O'Brennan.

Le maître de poste se gratta l'oreille, visiblement mal à l'aise.

— Je voudrais bien vous aider, m'sieur le notaire, mais… c'est interdit par le règlement.

Le notaire se redressa, l'air sévère.

— S'il y a quelqu'un qui connaît les règlements et les respecte, c'est bien moi, mon cher enfant. Aussi, je ne vous demande pas d'y déroger. Mais en tant que *pater familias*, j'ai le droit, et même le devoir, de surveiller les fréquentations de mon fils. Je ne ferai que lire les lettres et, si elles sont bienséantes, je les remettrai à mon fils, n'ayez crainte.

Le maître de poste fut rassuré par les paroles du notaire.

— Si c'est juste ça, fit-il.

Le notaire glissa une petite enveloppe sous le guichet.

— C'est pour vous, mon jeune ami.

Napoléon prit l'enveloppe, y jeta un coup d'œil ; il y avait quelques livres à l'intérieur. Il protesta faiblement.

— C'est pas nécessaire, m'sieur le notaire.

— Tut tut tut. Pour vous remercier de votre dévouement… Alors, je peux compter sur vous ?

Napoléon, sans réfléchir, se mit au garde-à-vous.

∾

Depuis le départ de Fanette, Philippe se rendait tous les jours au bureau de poste.

— Bonjour, Napoléon. Vous avez une lettre pour moi ?

— Non, rien, m'sieur Grandmont.

Chaque fois, Philippe était ravagé par la déception, mais reprenait aussitôt espoir en se disant, pendant le retour, qu'il avait plu beaucoup ces derniers jours, ce qui rendait les chemins moins praticables. Puis il arrêtait sa monture sur le bord de la route, anxieux : peut-être que la lettre avait été perdue, ou l'adresse n'était pas la bonne ? Ou pire, les sentiments de Fanette à son égard avaient changé ? Le sixième jour, un mardi, en revenant à la maison bredouille, il confia ses craintes à Rosalie, qui hocha la tête en souriant :

— Mais laisse-lui le temps de t'écrire ! Il y a à peine une semaine que Fanette est partie !

— Une semaine seulement ? dit-il, étonné. Le temps est si long sans elle.

Ce même jour, le notaire, constatant que son fils était de retour du village, s'y rendit en *coach* sous prétexte d'acheter quelques bouteilles de bon vin qu'il avait commandées au magasin général. Il y entra et se dirigea vers le guichet postal. À la mine de Napoléon, il sut tout de suite qu'une lettre était arrivée. Le maître de poste la lui tendit sans un mot, l'air d'un conspirateur. Le notaire prit la lettre, la glissa dans sa redingote et sortit. Aussitôt dehors, il ne put résister à la curiosité et ressortit la lettre qu'il examina avec une sorte d'avidité. Le cachet de la poste indiquait qu'elle avait été envoyée de Québec le 16 juillet, dès le lendemain du départ de Fanette. *Elle n'a pas perdu de temps*, se dit-il. En haut à gauche, l'adresse de retour indiquait « F. O'Brennan, 50, rue Sous-le-Cap, Québec. » L'écriture était fine, légèrement penchée. Ainsi, Fanette avait écrit à son fils. Il lirait avant lui des mots qui ne lui étaient pas destinés. Il eut la tentation presque irrésistible d'ouvrir la lettre sur-le-champ, mais il fit un effort sur lui-même et la remit dans sa redingote ; puis il se rappela qu'il devait prendre sa commande de vin. Il retourna au magasin, paya le vin, demanda à un jeune commis d'apporter sa caisse jusqu'à sa voiture, le gratifia d'un bon pourboire puis repartit, fouettant énergiquement son cheval. Le commis regarda longuement la pièce de cinquante sous, comme s'il doutait de sa réalité : c'était la première fois que le notaire, qui avait la réputation d'être pingre, lui donnait une « gratification ».

Aussitôt rentré chez lui, le notaire s'enferma dans son bureau. Il s'enfonça dans un fauteuil et ressortit la lettre de sa poche intérieure, surpris de sentir son cœur battre la chamade comme celui d'un jeune homme. Il ouvrit l'enveloppe à l'aide d'un coupe-papier. Ses mains tremblaient légèrement en retirant la lettre, qu'il porta instinctivement à ses narines.

Il lui sembla qu'un léger parfum de rose l'imprégnait. Il la déplia lentement, avec le sentiment exaltant et coupable de commettre l'irréparable. La lettre comportait trois feuillets écrits à l'encre bleue. Elle semblait avoir été écrite rapidement ; les mots étaient serrés les uns contre les autres, comme pressés d'être lus.

Québec, le 15 juillet 1857

Très cher Philippe,

Pardonne-moi d'être partie sans attendre ton retour. J'ai quitté La Malbaie à la demande de ton père. Mais rassure-toi : il « ne me hait point », comme le disait Chimène à Rodrigue. Derrière sa froideur et ce qui peut paraître une sécheresse de l'âme, c'est un être sensible, qui semble avoir beaucoup souffert.

Le notaire dut interrompre sa lecture, en proie à des sentiments violents et contradictoires. « Froideur », « sécheresse de l'âme », ces mots faisaient mal, mais tout de suite après, Fanette mettait un baume à ses blessures : « un être sensible, qui semble avoir beaucoup souffert »… Il se croyait à l'abri, dans sa forteresse bâtie soigneusement depuis si longtemps, et cette jeune fille, sans même le connaître, avait su lire en lui, le démasquer, mettre en pleine lumière ce qu'il croyait caché aux yeux de tous. Il poursuivit fiévreusement sa lecture :

Je ne te cacherai pas qu'au début de notre conversation, ton père m'a clairement laissé entendre que je ne devais pas nuire à ton avenir et faire obstacle à ses projets d'un mariage entre toi et mademoiselle Sicotte. Il m'a dit que j'étais orpheline, sans relations, sans fortune, ce qui est la vérité même. Je lui ai répondu que tu n'accordais pas d'importance à mon rang dans la société, à mes relations ou à ma fortune, enfin, quelque chose du genre. J'ai poussé l'outrecuidance jusqu'à affirmer à ton père que tu n'étais pas amoureux de mademoiselle Sicotte. Tu vois, très cher Philippe, à quel point je me permets de parler en ton nom ! Quelle sans-gêne je suis…

Le notaire eut un sourire, à la fois ému et teinté d'amertume. Fanette était si jeune, si candide ! Il donnerait cher pour retrouver cette innocence, cette confiance sans artifices et sans fard, qu'il avait perdues depuis si longtemps…

> Je ne sais si ce sont mes arguments qui ont trouvé le chemin de son cœur, mais ton père m'a finalement laissé entendre que s'il désirait mon départ, c'était pour « mettre tes sentiments à l'épreuve » – et les miens, sans doute… Si, après cette séparation de quelques mois, tes sentiments à mon égard restaient inchangés, il pourrait consentir à notre mariage. Autrement dit, il va falloir nous armer de patience. Déjà le voyage de retour à Québec m'a semblé une éternité ; chaque tournant du chemin, chaque mille parcouru m'arrachait à toi. Mais qu'est-ce qu'une attente de quelques mois devant la perspective d'une vie entière passée à tes côtés ? Vite, écris-moi, dis-moi que je ne me suis pas trompée, que tu m'aimes comme je t'aime !
>
> Ta Fanette.

La lettre resta suspendue dans ses mains, éclairée par la lumière orangée qui entrait par la fenêtre. Le gong de l'horloge le sortit de sa rêverie profonde. Il alluma une lampe, relut la lettre plusieurs fois, comme pour graver chaque mot dans sa mémoire, puis la replia et la remit dans l'enveloppe. Le papier craquait sous ses doigts. Il trouva des allumettes dans le tiroir de son secrétaire, se dirigea vers le foyer éteint, plaça la lettre dans l'âtre et y mit le feu. Il regarda les flammes bleues et jaunes dévorer le papier. Il sentit que c'était une part de lui-même qui brûlait ; celle qui était capable d'aimer, de pardonner, de comprendre. Il attendit que la lettre soit complètement calcinée avant de sortir de la pièce, la démarche lente, comme s'il était soudain devenu un vieil homme.

೧౨

Fanette écrivit une deuxième, puis une troisième lettre. Toujours pas de nouvelles de Philippe. Chaque visite au bureau de poste était devenue un supplice.

— Vous êtes certaine que vous n'avez rien reçu pour moi ?

Madame Painchaud levait les yeux au ciel.

— Si y avait une lettre pour vous, je le saurais, mademoiselle, dit-elle sèchement. Je connais mon travail.

À sa dernière visite, des larmes de déception étaient montées à ses yeux.

— Peut-être que mes lettres se sont perdues en chemin, dit-elle, la voix tremblante, tentant d'expliquer le silence de Philippe.

— Pis peut-être que les poules ont des dents, avait répondu madame Painchaud.

Fanette était repartie, la mort dans l'âme.

Lorsque Emma et Eugénie la voyaient revenir, triste et abattue, elles tentaient de la rassurer, mais Fanette commençait à perdre espoir. Les paroles du notaire Grandmont lui revenaient à la mémoire, lancinantes : « Mon fils vous aime aujourd'hui et demain, il en aimera une autre. » Et s'il avait eu raison ? Si Philippe l'avait déjà oubliée ? Ou peut-être avait-il plié devant les volontés de son père et accepté d'épouser mademoiselle Sicotte, après tout. Elle sentit un étau étreindre sa poitrine à cette seule pensée. Elle décida alors d'écrire une lettre à Rosalie pour en avoir le cœur net et l'apporta au bureau de poste la journée même.

೧౨

Le notaire, en sortant du bureau de poste, examina la lettre que Napoléon lui avait remise. Elle était adressée à Rosalie Grandmont. Il n'y avait pas d'adresse de retour, mais il reconnut immédiatement l'écriture fine et nerveuse de Fanette.

De retour chez lui, il s'empara de son coupe-papier et s'apprêta à ouvrir la lettre, mais il se ravisa. Il regretta presque de s'être engagé dans une telle entreprise. À quoi bon détruire le bonheur de ces jeunes gens pour un mariage dans le grand monde qui ne se ferait peut-être jamais ? Irrité par ces remords tardifs, il déchira la lettre sans la lire et y mit le feu.

❦

L'été tirait à sa fin. Les champs viraient à l'ocre et les feuilles commençaient déjà à roussir. Philippe était toujours sans nouvelles de Fanette. Pourtant, sur les conseils de Rosalie, il lui avait écrit trois lettres, toutes restées sans réponse. Même Rosalie était à court d'explications. Une idée terrifiante vint à Philippe, comme à tout amoureux qui, ne comprenant pas d'être sans nouvelles de l'être aimé, imagine le pire :

— Fanette a peut-être eu un accident. Ou elle est tombée malade. Elle est peut-être mourante.

Rosalie se fit rassurante.

— Madame Portelance aurait trouvé le moyen de nous prévenir.

— Alors pourquoi n'écrit-elle pas ? Il n'y a qu'une raison qui puisse expliquer son silence. Elle ne m'aime plus.

Rosalie ne dit rien, voyant que les mots étaient inutiles. Philippe, inconsolable, faisait de longues promenades dont il revenait fourbu et désespéré.

❦

Le coupe-papier ouvrit l'enveloppe avec un bruit sec. Des mains légèrement tremblantes s'emparèrent de la lettre.

La Malbaie, le 21 août 1857

Ma très chère Fanette,

Un mois et six jours se sont écoulés depuis ton départ, une éternité ! Je t'écris cette troisième lettre comme on jette une bouteille à la mer, sans grand espoir qu'elle reçoive une réponse. Mais si tu as encore un peu d'amitié pour moi, écris-moi. Dis-moi si je puis encore espérer, ou enlève-moi tout espoir, mais je t'en prie, donne-moi de tes nouvelles. L'atmosphère est devenue irrespirable ici. Mon père passe ses journées enfermé dans son bureau, ma mère reste confinée à sa chambre. La pauvre Rosalie a courageusement tenté de « plaider notre cause », comme on le dit dans le langage juridique, mais mon père ne veut rien entendre. Il prétend que si je persiste à vouloir t'épouser, il me déshéritera. Ses menaces me laissent indifférent. Ma Fanette, accepteras-tu d'épouser un pauvre jeune homme sans le sou et sans nom ?

Le notaire déchira la lettre de son fils dans un mouvement de colère. *Quel imbécile !* pensa-t-il. Heureusement qu'il veillait au grain. Il roula la lettre en boule, la jeta dans le foyer et la brûla, comme il l'avait fait pour les autres.

❦

Les domestiques allaient et venaient dans la maison. Dans quelques jours, les Grandmont quitteraient la maison de La Malbaie et retourneraient à Québec. Philippe avait pris une importante résolution. Il se rendrait au bureau de poste une dernière fois. Et s'il n'avait toujours pas de nouvelles de Fanette, il partirait étudier la médecine à Montréal. Il s'inscrirait à l'école Victoria, affiliée à l'Hôtel-Dieu, qui avait une excellente réputation. Soigner les autres, ce serait son ultime consolation. Rosalie, à qui il confia son projet, l'approuva chaleureusement. Elle avait beau aimer Fanette comme sa sœur, elle lui en voulait de ce silence qu'elle ne comprenait pas. Était-ce par crainte de blesser son frère, qu'elle ne lui avait pas écrit ? Par lâcheté ? Rosalie refusait d'envisager cette dernière hypothèse. La Fanette qu'elle connaissait était franche, loyale. Même si ses sentiments à l'égard de Philippe avaient changé, elle n'aurait pas hésité à lui dire la vérité, au lieu de le laisser se morfondre sans lui donner de nouvelles.

Philippe sella son cheval et partit au petit trot. L'air était chargé des derniers parfums de l'été, suaves et fragiles. Le vert des feuilles et de l'herbe, presque acidulé au début de l'été, avait pris une teinte d'or terni. En route, il se répétait à voix haute : « Il n'y aura pas de lettre, il n'y aura pas de lettre », pour ne pas entretenir trop d'espoir.

Il entra dans le magasin général et se dirigea vers le comptoir du bureau de poste. L'odeur familière d'encre et de papier l'assaillit. Napoléon Roy, une plume sur l'oreille, était en train de remettre un colis à une cliente. Lorsqu'il vit Philippe, son visage se rembrunit. La malle-poste était arrivée le matin même. Il y avait une lettre pour le pauvre garçon, avec l'adresse de retour de la mystérieuse F. O'Brennan. Il lui faudrait la remettre au notaire Grandmont, comme toutes les autres. Le maître de poste commençait à être embarrassé par cette histoire. Lorsqu'il avait accepté d'intercepter le courrier pour le notaire, il croyait bien faire. Il faut dire que les enveloppes contenant quelques livres que le notaire lui remettait de temps en temps l'avaient aidé à accomplir sa « mission ». Mais il la trouvait de plus en plus lourde à porter, et craignait qu'elle eût des conséquences plus fâcheuses qu'il ne l'avait d'abord imaginé. La cliente repartit avec son paquet. Philippe se pencha vers le guichet. Il tentait d'avoir l'air dégagé, mais sa voix était blanche.

— Bonjour, Napoléon. Vous avez une lettre pour moi ?

Le maître de poste hésita. S'il remettait cette lettre au jeune homme, Dieu sait ce que le notaire dirait. D'un autre côté, le pauvre faisait pitié à voir, avec ses yeux battus et sa mine d'enterrement. Et puis quel mal y avait-il, après tout, à recevoir la lettre d'une jeune fille ? Lui-même avait bien échangé des lettres passionnées avec sa Robertine avant de l'épouser. Philippe perçut son hésitation. L'espoir le fit presque chanceler. Il s'appuya des deux mains sur le comptoir.

— Vous avez reçu une lettre ?

Ah, et puis tant pis ! se dit-il. Son rôle était de distribuer le courrier, pas de le détourner. Le maître de poste sourit.

— Je cré ben que vous l'attendiez. Vous venez ici tous les jours que le Bon Dieu amène.

Napoléon Roy lui tendit une lettre. Philippe la prit, reconnut tout de suite l'écriture de Fanette. Il porta la lettre à ses lèvres en fermant les yeux. Le maître de poste le regarda, inquiet.

— Vous allez pas tourner de l'œil, toujours.

Philippe sortit du bureau de poste presque à la course, bousculant une vieille dame.

— Pardon !

Le soleil éclaboussait le paysage d'une lumière blanche. Philippe prit place sur un banc en bois devant le magasin général et déchira l'enveloppe, le souffle court. La lettre ne comportait qu'un feuillet. Elle était datée du 16 août.

> Cher Philippe,
> J'ai marché sur mon orgueil pour t'écrire une cinquième et dernière fois.

Philippe interrompit sa lecture, foudroyé. Ainsi, Fanette avait écrit quatre autres lettres avant celle-ci ! Comment se faisait-il qu'il ne les ait pas reçues ?

> L'orgueil… Je n'aurais jamais cru que ce sentiment pourrait avoir sa place entre nous, et que je devrais le mater pour être capable de t'envoyer cette lettre. Mais qu'importe. Je t'aime, et tu ne m'aimes plus. J'aurais préféré l'apprendre de toi plutôt que d'avoir à le supposer.
> Je te souhaite d'être heureux, car même si j'ai eu beaucoup de peine à cause de toi, je sais que ton cœur est bon et qu'il y a sans doute des raisons qui expliquent ce cruel silence.
>
> Fanette.

Il replia fébrilement la lettre. Fanette l'aimait. Cette seule certitude le remplit d'une joie folle et en même temps, la colère bouillait en lui. Fanette n'avait pas reçu ses lettres. Il n'avait pas reçu les siennes. Ils avaient tous les deux souffert d'un silence qui n'était pas leur fait. Il secoua la tête. Huit lettres ne peuvent disparaître ainsi par hasard. Il y avait eu maldonne. Ou pire… Il se leva, retourna d'un pas ferme vers le bureau de poste. Il avait recouvré son calme, sentant que sa vie se jouait en ce moment même.

❧

Le notaire, installé sur le banc de pierre qu'affectionnait Fanette, prenait le thé en lisant la *Gazette de Québec* qui datait d'une semaine. À la campagne, il fallait se résigner à n'apprendre les nouvelles qu'après les gens de la ville, comme s'il y avait un décalage dans le temps. Un bruit de pas lui fit lever la tête. Lorsqu'il vit son fils s'avancer vers lui, le visage livide et les prunelles fixes, il comprit qu'il savait la vérité. Il se prépara à l'orage, comme lorsqu'il subissait les foudres de parents après la lecture d'un testament qui les dépouillait.

— Où sont-elles ? demanda Philippe, la voix coupante.

— De quoi parles-tu ?

— Les lettres, qu'en avez-vous fait ? N'essayez pas de me mentir, Napoléon Roy m'a tout dit.

Le notaire replia calmement son journal.

— Je les ai brûlées.

Philippe s'avança vers son père, l'allure menaçante.

— Vous n'aviez pas le droit !

— J'ai tous les droits. Je suis ton père et je l'ai fait pour te sauver de ta propre folie.

Philippe fixa les yeux sur cet homme qui lui sembla soudain être devenu un étranger.

— Je pars pour Québec. Adieu.

Le notaire se leva d'un bond. Le journal glissa par terre.

— Si tu quittes cette maison, je te déshérite. Tu ne seras plus mon fils.

Rosalie, qui avait entendu les éclats de voix, apparut sur le seuil de la véranda.

— Père, je vous en prie…

— Rosalie, ne te mêle pas de ce qui ne te regarde pas. Retourne dans la maison.

Philippe se dirigea vers sa sœur, lui mit une main sur le bras.

— Reste.

Rosalie obtempéra, le visage pâle et tendu. Philippe fit face à son père.

— Vous pouvez me déshériter si ça vous chante. Vous savez le peu de cas que je fais de l'argent.

— Il n'y a que les riches qui peuvent se permettre de dédaigner l'argent, répliqua son père, ironique.

Philippe poursuivit comme s'il ne l'avait pas entendu :

— Pour ce qui est de ne plus être votre fils, eh bien, tant pis. Je n'ai pas besoin d'un père tel que vous.

Philippe fit un mouvement pour partir.

— Très bien ! Fais à ta tête. Va rejoindre ta Fanette dans un bel élan romantique. Offre-lui une existence de misère et de scandale, puisque tu l'aimes à ce point !

— Je vais l'épouser !

— Tu n'auras plus de nom, plus de famille, plus d'honneur. La belle affaire !

— Quelle famille ? Quel nom ? répliqua Philippe, amer. Je n'ai eu droit qu'à votre mépris, qu'à vos mensonges !

Philippe s'éloigna. Le notaire joua sa dernière carte :

— Philippe, je t'en conjure, réfléchis avant de commettre l'irréparable. Songe à ta mère, à Rosalie. Songe au tort que tu feras à Fanette.

— C'est déjà tout réfléchi.

— Philippe !

Philippe ne mit que le strict nécessaire dans un petit sac de voyage. Il le referma avec le sentiment exaltant et angoissant que l'on éprouve lorsqu'on a pris une décision irrémédiable. La page était tournée, enfin. Son père ne lui pardonnerait jamais son départ, il le savait et en acceptait les conséquences. Son seul regret était de laisser la pauvre Rosalie seule avec un père autoritaire et une mère absente. Sa mère… Il ne pouvait partir sans lui faire ses adieux.

Lorsque Philippe passa devant la chambre de Marguerite, il fut surpris de voir la porte grande ouverte. Une brise fraîche entrait par la fenêtre et agitait les rideaux. Il s'attendait à ce que sa mère soit étendue dans son lit, comme elle en avait l'habitude, mais elle était debout près de la fenêtre et regardait dehors. Elle entendit un craquement et tourna la tête. Philippe fut frappé par sa pâleur presque translucide. On aurait dit une fleur qui s'étiolait par manque d'eau et de lumière.

— Mère, je…

— Tu vas partir, je sais.

Elle ajouta, avec une pointe d'humour qui contrastait avec la tristesse de son regard :

— J'ai entendu votre discussion. Difficile de faire autrement, vous parliez fort.

Elle s'avança vers son fils, le regarda avec une gravité tendre.

— Tu aimes Fanette, n'est-ce pas ?

— Oui, je l'aime, murmura Philippe, la gorge serrée.

— Alors épouse-la. Même si mon avis ne compte pas, tu as ma bénédiction. J'ai gâché ma vie, mais je serais heureuse que tu ne gâches pas la tienne.

Philippe prit la main de sa mère et la porta à sa joue, comme il le faisait enfant. Elle lui caressa tendrement les cheveux. Puis elle se dégagea, se dirigea vers un coffret en bois ouvragé qui était sur sa coiffeuse, l'ouvrit et sortit des bijoux au hasard, qu'elle donna à son fils.

— Tiens, vends-les, ça t'aidera à tenir le coup au début.

— Je ne peux pas accepter.

— Ça te sera plus utile à toi qu'à moi.

Philippe fut ému par son geste, mais ne prit pas les bijoux qu'elle lui tendait. Elle soupira, les remit dans le coffret.

— N'oublie pas de me donner de tes nouvelles de temps en temps.

Elle lui fit signe de partir d'un mouvement de la main.

— Allez ! Tu as une longue route à faire. Sois prudent.

Il l'embrassa puis sortit rapidement, pour qu'elle ne voie pas ses larmes.

XXXVI

C'était l'anniversaire d'Emma. Les deux chandeliers en étain trônaient au milieu de la table. Eugénie, pour souligner dignement l'événement, avait sorti le service en porcelaine blanche du Staffordshire décoré de motifs bleus qui avait appartenu au père d'Emma.

— Cinquante ans ! grommela Emma. Misère ! Je suis une vieille dame !

Eugénie se moqua gentiment d'elle :

— Tu auras le droit de dire que tu es vieille à soixante-dix ans, pas avant !

Eugénie avait tenu à inviter le docteur Lanthier pour souligner l'occasion. Il était arrivé accompagné de deux hommes bâtis comme des armoires à glace. Ils tiraient une charrette à brancards dans laquelle avait été déposé un objet volumineux enveloppé dans du jute et attaché avec une corde de chanvre.

— Qu'est-ce que c'est ? demanda Emma, abasourdie.

Le docteur afficha un sourire mystérieux :

— Vous serez la première dame de notre bonne ville de Québec à en posséder une. Vous verrez, cela vous facilitera grandement la vie !

Le docteur fit signe aux deux manœuvres qui s'emparèrent du colis et le déposèrent par terre devant la maison. Un petit attroupement s'était formé autour d'eux : une mère avec son bébé dans les bras ; monsieur Lavoie, le marchand de souliers, qui passait par là, et quelques curieux. Le docteur, l'air faussement solennel, défit la corde et enleva le jute d'un mouvement théâtral. Des exclamations ébahies se firent entendre. Même Fanette, piquée par la curiosité, était sortie de la maison et s'était approchée. L'objet en question était une sorte de cuve en bois circulaire ceinturée de cerceaux en métal et soutenue par quatre pattes. La cuve, munie d'une manivelle qui ressemblait à la barre d'un bateau, était surmontée de deux rouleaux encastrés l'un par-dessus l'autre. Un silence ébahi se fit. Le docteur observait Emma, hilare.

— Hein ? N'est-ce pas une petite merveille ? Je l'ai achetée aux États-Unis par catalogue !

Emma hocha la tête, médusée. Une dame s'approcha, toucha l'objet du bout de ses doigts, comme s'il eût été ensorcelé.

— C'est… c'est une machine pour laver le linge ?

— Exactement ! s'écria le docteur.

Il désigna la manivelle.

— Au lieu de frotter votre linge à la main sur une planche, vous le placez dans cette cuve remplie d'eau et vous tournez la manivelle pour brasser. Ensuite, vous essorez les vêtements en les glissant entre les rouleaux et en tournant l'autre manivelle que vous voyez juste ici. Et le tour est joué !

Des hochements de tête et des exclamations accueillirent la démonstration du docteur. Les deux manœuvres soulevèrent la fameuse machine et la transportèrent dans la cour arrière de la maison d'Emma sous les applaudissements des badauds.

Le souper fut gai. Le docteur parla des recherches que l'Anglais Alfred Russel Wallace effectuait sur les lois qui régissent les espèces animales. D'après ce scientifique, sur des millions d'années, une espèce animale se divisait en sous-espèces et pouvait être éventuellement surclassée par ces dernières.

— Autrement dit, une branche d'une même espèce pourrait prendre le dessus sur une autre ? demanda Eugénie.

Le docteur Lanthier la regarda avec une étincelle d'admiration dans l'œil.

— Vous auriez pu être une femme de science, Eugénie.

Ou une femme de docteur, pensa Emma en observant les yeux brillants du docteur Lanthier et la mine animée d'Eugénie. Parfois, elle se demandait si le refus d'Eugénie d'épouser le docteur n'avait pas été pur sacrifice de sa part. Eugénie était capable de ce genre d'abnégation. À plusieurs reprises, elle avait été sur le point d'aborder le sujet avec elle, mais chaque fois, une sorte de pudeur mêlée à la crainte de la perdre l'en avait empêchée.

— Emma, tu es dans la lune, dit Eugénie, taquine.

Emma lui sourit, embarrassée. Eugénie se leva pour débarrasser la table, aidée par Fanette, qui était restée silencieuse toute la soirée.

En partant, le docteur en fit la remarque à Eugénie. Elle haussa les épaules, résignée.

— Elle a une peine de cœur, expliqua-t-elle à mi-voix. Ça fait des semaines qu'elle se traîne comme une âme en peine, la pauvre petite.

— À son âge, elle se remettra, dit le docteur, l'expression mi-figue, mi-raisin.

Eugénie le regarda, songeuse. Elle faillit dire quelque chose mais se ravisa. Elle lui tendit son chapeau.

— Bonne nuit, Henri.

— Bonne nuit.

Elle regarda sa silhouette solitaire s'éloigner dans la rue.

❧

Fanette est debout sur le pont du bateau qui roule et tangue sur les vagues. Le vent hurle, les voiles claquent, elle entend les cris des hommes et le grincement des palans. Soudain, une immense déferlante surgit derrière le bateau qui gîte brutalement. Elle doit s'agripper au bastingage pour ne pas tomber par-dessus bord. C'est alors qu'elle voit Amanda à la barre. Ses cheveux mouillés lui collent au visage. Fanette tente de lui dire quelque chose, mais Amanda ne l'entend pas. Elle s'accroche à la barre, les yeux rivés sur le compas. Fanette entend un craquement sinistre, un mât vient d'être atteint par la foudre et s'écrase sur le pont juste au-dessus d'elle.

Fanette se réveilla en nage. Il s'était mis à pleuvoir. La pluie frappait sur les vitres comme sur un tambour. Elle jeta un coup d'œil à une pendule en bronze déposée sur le manteau du faux foyer qui ornait sa chambre : il était une heure du matin. Elle entendit le sifflement d'un fouet et le hennissement d'un cheval. Elle rejeta son drap, se leva, souleva le rideau et jeta un coup d'œil par sa fenêtre. Un cavalier s'était arrêté devant la maison. Sa silhouette fut illuminée un instant par un éclair. Le cavalier portait un chapeau dont le rebord était rabattu ; elle ne le reconnut pas.

Des coups retentirent sur la porte d'entrée. Emma, alertée par le bruit, jeta un châle sur ses épaules et sortit de sa chambre une lanterne à la main. Elle croisa Eugénie et Fanette sur le palier. Les trois femmes, inquiètes, descendirent l'escalier et se tinrent debout devant la porte, sur le qui-vive.

— Qui va là ? demanda Emma, plus morte que vive.

— C'est Philippe Grandmont.

Emma ouvrit la porte. Philippe était hagard, trempé par la pluie, les habits couverts de boue, les lèvres presque bleues.

— Seigneur, s'exclama Emma, dépassée par les événements. D'où venez-vous, mon pauvre garçon ?

Elle avait à peine terminé sa phrase que Fanette se jeta dans les bras du jeune homme, sans se préoccuper des gouttes d'eau mêlées à la boue qui maculaient son manteau. Emma s'empressa de les séparer, puis fit signe à Fanette de retourner dans sa chambre. Cette dernière obtempéra, non sans avoir jeté à Philippe un regard rempli de joie et d'inquiétude.

Le jeune homme était tellement épuisé et transi qu'il parla avec difficulté :

— J'ai fait la route… de La Malbaie… jusqu'ici… Mon cheval… Il faut… le mettre à l'abri.

Emma regarda dehors. Philippe avait attaché sa monture à un lampadaire. La pluie ruisselait sur sa livrée. Un vent chargé de pluie froide s'engouffra dans la maison. Emma s'empressa de refermer la porte et se tourna vers Eugénie.

— Fais-nous un bon thé chaud. Je m'occupe du cheval.

Emma prit un parapluie en toile cirée et sortit sous la pluie battante.

Philippe était attablé dans la cuisine, soufflant dans ses mains pour les réchauffer, une couverture sur les épaules. Eugénie déposa une tasse remplie de thé fumant devant lui ainsi que du pain et du fromage.

— Vous avez fait longue route. Vous avez sûrement faim.

Philippe lui sourit avec reconnaissance, rompit le pain et commença à manger, faisant un effort pour ne pas avaler trop vite.

Emma entra dans la cuisine, secoua le parapluie et l'accota contre le poêle pour le faire sécher.

— Maintenant, vous allez nous expliquer ce que vous faites ici au beau milieu de la nuit, dit-elle d'un ton bourru.

Fanette, pieds nus, était debout au pied de l'escalier et écoutait les voix provenant de la cuisine. Elle grelottait mais ne savait plus si c'était le froid ou l'énervement qui en était la cause. Elle entendit la voix de Philippe.

— Je désire épouser Fanette, si elle veut toujours de moi.

Fanette ferma les yeux. Philippe voulait l'épouser ! Elle réprima une envie folle de courir jusqu'à la cuisine et de se jeter à nouveau dans ses bras.

— Mon père nous refuse son consentement, poursuivit Philippe. Il est même allé jusqu'à intercepter les lettres de Fanette et les miennes. Il les a détruites.

Fanette brûla d'indignation. Dire qu'elle avait cru pendant ces cruelles semaines que Philippe ne l'aimait plus ! Comme elle avait été naïve de faire confiance au notaire Grandmont et de se fier à sa parole !

Emma et Eugénie échangèrent un regard entendu. Le notaire avait fait preuve d'une duplicité fort condamnable, mais c'était un personnage important à Québec. Permettre ce mariage contre sa volonté risquait de leur causer bien des ennuis. D'un autre côté, Emma était touchée par la fougue et la persévérance du jeune homme. Elle tâcha de prendre une mine sévère :

— Vous rendez-vous compte de la situation délicate dans laquelle votre fugue nous plonge ? Croyez-vous que je puisse consentir à ce mariage en faisant fi de votre père ?

— Ma mère y consent, dit Philippe avec ferveur. Mais que peut-elle contre la volonté de mon père ?

Il se pencha vers Emma.

— Je remets mon sort et celui de Fanette entre vos mains, madame Portelance. Je me plierai à votre décision, quelle qu'elle soit.

Si au moins il se montrait arrogant, se dit Emma, *je n'aurais pas eu trop de mal à lui tenir tête.* Mais rien ne pouvait la troubler davantage que la sincérité du jeune homme, la confiance absolue avec laquelle il s'en remettait à son jugement. Il n'en tenait qu'à elle de faire son bonheur ou son malheur. C'était une responsabilité dont elle se serait volontiers passée…

— Vous pouvez dormir dans le salon. Je n'ai pas de vêtements d'homme ici. Vous devrez vous contenter d'une couverture et d'un oreiller. Quand vos parents reviennent-ils à Québec ?

— Demain, répondit Philippe.

— Alors j'exige que vous retourniez chez vous dès demain.

Philippe voulut protester, mais Emma poursuivit avec fermeté :

— Je veux bien vous aider, mais vous devez vous aider vous-même. Votre retour dans votre foyer prouvera votre bonne foi. Je m'occupe du reste. S'il faut en croire le vieil adage, la nuit porte conseil.

Fanette, toujours debout dans l'escalier, entendit le grincement des chaises sur le plancher. Elle s'empressa de monter les marches en tâchant de ne pas faire de bruit et regagna sa chambre, le cœur rempli d'amour et d'espoir.

XXXVII

Au milieu de la nuit, Emma, qui n'arrivait pas à fermer l'œil, descendit dans la cuisine, remit quelques bûches dans le poêle et fit chauffer de l'eau pour du thé. Eugénie, qui ne dormait pas non plus, vint la rejoindre.

— Je ne savais pas qu'avoir un enfant pouvait apporter tant de joies et tant de soucis, dit Emma, les traits tirés.

Eugénie fit du thé en silence, laissant Emma à ses pensées.

— Crois-tu qu'on devrait les laisser s'épouser, Eugénie ?

Eugénie versa le thé. Un rayon de lune faisait luire le rebord des soucoupes.

— Quand bien même on voudrait les en empêcher...

Emma prit une gorgée, préoccupée.

— Philippe doit obtenir le consentement de son père. Il n'y a pas à sortir de là.

— C'est plutôt mal parti, dit Eugénie avec son flegme habituel.

— Alors ce mariage ne se fera pas, dit Emma, l'air décidé.

— Ce ne serait pas la première fois que des jeunes gens qui s'aiment s'épousent contre le gré de leurs parents.

— Oui, et ils vivent dans l'opprobre, condamnés par la société ! s'exclama Emma.

Eugénie jeta un regard du côté du salon, voulant faire comprendre à Emma qu'elle risquait de réveiller Philippe.

— Depuis quand tu te préoccupes de ce que les bien-pensants peuvent dire ?

— Depuis que j'ai adopté Fanette.

Emma hocha la tête, en proie au doute.

— Je ne sais plus quoi faire, Eugénie. S'ils se marient, c'est la pagaille. S'ils n'obtiennent pas la permission de s'épouser, ils risquent de le faire quand même, et ce sera pire.

Eugénie regarda Emma, songeuse. Elle n'avait pas tort. Le notaire Grandmont faisait la pluie et le beau temps à Québec. Dieu sait ce qu'il serait capable de mettre en œuvre pour ternir la réputation de Fanette, et même la leur. Qu'adviendrait-il du refuge, auquel elles tenaient tant ? Elle fit un effort pour ne pas montrer son inquiétude à Emma.

— Tâche de dormir un peu. Je suis convaincue que tu prendras la bonne décision.

En passant devant la chambre de Fanette, Emma vit sous la porte qu'il y avait de la lumière. Elle cogna doucement et entra. Fanette était étendue dans son lit, mais avait les yeux grands ouverts. Emma s'installa sur le lit à côté d'elle.

— Toi non plus, tu ne dors pas, ma Fanette ?

— Non.

Fanette hésita, puis avoua à sa mère qu'elle avait entendu sa discussion avec Philippe. Emma la toisa, l'air faussement sévère :

— Tu écoutes aux portes, maintenant ?

Fanette ravala. Emma s'empressa de la rassurer :

— J'aurais fait la même chose à ta place.

Fanette se redressa sur ses coudes, les yeux brillants.

— Mère, je l'aime tant… Il est si bon, si loyal, si…

— … si impulsif et romanesque, poursuivit Emma.

Elle lui enleva une mèche sur le front et lui demanda, sachant à l'avance la réponse :

— Tu as toujours l'intention d'épouser Philippe ?

Fanette acquiesça.

— Plus que jamais.

— Tu en es bien certaine ?

Fanette la regarda dans les yeux avec une détermination farouche.

— Je n'épouserai jamais personne d'autre que lui.

— En tout cas, il semble prêt à remuer ciel et terre pour combler tes vœux, rétorqua Emma. Quitte à encourir les foudres de son père.

Fanette remarqua le pli inquiet qui marquait le front d'Emma. Elle lui entoura le cou de ses deux mains, comme elle le faisait petite fille.

— Peu importe que le notaire s'objecte à notre union, pourvu que vous y soyez favorable.

Emma, touchée par la marque de confiance de Fanette, la tint contre elle un moment, puis se dégagea doucement. Sa décision était prise.

— Fanette, écoute-moi bien. Je vais me rendre chez le notaire Grandmont après-demain.

L'espoir fit briller les yeux de la jeune fille.

— Vous allez lui parler en faveur de notre mariage ?

— Fais-moi confiance. Tu sais que je ne souhaite rien autant que ton bonheur.

Fanette brûlait d'en savoir plus, mais elle acquiesça en silence. Emma se leva.

— En attendant, dors sur tes deux oreilles.

Le matin venu, Emma redescendit à la cuisine. Eugénie, debout devant le poêle, buvait une tasse de café. Trois couverts avaient été placés sur la table. Elle tourna la tête vers Emma.

— Philippe vient de partir. Il n'a avalé qu'une gorgée de café. Le pauvre garçon était blanc comme un linge.

Emma prit la tasse qu'Eugénie lui tendait.

— Je vais chez mon avoué, monsieur Hart.

Eugénie la regarda, intriguée, mais ne lui demanda aucune explication. Emma lui raconterait tout au moment qu'elle jugerait opportun.

La voiture d'Emma s'immobilisa devant une maison en brique située dans la rue Saint-Joseph, dans le quartier Saint-Roch. Le bureau de l'avoué était au deuxième palier, auquel on accédait par un escalier vermoulu. À mi-chemin, Emma dut s'appuyer sur la balustrade. Le cher homme, qui avait été l'avoué de son père, était d'un dévouement et d'une honnêteté exemplaires, mais il avait deux défauts : il fumait la pipe et il fallait grimper deux escaliers pour atteindre son bureau. Elle frappa à une porte sur laquelle un écriteau en cuivre terni avait été cloué : *Me Isaac Hart, avoué.* Elle entendit une voix ferme s'élever :

— Entrez !

Elle ouvrit la porte et vit un vieil homme penché au-dessus de son pupitre. Ses cheveux blancs dépassaient d'une kippa. Le désordre dans son bureau était indescriptible : des dossiers, des contrats traînaient un peu partout ; des livres s'empilaient çà et là. Des sculptures en bronze servaient d'appui-livres. Une lampe à huile éclairait faiblement la pièce, qui sentait le tabac et la poussière. Il se tourna vers Emma, ajustant un lorgnon à l'ancienne mode qui tenait en place par un pince-nez. Il portait une redingote qui avait dû être fort élégante en 1820. Maître Hart avait quatre-vingt-cinq ans bien sonnés, mais la fermeté de son port et l'autorité qui se dégageait de ses traits lui en donnaient vingt de moins. Seul le léger tremblement de ses mains trahissait son âge. Fils d'un homme d'affaires qui avait immigré au Canada en joignant l'armée britannique, il avait grandi aux Trois-Rivières, puis décidé d'entreprendre ses études de droit à Québec, où il avait établi son bureau. Il la regarda au-dessus de son lorgnon.

— C'est un plaisir de vous revoir, madame Portelance, même si une visite à un avoué n'est pas toujours de bon augure.

Il désigna un fauteuil décoloré par l'usage. Elle s'assit en poussant un soupir.

— Fanette veut se marier.

Maître Hart prit une pipe qui traînait sur son pupitre.

— En principe, ce devrait être une bonne nouvelle, dit-il en bourrant sa pipe.

— Le père de son prétendant s'y oppose.

— Je vois. Vous permettez ?

Il désigna sa pipe. Emma n'eut pas le cœur de lui refuser ce plaisir. Une fumée blanche commença à envahir la pièce. Emma s'éventa discrètement du revers de la main.

— Que puis-je faire pour vous être utile, chère madame Portelance ?

— Je veux constituer une dot à ma fille.

L'avoué l'observa par-dessus son lorgnon.

— Voilà qui peut en effet convaincre bien des futurs beaux-pères récalcitrants, dit-il, ironique. Quels sont les arrangements auxquels vous songez ?

Elle leva ses yeux noirs vers lui.

— Je veux constituer une rente viagère par acte notarié, par lequel je m'engage à verser au notaire Grandmont vingt-cinq pour cent de mes revenus par année, à l'usage exclusif de Fanette. À ma mort, ma fille continuera à bénéficier de cette rente.

Maître Hart ne put s'empêcher de montrer sa surprise. Il griffonna quelques chiffres sur une feuille.

— Vous céderiez donc au notaire Grandmont environ deux mille cinq cents livres de rente par année. C'est bien ce que vous désirez ?

— Oui, dit Emma avec fermeté. Je veux que Fanette ait une dot décente.

Maître Hart prit une bouffée de sa pipe.

— Bien. Je rédige un contrat à cet effet aujourd'hui même. Je vous l'apporterai chez vous à la première heure demain matin. Mais je vous répète…

Emma lui coupa la parole d'un seul regard.

❧

Tel que promis, maître Hart se présenta chez madame Porte-lance au début de la matinée, apportant le contrat. Il le tendit à sa cliente en arborant un air neutre, mais il lui en coûtait de voir la fille de feu le seigneur Portelance sacrifier ainsi une part impor-tante de ses revenus. Il avait été si longtemps au service de cette famille qu'il voyait d'un mauvais œil toute transaction qui pût réduire son patrimoine, même s'il s'agissait de paver la voie à un mariage dans la haute société de Québec.

Après le départ de son avoué, Emma attela sa jument et se rendit chez le notaire Grandmont. Elle descendit de sa voiture et s'avança vers la maison du notaire, tenant un porte-documents en cuir sous son châle pour le protéger des gouttes de pluie qui avaient commencé à tomber. Elle s'arrêta pour contempler la maison. Il y avait de la lumière aux fenêtres du rez-de-chaussée, mais les autres étages étaient plongés dans le noir. Elle frappa à la porte, admirant la magnifique boiserie en chêne massif, le heurtoir en bronze et la serrure finement ouvragés. Après un long moment, la porte s'entrebâilla. Une femme noire portant un bonnet et un tablier blancs était sur le seuil. Elle devina sans peine qu'il s'agissait de madame Régine, dont Fanette lui avait souvent parlé. Des malles et des valises encombraient le hall.

— Oui, madame ?

— Emma Portelance, la mère de Fanette. Monsieur Grandmont est-il chez lui ?

La bonne jeta un regard incertain derrière elle. On entendait des portes claquer, des cris. Elle se tourna à nouveau vers Emma, cachant mal son embarras.

— Madame est souffrante. Monsieur le notaire ne veut pas être dérangé. Ils sont rentrés de La Malbaie tard hier soir.

— Dites au notaire que je dois le voir de toute urgence.

La bonne hésita, mais devant le regard insistant d'Emma, s'effaça pour la laisser entrer.

Emma secoua son châle et sa capeline pour enlever les gouttes de pluie tandis que madame Régine s'éloignait à pas furtifs. Elle entendit des éclats de voix sans pouvoir distinguer les paroles. Après un moment qui lui sembla une éternité, la bonne revint. Son malaise était palpable.

— Monsieur le notaire regrette. Il ne peut pas vous recevoir.

Emma contint à grand-peine la colère qui montait en elle.

— Je resterai ici jusqu'à ce que monsieur Grandmont daigne me voir. Une semaine, s'il le faut !

La bonne fit une courte révérence et s'éloigna à nouveau. Elle revint une demi-heure plus tard.

— Veuillez me suivre, s'il vous plaît.

Le notaire l'attendait, debout devant la fenêtre de son bureau. De lourdes draperies en velours grenat attachées par des cordons dorés couvraient les fenêtres. Les murs, lambrissés de panneaux de chêne sombre, accentuaient l'austérité de la pièce. Seule une lampe en verre dépoli faisait un halo de lumière sur le pupitre.

Emma attendit que le notaire lui fasse signe avant de s'asseoir. Il resta debout. Elle fit semblant de ne pas remarquer son impolitesse et s'installa dans un fauteuil.

— Ainsi, vous avez été complice de la fugue de mon fils, attaqua le notaire, le visage dur.

Emma soutint son regard sans broncher :

— Je l'ai accueilli. N'importe quelle âme charitable aurait fait la même chose à ma place.

Le notaire prit enfin place dans son fauteuil en cuir capitonné. Ses traits étaient rigides comme du bois.

— J'ai interdit à Philippe de revoir votre fille.

— Il trouvera un moyen de vous désobéir.

— Vous semblez approuver son comportement éhonté.

— Je n'approuve ou ne désapprouve rien, monsieur Grandmont. Votre fils aime Fanette. Il veut l'épouser. C'est un fait.

— Jamais je n'y consentirai.

— Il le fera tout de même.

— C'est une folie passagère. Il va reprendre ses esprits.

Emma s'impatienta :

— C'est peut-être une folie, mais elle n'est pas passagère. Votre fils aime sincèrement ma fille. Et il l'épousera, avec ou sans votre consentement.

Les yeux bleu pâle du notaire la fixèrent sans ciller.

— Le moins qu'on puisse dire, c'est que votre… Fanette ne manque pas d'ambition. Elle n'a pas jeté son dévolu sur n'importe qui.

Emma sentit la moutarde lui monter au nez.

— Vous croyez vraiment que Fanette veut épouser votre fils par intérêt ? N'avez-vous pas déjà eu vingt ans, n'avez-vous jamais été amoureux ?

Le notaire se leva d'un bond, furieux.

— Je veux ce qu'il y a de mieux pour mon fils ! Votre fille adoptive n'a rien d'autre à lui offrir que sa jeunesse et quelques illusions que le mariage aura tôt fait de dissiper !

Emma se leva à son tour. Ils se faisaient face comme s'ils s'apprêtaient à se battre en duel.

— Fanette ne lui apportera pas seulement sa jeunesse, monsieur Grandmont, mais une excellente éducation chez les Ursulines et... une dot.

Un silence se fit. Emma prit le porte-documents en cuir qu'elle avait apporté, en sortit un contrat qu'elle déposa sur le pupitre. Le notaire ne put cacher son étonnement et se rassit lentement. Emma l'imita. Elle avait recouvré son calme.

— Comme vous le savez, je possède de bonnes terres, qui rapportent un revenu décent. Je suis disposée à vous en céder vingt-cinq pour cent en guise de dot pour Fanette, à deux conditions : que vous lui payiez une rente viagère pour subvenir à ses besoins et que vous ne révéliez jamais à Fanette l'origine de cette rente. Si vous-même ou votre fils décédiez, ma fille deviendrait la seule héritière de ces revenus. Tout est prévu à l'acte notarié.

Le notaire resta silencieux un long moment, puis leva ses yeux froids vers elle.

— Cinquante pour cent.

Emma blêmit.

— Pardon ?

— Mon fils aurait pu épouser la fille de l'une des familles les mieux établies de Québec. Même avec votre dot, je perds au change.

Emma fit un mouvement pour se lever. Le notaire leva la main, comme pour l'apaiser.

— Le mariage est un marché, madame Portelance. Vous l'avez compris vous-même en me faisant cette offre. Il est légitime que j'y trouve mon compte. Le bonheur de nos tourtereaux en dépend, ajouta-t-il, suave.

Emma reprit lentement sa place. Elle était disposée à avaler bien des couleuvres pour assurer le bien-être de Fanette, mais la cupidité du notaire et son arrogance hautaine lui étaient insupportables. Pour la première fois de sa vie, elle ne sut vraiment pas quelle résolution prendre.

— Laissez-moi quelques jours pour y réfléchir.

∽

Fanette avait surveillé le retour d'Emma toute la journée. Au moindre bruit, elle se précipitait vers la fenêtre et regardait dehors dans l'espoir de voir sa voiture. Lorsqu'elle entendit le grincement de la clôture, elle s'élança à l'extérieur malgré les protestations d'Eugénie, qui craignait qu'elle prenne froid. Il pleuvait des cordes et le temps avait fraîchi. Emma, qui avait mis son châle par-dessus sa capeline pour se protéger de la pluie, tenait son cheval par la bride et le menait vers le hangar qui servait aussi d'écurie. Elle vit la fine silhouette de Fanette courir vers elle.

— Vous avez vu le notaire ? A-t-il consenti au mariage ? demanda-t-elle, les yeux agrandis par l'angoisse.

Emma fit un effort pour paraître sereine.

— Tout est en bonne voie. Sois patiente. Et rentre tout de suite, tu ne seras pas plus avancée si tu prends froid !

Après souper, Emma demanda à Fanette de la laisser seule avec Eugénie. Fanette obtempéra à regret. Emma lui raconta en détail sa visite au notaire Grandmont. Eugénie l'écouta attentivement, la tête légèrement penchée, le visage sérieux. Quand Emma eut terminé son récit, elle resta silencieuse un long moment.

— Tu ne dis rien ? finit par murmurer Emma, surprise par ce silence prolongé.

— Je désire le bonheur de Fanette autant que toi, mais… te dépouiller au profit du notaire, c'est… c'est immoral.

— Je le ferais pour Fanette.

— Même à ce prix ?

Emma se trompa sur les sentiments de sa protégée.

— Ne t'inquiète pas, tu seras toujours à l'abri du besoin. À ma mort, tu hériteras de cette maison et de la moitié de mon domaine.

— Ce n'est pas à moi que je pense. Les privations ne me font pas peur, tu le sais bien.

Elle leva son regard franc vers Emma.

— Le mariage ne devrait pas être un marché. Tu serais prête à sacrifier la moitié de tes biens au profit d'un homme dur, sans compassion, pour lequel tu n'as pas d'estime ?

— Crois-tu que je le ferais de gaîté de cœur ? s'exclama Emma, blessée au vif.

Emma se leva et sortit de la cuisine. Eugénie fit un mouvement pour la rejoindre, puis se ravisa. Emma avait besoin d'être seule.

XXXVIII

Le lendemain, lorsque Eugénie se leva et vint à la cuisine, elle constata que le poêle était allumé. Une tasse et une assiette avaient été déposés dans l'évier en faïence et deux couverts avaient été mis sur la table. Il y avait encore du café chaud dans le pot en fer-blanc. Emma était partie. Eugénie regrettait vivement leur discussion de la veille, mais elle aurait été incapable de mentir ou taire ses véritables sentiments. Elle pria pour qu'Emma n'ait jamais à regretter sa décision, quelle qu'elle fût.

❧

Emma immobilisa sa voiture dans la rue du Parloir. Le couvent des Ursulines émergea dans la brume du matin, tel un royaume oublié que les bruits et les activités incessants de la ville n'atteignaient pas. Dès qu'Emma eut franchi la porte, la paix et la sérénité de l'endroit lui firent du bien. Pour la première fois, elle comprit ce que sa sœur Marie avait trouvé dans l'isolement du cloître. La folie des hommes, l'appât du gain, la quête d'un bonheur insaisissable venaient s'éteindre au pied de ces murs en pierre.

Emma prit place sur le banc inconfortable du parloir. Lorsqu'elle vit Marie s'asseoir derrière les doubles grilles, elle éclata en sanglots. Marie se leva, inquiète, les mains serrées sur les barreaux.

— Emma...

Emma, la gorge trop serrée pour répondre, agita son mouchoir. Elle réussit à articuler entre deux sanglots :

— Ce n'est rien. Trop d'émotions en même temps... Ne t'inquiète pas.

— Je m'inquiète quand même.

Emma sourit à travers ses larmes. Elle se rendit compte à quel point sa petite sœur lui avait manqué. Elle lui raconta tout : les amours contrariées de Fanette et de Philippe, la fugue de ce dernier, l'âpreté du notaire, le désaccord d'Eugénie... Marie écouta son récit avec attention, sachant que sa sœur attendait de sa part du réconfort mais surtout, des conseils.

— Eugénie a raison, soupira Emma. Un mariage ne devrait pas être un marché comme les autres. D'un autre côté, si je refuse la proposition du notaire, je brise le cœur de Fanette !

Marie regarda sa sœur, pensive. Elle avait perdu ses belles couleurs ; sa mine grise trahissait la fatigue et l'anxiété.

— Crois-tu que ce jeune homme passerait outre la volonté de son père pour épouser Fanette ?

Emma acquiesça.

— J'en ai bien peur.

Les cloches sonnèrent. Il serait bientôt temps pour Marie de se rendre à l'office.

— Entre le scandale d'une union clandestine et un mariage officiel, je choisirais la deuxième hypothèse.

౸

— Cinquante pour cent de vos revenus ! C'est du vol ! Vous aurez à peine de quoi vivre décemment, s'exclama maître Hart, perdant son flegme habituel.

— On n'aura qu'à se serrer un peu la ceinture, répondit Emma, les yeux fixés sur le cendrier déjà plein malgré l'heure matinale. Ou contracter une hypothèque sur mes terres.

Maître Hart secoua la tête.

— J'ai été l'avoué de votre famille pendant plus de cinquante-cinq ans. Il est de mon devoir de vous mettre en garde contre une décision qui va à l'encontre de vos intérêts.

Elle croisa les mains, puis leva ses yeux noirs vers l'avoué.

— Les intérêts de Fanette sont les miens. Cette transaction est le prix à payer pour faire son bonheur, le reste n'a pas d'importance.

Maître Hart déposa sa pipe dans le cendrier et la secoua avec de petits coups secs, ne cachant pas sa désapprobation.

ᖗ

Après sa rencontre avec maître Hart, Emma envoya un télégramme au notaire Grandmont l'informant qu'elle acceptait sa proposition. Quelques jours plus tard, un valet apporta une lettre à Emma. Elle portait le sceau du notaire Grandmont. *Plus ça change, plus c'est pareil*, se dit Emma, pensant à l'invitation que Fanette avait reçue sept ans auparavant, pour passer les fêtes dans la maison de la Grande Allée. Elle lut la lettre tandis que Fanette, qui avait entendu les coups frappés à la porte, avait descendu l'escalier en trombe.

— Quelles nouvelles ? s'écria-t-elle, haletante.

— Le notaire Grandmont nous convoque chez lui à deux heures.

Elle hocha la tête, mécontente.

— Convoquer… Comme s'il était le Roi-Soleil en personne ! maugréa-t-elle.

Fanette accusa la déception.

— Il n'a rien écrit d'autre ?

— Non, rien.

L'inquiétude envahit le visage de la jeune femme. Emma la serra dans ses bras.

— Aie confiance.

Emma et Fanette prirent place dans la voiture au début de l'après-midi. C'était une journée chaude et humide, pour un début de septembre. Une vapeur jaune s'élevait du fleuve. Les rues semblaient fondre sous le soleil. Emma, tenant les rênes, se tourna vers Fanette. Son profil pur avait gardé la grâce de l'enfance. Elle se remémora le visage effrayé de Fanette lorsqu'elle avait failli la heurter sur le chemin du Roy. La lumière coulait à flots comme aujourd'hui, blanche et impitoyable. Puis Fanette avait grandi. Elle était devenue une belle jeune femme pleine de rêves et d'espérances. Emma se rendit compte à cet instant précis que Fanette quitterait bientôt la maison. Elle n'aurait plus le bonheur de monter chaque soir à sa chambre pour lui souhaiter bonne nuit. Le matin, elle ne la verrait plus se frotter les yeux, les cheveux noirs rebelles sous son bonnet blanc. Elle ne l'apercevrait plus dans le potager en train de cueillir des fines herbes et des fleurs avec Eugénie… Elle espéra, contre toute attente, que le notaire changerait d'idée et refuserait ce mariage, et qu'elle retrouverait sa Fanette. Emma secoua les rênes d'un mouvement sec. Elle s'en voulut de son égoïsme. Il était trop tard pour revenir en arrière. Et Fanette ne lui avait été que prêtée par le destin. Le temps était venu de la laisser être heureuse sans elle. Même s'il lui fallait pour cela se dépouiller d'une partie d'elle-même.

⁓

Le notaire les fit entrer dans son bureau, la mine indéchiffrable. Philippe y était déjà, pâle et anxieux. Il se leva d'un bond lorsqu'il vit Fanette. Son père lui fit froidement signe de se rasseoir. L'atmosphère était lourde, à peine égayée par un feu de foyer, surprenant à cause de la chaleur accablante qui régnait dehors. Emma et Fanette prirent place en face du notaire qui s'installa dans son fauteuil, l'air solennel.

— J'ai longuement réfléchi. Je vous avoue que ce fut l'une des décisions les plus difficiles que j'aie eu à prendre dans mon existence, et Dieu m'est témoin qu'il y en a eu d'autres.

Emma, qui voyait le pauvre Philippe et Fanette dépérir à vue d'œil, ne put s'empêcher d'intervenir :

— Si on en venait aux faits, notaire Grandmont.

Le notaire la dévisagea, mécontent d'avoir été interrompu dans son préambule. Il laissa planer un dernier silence avant de poursuivre.

— J'ai pris cette décision à mon corps défendant, sachez-le. Je n'ai pas apprécié d'être placé devant un fait accompli.

Emma, cachant mal son exaspération, fut sur le point d'intervenir à nouveau. Le notaire se tourna vers Fanette sans même prendre la peine de cacher sa désapprobation.

— Je consens à ce mariage.

Fanette poussa un cri de joie, vite étouffé par un regard sévère du notaire.

— J'espère que vous ne me donnerez aucune raison de regretter ma générosité, mademoiselle O'Brennan.

Comme il est facile d'être généreux avec l'argent des autres ! pensa Emma. Philippe, les joues roses d'émotion, voulut rejoindre Fanette, mais le notaire leva la main.

— Un instant, jeune homme, je n'ai pas terminé. J'accepte ce mariage à une condition.

Emma regarda le notaire, sur ses gardes. Pourvu que le notaire ne fasse pas allusion à leur « marché », comme il l'avait appelé... Fanette et Philippe échangèrent un regard inquiet. Le notaire se tourna vers Philippe.

— Je veux que tu renonces à faire ta médecine. J'ai besoin de toi dans mon étude. Je suis disposé à faire ton apprentissage moi-même.

Philippe baissa la tête. Sa souffrance était évidente, même s'il faisait un effort louable pour la cacher. Fanette intervint pour la première fois.

— Non, dit-elle.

Le notaire leva les yeux vers elle, stupéfait.

— Plaît-il ?

Fanette prit son courage à deux mains avant de poursuivre :

— Le rêve le plus cher de Philippe est de devenir médecin. Je ne veux pas qu'il le sacrifie pour m'épouser.

Philippe se précipita vers Fanette, prit ses mains dans les siennes.

— Fanette, t'épouser vaut tous les rêves du monde.

Le notaire leva les yeux au ciel, excédé.

— Trêve de sentimentalité ! Est-ce une affaire conclue, oui ou non ?

— Oui, répondirent Fanette et Philippe en chœur.

Emma observa le visage froid et impassible du notaire devant la beauté et l'innocence de ces deux jeunes gens. Une crainte sourde l'étreignit. Pourvu qu'il ne finisse pas par éteindre cette flamme, par étouffer cette candeur sous un fatras de principes, de préjugés et d'orgueil…

Les bans furent publiés quelques semaines plus tard au prône du dimanche, dans la paroisse Notre-Dame. Le mariage aurait lieu au mois de mai suivant. Emma avait proposé que la cérémonie soit célébrée à la petite église de Notre-Dame-de-la-Victoire, située dans la rue Sous-le-Fort, place Royale. Le notaire avait donné son accord, visiblement soulagé que le mariage se déroule dans la plus grande discrétion. Il n'avait pas encore digéré l'échec de ses projets matrimoniaux avec Simone Sicotte et tenait à rester en bons termes avec le juge.

Le notaire avait également exigé que les deux jeunes gens habitent dans la maison de la Grande Allée une fois mariés. Ils n'avaient pas encore les moyens de s'établir, disait-il, et ils mène- raient ainsi une existence confortable, à l'abri du besoin, en attendant que Philippe puisse voler de ses propres ailes. Emma n'était pas chaude à l'idée que Fanette vive sous le même toit que le notaire Grandmont, se doutant que la vie quotidienne avec un homme aussi austère ne serait pas de tout repos. Fanette eut une hésitation qu'elle s'empressa de balayer.

— Rien ni personne ne pourra nous empêcher d'être heureux, dit-elle.

Comme pour lui donner raison, elle reçut un châle blanc en fil de soie brodé de motifs floraux en cannetille or et argent que sœur Marie de la Visitation avait fait envoyer par le cocher du monastère, accompagné d'un mot :

Ma chère Fanette,

Comme tu le sais, la règle du cloître m'interdit de sortir. Puisque je ne puis assister à ton mariage en personne, je t'envoie ce châle que j'ai brodé moi-même en pensant à la joie que tu as procurée à Emma et à Eugénie par ta seule présence, et celle que tu m'as donnée pendant toutes ces années au couvent. Qu'il soit un gage de ton bonheur futur.

Sœur Marie.

Les grands froids commencèrent dès la fin d'octobre. Une bordée de neige couvrit les feuilles encore accrochées aux arbres, masquant leurs couleurs mordorées. L'hiver fut dur et interminable. Les bancs de neige s'élevaient presque au-dessus des fenêtres du rez-de-chaussée de la maison de la rue Sous-le-Cap. Il fallait allumer les lampes en plein jour. *Cette neige ne fondra jamais*, se disait Fanette en guettant avec une impatience grandissante les signes annonciateurs du printemps. Lorsqu'elle vit les premières oies blanches apparaître dans le ciel jaune et gris d'un matin maussade de mars, elle sut que l'attente achevait.

Après un mois d'avril frais et pluvieux qui semblait s'éterniser, le mois de mai arriva enfin. Fanette observait avec bonheur les lilas et les pommiers dont les bourgeons éclateraient bientôt dans une symphonie de parfums et de couleurs. L'odeur safranée du jardin montait jusqu'à la fenêtre de sa chambre. Elle se pencha au-dessus de la croisée, vit sa mère qui binait le potager, portant son vieux chapeau de paille. Une sorte de vertige s'empara d'elle. Quinze jours seulement, et elle serait une femme mariée. Bientôt, elle quitterait cette maison tant aimée, ses « deux mères », Emma et Eugénie, et sa vie changerait à tout jamais. Elle n'entendrait plus leurs voix qui discutaient joyeusement le matin, celle d'Emma qui s'indignait en lisant le journal, celle d'Eugénie qui lui répondait avec son esprit à la fois caustique et paisible. Quinze jours à peine, et la coquette maison de la rue Sous-le-Cap où elle avait passé les années les plus heureuses de sa vie ne serait plus la sienne. Il lui faudrait apprivoiser la grande demeure en pierre de la Grande Allée, le hall dominé par le lustre et l'immense escalier en chêne au-dessus duquel se profilait la silhouette austère du notaire Grandmont.

D'un mouvement impulsif, elle se dirigea vers sa commode, ouvrit un tiroir, en sortit le coffret où elle avait gardé ses souvenirs d'enfance. Elle l'ouvrit, émue. Le goéland que monsieur Dolbeau avait sculpté pour elle y était toujours, ainsi que les vieilles pages de *L'Ami des campagnes*. Les dessins qu'elle avait faits d'Amanda étaient presque effacés. Amanda… À la pensée de sa sœur, elle fut chavirée. Qu'était-elle devenue ? Était-elle mariée, avait-elle des enfants ? Elle espéra de tout son cœur qu'elle soit aussi heureuse qu'elle-même.

∞

La veille du mariage, un incident faillit tout compromettre. Rosalie trouva sa mère gisant par terre, au pied de son lit. Elle était si pâle que Rosalie crut pendant un moment qu'elle était morte. Philippe et le notaire Grandmont, alertés par les cris de la jeune femme, soulevèrent Marguerite et l'étendirent sur son lit. Rosalie pleurait en tenant la main froide de sa mère dans la sienne. Marguerite respirait à peine. Philippe trouva une fiole par terre. Il la sentit.

— Je crois que c'est du laudanum, dit-il, la voix blanche. Il faut quérir un médecin.

Le notaire secoua la tête, pris de panique.

— Il n'en est pas question. Toute la ville sera au courant !

— Vous n'allez pas la laisser mourir à cause du qu'en-dira-t-on ! s'écria Philippe, indigné.

Le notaire ordonna à Rosalie de sortir de la chambre. Cette dernière obéit à contrecœur. Le notaire s'affala dans le fauteuil, accablé.

— Ta mère prend du laudanum depuis plusieurs années. Au début, c'était pour l'aider à dormir. Mais elle a augmenté peu à peu la dose et… Je ne croyais pas qu'elle était devenue dépendante à ce point.

Il leva des yeux presque implorants vers son fils.

— Personne ne doit le savoir, Philippe. Ce serait la honte pour notre famille.

Philippe se pencha au-dessus de sa mère. Sa respiration était devenue saccadée.

— Je connais un médecin, le docteur Lanthier. Il a une excellente réputation.

— Est-il discret ? dit le notaire, la mine anxieuse.

Philippe sortit sans prendre la peine de répondre.

༄

Le docteur Lanthier respira le flacon.

— C'est effectivement de la teinture de laudanum. Votre femme en consomme depuis combien de temps, monsieur Grandmont ?

— À ma connaissance, elle n'en prend qu'en petite quantité, mentit-il. Elle dit que ça l'aide à dormir.

Philippe fixa son père, qui lui fit signe de sortir de la pièce. Philippe hésita, puis obéit, non sans avoir jeté un regard presque implorant au docteur Lanthier, qui lui fit un sourire rassurant. Le notaire attendit que la porte se referme avant de poursuivre.

— En fait, ma femme prend du laudanum depuis plusieurs années. J'ai bien tenté de la mettre en garde, mais elle affirme que c'est sans danger.

— A-t-elle déjà eu des hallucinations ?

Le notaire le regarda, pétrifié.

— Des hallucinations ? Mon Dieu, pas que je sache. Vous comprenez, ma femme et moi faisons… chambre à part.

Le docteur Lanthier ouvrit sa sacoche, en sortit un coffret de médicaments dans lequel se trouvait un flacon en verre bleu. Il le déboucha et le plaça sous le nez de madame Grandmont. Elle tressaillit, détourna la tête en gémissant.

— C'est un répulsif, expliqua le docteur Lanthier. Il faut maintenir votre femme réveillée pendant une heure ou deux. Ensuite, laissez-la dormir. Il faudra la sevrer progressivement. Je reviendrai demain.

— Demain… Demain, je marie mon fils, balbutia le notaire, qui avait perdu son autorité habituelle.

Le docteur Lanthier, qui n'éprouvait pas beaucoup de sympathie pour le notaire, lui tendit néanmoins la main.

— Félicitations, monsieur Grandmont.

Le notaire avait la main moite et glacée. Le docteur chercha à le rassurer :

— Il faudra beaucoup de patience, mais votre femme se rétablira.

Le docteur Lanthier remit son coffret dans sa sacoche et fit mine de sortir. Le notaire l'interpella :

— Docteur ! Vous savez combien les rumeurs courent vite, surtout dans une ville comme la nôtre…

— La discrétion fait partie du serment d'Hippocrate auquel je suis tenu, répliqua froidement le médecin.

❧

Le mariage eut lieu comme prévu à l'église Notre-Dame-de-la-Victoire. C'était une journée froide et pluvieuse. Les arbres noircis par la pluie se reflétaient sur le pavé mouillé. L'église était presque vide. Le notaire Grandmont, portant une redingote noire, se tenait droit sur son banc, la mine sombre comme s'il eut assisté à des funérailles. Le docteur Lanthier était juste derrière lui. Emma et Eugénie, assises de l'autre côté de l'allée centrale, affichaient un sourire de circonstance, mais l'absence de la mère du marié, les bancs déserts de l'église, le son creux de la pluie qui fouettait les vitraux et le visage fermé du notaire jetaient de l'ombre sur un événement qui aurait dû être heureux. Même Rosalie avait l'air songeur et jetait des regards inquiets en direction de son père. Seuls les mariés étaient radieux et ne se quittaient pas du regard. Fanette, ravissante dans sa robe de mousseline blanche, portait le châle que sœur Marie lui avait fait parvenir. Les fleurs brodées luisaient doucement dans la lumière diffuse des lustres en cristal suspendus au-dessus de la nef.

À la sortie de l'église, la pluie tombait dru comme un rideau. Les nouveaux mariés furent accueillis par les croassements d'une nuée de corneilles qui passa au-dessus du buste en bronze de Louis XIV. Emma suivit du regard leur envol vers les ruines du vieux château Saint-Louis qui surplombaient la falaise. Elle eut le sentiment que c'était un mauvais présage. Philippe enleva sa redingote et s'empressa de couvrir la tête de Fanette. Les deux jeunes gens coururent en riant vers une calèche que le notaire avait mise à leur disposition. Eugénie eut à peine le temps de leur jeter des pétales de roses qu'elle s'était procurées au marché Champlain. La calèche s'éloigna. Les roues chuintaient sur le pavé sombre. Emma mit son mouchoir sur sa bouche pour étouffer un sanglot. Ses larmes se confondaient avec les gouttes de pluie qui roulaient sur ses joues.

XXXIX

Île d'Orléans
Mai 1858

Fanette et Philippe descendirent de la calèche au débarcadère
du Cap-Blanc et y attendirent le vapeur *Petit-Coq*, propriété
d'Ignace Couture, de Lévis, qui faisait la navette une fois par
jour entre Québec et l'île d'Orléans, où ils avaient prévu passer
une semaine pour leur voyage de noces. Ils s'abritèrent sous
l'auvent d'une pêcherie en attendant l'arrivée du bateau. Le fleuve,
strié par la pluie, charriait de l'écume blanchâtre qui suivait le
courant. Ils virent le bateau s'approcher, la proue coupant allé-
grement les vagues.

Une fois débarqués sur l'île, ils prirent un *coach* qui les conduisit jusqu'à leur auberge, située dans le village du Bout-de-l'Île, à
l'ouest. La pluie avait cessé et le vent chassait les derniers nuages.
Les vergers en fleur côtoyaient des champs couverts de sillons.
Des troupeaux de vaches paissaient, taches blanches et noires sur
le vert translucide des prés. Quand Fanette et Philippe arrivèrent
à l'auberge, il n'y avait que quelques voitures garées dans un terrain vague bordé de lilas. Des rosiers grimpants tapissaient les
murs en pierre. Un champ ocre moucheté de bleu s'étendait à perte
de vue. Fanette courut vers le champ, cueillit une fleur.

— Des *forget-me-not* ! dit-elle en regardant les pétales délicats
sertis d'un cœur blanc.

— Des quoi ? dit Philippe en s'approchant.

Elle lui tendit la fleur.

— *Forget-me-not*. Myosotis. Ça veut dire : ne m'oublie pas.
C'étaient les fleurs préférées de ma mère.

Les yeux de Fanette étaient devenus tristes. Philippe comprit à demi-mot qu'elle parlait de sa vraie mère. Fanette n'avait jamais oublié son beau visage, son regard hanté par la maladie, son faible sourire juste avant sa mort. Elle aurait tant voulu que sa mère sache que sa Fionnualá était arrivée à bon port, saine et sauve, tenant la main de l'homme qu'elle aimait. Sa gorge se serra. Qu'en était-il du reste de sa famille ? Qu'étaient devenus ses frères Arthur et Sean ? Pourquoi Amanda ne lui avait-elle jamais donné signe de vie ? Son bonheur lui sembla soudain bien égoïste.

— Cent dollars pour tes pensées, dit Philippe.

Fanette se tourna vers lui. Il la regardait avec une tendresse inquiète qui la bouleversa.

— Je t'aime, Philippe.

Il la serra contre lui.

— Tu semblais si triste, j'ai eu peur que tu aies des regrets de m'avoir épousé, dit-il avec une note d'humour.

— Pas encore, répliqua-t-elle, l'air mutin.

La première chose que fit Fanette en entrant dans leur chambre, c'est d'ouvrir la croisée et de regarder dehors. Une brise fraîche entra dans la pièce, apportant des effluves d'air marin et de lilas. De l'autre côté du fleuve, le cap Diamant se dressait dans un ciel sans nuages.

— Regarde ! dit-elle en pointant un doigt vers le ciel.

Philippe se pencha par la fenêtre. Une formation d'outardes traversait le ciel du nord vers le sud en poussant des cris rauques. On voyait clairement la bande blanche qui encerclait leur cou.

— Elles sont en retard, dit Fanette.

— Elles ne sont pas pressées. C'est un bon présage, déclara Philippe.

— Je ne savais pas que tu étais superstitieux !

— Non. Je suis amoureux.

Il la prit délicatement dans ses bras, comme s'il tenait la tige d'une fleur, et l'embrassa. Il avait imaginé ce moment si souvent qu'il eut une impression d'irréalité. Puis il se dégagea doucement.

— Ne t'arrête pas, murmura Fanette.

Elle l'enlaça à son tour. Il l'entraîna vers le lit. Elle le regardait avec une telle confiance qu'il sentit fondre la tristesse, le ressentiment, la honte, ses nuits blanches à haïr son père, lorsqu'il le battait enfant et que son dos brûlait pendant des jours à cause des coups qu'il lui avait infligés, les humiliations, les tromperies… Tout s'effilocha comme des nuages dispersés par le vent. Fanette était son phare, son port d'attache, sa foi.

— Je t'aime tant ! murmura-t-il en se perdant dans le regard bleu de Fanette, qui avait des reflets d'améthyste.

Il connaissait le corps féminin pour avoir longuement examiné les planches dans les livres de médecine qu'il lisait à la bibliothèque de l'université Laval, se faisant passer pour un étudiant, mais c'était une connaissance froide, académique. La beauté de Fanette était faite de chair et de sang. Il caressa doucement son visage, son cou, ses épaules fines et blanches, les yeux mi-clos, comme lorsqu'il était enfant et regardait le soleil. Il commença à déboutonner son corsage. Les boutons étaient nombreux et minuscules.

— Tu es bien défendue… On dirait une armure !

Fanette se mit à rire. Elle était si jolie dans la clarté presque mauve qu'il dut résister à la tentation de déchirer le corsage et continua à le déboutonner patiemment. Fanette se redressa sur le lit, l'enleva d'un mouvement gracieux. Il devina la forme de ses seins sous sa chemise, petits et ronds, tels qu'il les avait souvent imaginés. Il glissa sa main sous la chemise blanche, les caressa doucement, comme on caresse une colombe. Il souleva sa jupe, retenant sa fougue pour prolonger le plaisir de la découverte. Il entendit la cloche lointaine d'un bateau et fut submergé par un bonheur aigu, presque douloureux, car maintenant qu'il y avait goûté, il craignait déjà de le perdre.

Le lendemain, ils descendirent pour prendre leur déjeuner avec le teint rose et les yeux battus mais brillants de deux jeunes gens qui n'ont pas beaucoup dormi. Madame Royer, la femme de l'aubergiste, leur jeta un coup d'œil attendri en leur apportant du pain et du café.

— La nuit a été longue, les enfants ? dit-elle en leur faisant une œillade.

Fanette et Philippe se regardèrent en souriant. Madame Royer se pencha vers eux, l'air entendu :

— Profitez-en bien, les tourtereaux. La jeunesse file comme un cheval à l'épouvante…

La salle de l'auberge était presque vide. Un autre couple était installé dans un coin, un bambin sur les genoux de sa mère, qui lui donnait discrètement le sein. Quelques agriculteurs profitaient d'un répit entre deux labours pour boire un verre de cidre et discuter avec l'aubergiste de choses et d'autres en fumant leur pipe : le mauvais temps qui avait sévi pendant des semaines et qui risquait de gâcher les récoltes, la rumeur d'un vote en chambre qui ramènerait le siège du gouvernement à Québec en 1859…

— Ça va être bon pour les affaires ! s'écria l'aubergiste.

L'un des agriculteurs, Clément Asselin, fit la moue.

— Si les députés respectaient leurs promesses pis construisaient un pont pour nous relier à Québec, ça irait encore mieux, commenta-t-il d'une voix pleine d'assurance.

Les autres opinèrent du bonnet. Clément Asselin avait beau être agriculteur, il avait des allures de notable. Il portait des habits propres, ses souliers reluisaient comme un sou neuf. Il faut dire qu'il possédait les terres les plus productives de l'île et un cheptel d'une soixantaine de bêtes. Parmi ses cinq enfants, il avait un fils avocat et un autre prêtre dans la paroisse de Saint-François. Le bruit courait d'ailleurs qu'il s'apprêtait à acheter des vaches laitières à Aimé, le fils à Garand, qui possédait une ferme à côté du presbytère. Lorsque l'aubergiste aborda la question en déposant un pichet sur la table, il tira sur sa pipe en souriant.

— Peut-êt' ben, dit-il, l'air rusé.

On en conclut que la transaction était probablement dans le sac. Clément Asselin, comme beaucoup d'agriculteurs, était d'une discrétion proverbiale sur ses affaires. Il ne savait ni lire ni écrire, mais disait à qui voulait l'entendre que la parole est d'argent et le silence est d'or. C'est sa femme, Hectorine, qui avait été maîtresse d'école, qui tenait les livres et rédigeait la correspondance.

— L'industrie laitière, c'est l'avenir, décréta-t-il dans un nuage de fumée bleue. La terre, c'est trop dur, le climat est rendu ben capricieux, y a pu moyen de s'y fier.

Les fermiers acquiescèrent, masquant poliment leur envie. Ah, s'ils avaient les moyens de Clément Asselin, pour sûr, qu'ils achèteraient de bonnes vaches laitières et rempliraient leur bas de laine aussi vite qu'on cale un verre de bon cidre…

— Les temps ont ben changé, poursuivit-il. Y a pu moyen de trouver du monde honnête pour travailler la terre quand on en a de besoin.

Le matin même, Clément Asselin avait dû renvoyer un travailleur agricole qu'il avait engagé quelques semaines auparavant pour aider ses fils aux labours. Un vrai fainéant, celui-là, qui passait ses journées à se tourner les pouces au lieu de travailler ! Le restant des écus, c'est quand il l'avait surpris en train de voler une belle pièce de jambon dans le lardier. Les fermiers hochèrent la tête en chœur.

— Le monde a ben changé, ben changé, déclara Théo Legendre, un grand gaillard bâti comme une armoire à glace et dont la ferme jouxtait celle de Clément Asselin. Y tourne pu rond comme avant.

Clément Asselin se leva.

— En attendant que le monde se remette à tourner à l'endrette, faut que j'aille. J'ai une commission à faire à Québec. Je veux pas manquer le *steamboat*. Salut la compagnie !

Après son départ, les cultivateurs supputèrent entre eux ce que pouvait bien être cette fameuse « commission ».

— Pour moi, y va aller à sa banque, supposa Méo Dufresne, un cultivateur du Bout-de-l'Île.

Ils réfléchirent un moment à cette hypothèse. Puis Théo Legendre parla à son tour.

— Ça du bon sens. S'y veut acheter les vaches à Aimé, le fils à Garand…

— L'argent, ça pousse pas dans les arbres, conclut Méo Dufresne.

Ils opinèrent du bonnet.

Il plut toute la journée. Fanette et Philippe restèrent dans leur chambre, ne sortant que pour manger une bouchée. Ils avaient l'impression d'être légèrement ivres, placés hors du temps, dans un espace qui n'appartenait qu'à eux. Ils s'endormirent dans les bras l'un de l'autre, bercés par le chant des pinsons.

À l'aube, ils furent réveillés brusquement par une grêle de coups frappés sur la porte, au rez-de-chaussée. Des bruits de pas, des voix s'élevèrent, métalliques. Philippe s'assit sur le lit, enfila rapidement ses chausses, se dirigea vers la porte pour s'assurer que le verrou avait bien été mis. Les bruits de pas se rapprochaient et retentirent dans la cage de l'escalier. Fanette s'était assise dans le lit, ramenant la couverture sur elle, effrayée. On cogna violemment sur la porte.

— Ouvrez ! cria une voix masculine.

Philippe resta immobile, aux aguets. Les coups redoublèrent. Une autre voix s'éleva.

— Ouvrez ! Police !

Philippe jeta un coup d'œil en direction de Fanette, puis décida de tirer le verrou. La porte fut poussée si brusquement qu'il dut reculer de quelques pas pour ne pas être heurté. Trois policiers en uniforme entrèrent dans la pièce. Monsieur Royer, l'aubergiste, se profilait derrière eux, l'air affolé.

— Qu'est-ce que vous voulez ? Que se passe-t-il ? s'écria Philippe.

Les policiers s'avancèrent dans la chambre, furetant partout, comme s'ils cherchaient quelqu'un. L'un d'eux souleva le rideau. Fanette se tourna vers lui, indignée.

— Regardez en dessous du lit, tant qu'à y être !

— Je vous l'ai déjà dit, c'est rien qu'un jeune couple en voyage de noces, dit l'aubergiste, visiblement dépassé par les événements.

Les policiers jetèrent un coup d'œil à Philippe, qui avait l'air d'un gamin inoffensif, avec ses cheveux ébouriffés et ses chausses enfilées n'importe comment.

— C'est pas lui, dit l'un d'eux.

Ils sortirent sans un mot. Leurs talons résonnaient sur le plancher en pin. D'autres coups furent frappés sur une porte, de l'autre côté du palier. L'aubergiste jeta un regard désolé à Philippe.

— Mes excuses pour le dérangement, monsieur Grandmont. Y a eu mort d'homme.

— Mort d'homme ? répéta Philippe, la voix blanche.

— Clément Asselin.

Il s'interrompit, tourna la tête vers Fanette, mal à l'aise. Elle avait mis un châle par-dessus sa robe de nuit.

— Continuez, monsieur Royer. Je vous promets de ne pas m'évanouir, dit Fanette avec une pointe d'ironie.

Monsieur Royer poursuivit à contrecœur. Il n'aimait visible-ment pas parler de ce genre de choses devant une femme.

— Ç'a l'air qu'y aurait été tué. Criblé de coups de couteau. Une vraie passoire, à ce qu'y paraît.

❧

Le lendemain matin, la salle à manger de l'auberge était pleine à craquer. Les conversations se tenaient à mi-voix, comme par respect pour le mort. Madame Royer avait perdu sa faconde de la veille. Elle déposa deux tasses et un pot de café devant Fanette et Philippe, la mine grave.

— Pauvre Clément. Dire que pas plus tard qu'hier, y était icitte, à jaser...

Elle réprima un frisson.

— Pour voir s'il méritait un sort pareil... Un bon mari, un bon père de famille, qui a jamais fait de mal à une mouche...

Elle s'attarda. De toute évidence, elle avait besoin de se confier.

— Y paraît que c'est la pauvre Hectorine qui a trouvé le corps de son mari. Il devait revenir de Québec vers les neuf heures, hier soir. À dix heures, quand elle a vu qu'il rentrait pas, elle s'est inquiétée. Elle a pris un fanal pis elle est sortie. Elle a vu quelqu'un étendu sur le chemin Prévost. C'était le pauvre Clément.

— Est-ce qu'on a retrouvé l'assassin ? demanda Fanette, la gorge serrée.

Madame Royer se pencha vers eux en baissant la voix. Elle avait presque oublié sa peine.

— Non, mais ç'a l'air que…

Elle jeta un coup d'œil à un cultivateur attablé au fond de la salle. Il avait le teint gris et les yeux rouges.

— … Théo Legendre, le voisin des Asselin, aurait croisé un homme près du chemin Prévost, juste avant que le pauvre Clément soit r'trouvé. Y faisait noir comme dans un poêle, il tenait sa lanterne à bout de bras. Y paraît que l'homme était grand, bien bâti, l'air sournois. Sûrement un « étrange ». Y en a beaucoup qui travaillent aux labours, de ce temps-là.

Monsieur Royer fit un signe impatient à sa femme pour qu'elle s'occupe des autres clients. Elle s'éloigna à regret.

Dans l'après-midi, les jeunes mariés décidèrent de faire le tour de l'île en fiacre. Le temps était redevenu radieux. Les lilas et les pommiers embaumaient. Des bateaux sillonnaient le fleuve. Le soleil tapait sur les toits en bardeaux qui luisaient comme des carapaces de tortues. Difficile de croire, devant tant de charme bucolique, qu'un crime aussi sordide venait d'être commis. Le cocher, un gros homme joufflu aux moustaches tombantes, parla de l'assassinat durant tout le trajet.

— Tout le monde se connaît par icitte. Y a juste un « étrange » qu'aurait pu faire une barbarie pareille… J'cré ben qu'y a dû s'enfuir dans une barque après son mauvais coup. De nos jours, y a pu de respect pour rien.

Fanette et Philippe visitèrent la vieille église de la Sainte-Famille, dont les trois clochers se dressaient au cœur du village.

Le plafond était serti de milliers de rosettes sculptées. Le maître-autel avait été taillé à même un rocher qui affleurait du sous-sol. Tandis qu'ils admiraient une peinture de François Baillargé représentant sainte Thècle devant les lions, le bedeau, un vieil homme courbé qui balayait le plancher, s'approcha d'eux.

— Beau portrait, pas vrai ?

Il les informa, avec un sourire en coin, que l'ancien curé, le père Gagnon, trouvant que sainte Thècle n'était pas assez « habillée » à son goût sur la peinture, avait demandé à un autre peintre d'achever l'ouvrage et de la « couvrir » décemment. En sortant de l'église, ils clignèrent des yeux tellement la lumière était vive. Ils entendirent soudain des vociférations et des huées. Il y avait un attroupement devant le presbytère.

— À mort ! À mort ! Pendez-le ! Assassin !

Ils s'approchèrent prudemment. Une bousculade les obligea à reculer. D'autres cris s'élevèrent.

— Reculez ! Laissez passer ! Laissez passer !

Soudain, ils virent un policier à cheval qui se frayait un passage dans la foule. À travers la forêt de bras et de jambes, ils aperçurent de dos un homme de grande taille, aux vêtements sales et déchirés. Il était menotté et entouré de policiers. Un cultivateur, debout à quelques pieds de lui, portant une casquette et une chemise à carreaux aux manches roulées jusqu'aux coudes, cria :

— À mort l'assassin ! Pendez-le !

L'homme se tourna vers le fermier. Il avait un visage basané, des yeux perçants, des cheveux noirs hirsutes. Fanette se sentit chanceler et agrippa le bras de Philippe.

— C'est lui. Mon Dieu, c'est lui…

Philippe dut la soutenir pour qu'elle ne tombe pas.

Ce n'est qu'une fois dans leur chambre et après avoir avalé un verre d'eau que Fanette fut capable de parler.

— C'est Jacques Cloutier. Le fils aîné des fermiers qui nous ont recueillies, Amanda et moi, quand nos parents sont morts.

Philippe accusa le coup.

— Tu en es sûre ?

Elle acquiesça.

— Un visage pareil, ça ne s'oublie pas.

Elle raconta à Philippe que la dernière fois qu'elle l'avait vu, c'était chez Emma. Elle n'avait que neuf ans, mais elle s'en souvenait comme si c'était hier : son regard farouche, ses vêtements sales et déchirés, le couteau qu'il tenait à la main.

— Un couteau ! s'exclama Philippe, horrifié.

Fanette s'empressa de le rassurer.

— C'était pour nous faire peur. Je ne crois pas qu'il ait eu l'intention de s'en servir.

Philippe hocha la tête. Il n'avait aucun doute que l'homme qu'il avait vu sur la place publique de la Sainte-Famille était capable du pire.

D'un commun accord, Fanette et Philippe prirent la décision de quitter l'île. Le meurtre sordide de Clément Asselin et l'arrestation de Jacques Cloutier avaient jeté une ombre sur leur voyage de noces. Ils refirent le chemin vers le débarcadère en boghei. Le bateau à vapeur accosta. Une dizaine de passagers en débarquèrent, la plupart des cultivateurs revenant du marché. Ils tiraient des charrettes à brancards où s'empilaient des paniers vides. Des marins déchargeaient des caisses de marchandises. Une fois le déchargement terminé, le capitaine fit signe aux quelques passagers qui attendaient de s'embarquer. Philippe prit le bras de Fanette et ils s'engagèrent sur la passerelle presque déserte. La fumée s'échappant de la cheminée du bateau traçait une torsade blanche dans le ciel. Ils s'appuyèrent sur le bastingage et se serrèrent l'un contre l'autre en regardant avec tristesse la rive qui s'estompait peu à peu dans le brouillard qui venait de se lever.

XL

Le fiacre déposa Fanette et Philippe devant la maison de la Grande Allée au début de l'après-midi. Seuls les lilas en fleur égayaient la façade grise. Lorsque madame Régine leur ouvrit la porte, Fanette remarqua qu'elle avait les yeux rouges et les traits tirés.

— Vous êtes souffrante, madame Régine ? demanda-t-elle inquiète, tandis que deux domestiques prenaient les bagages et les montaient au deuxième étage, où une chambre et un boudoir attenant avaient été aménagés pour eux.

Madame Régine fit non de la tête et sortit un mouchoir de son tablier, se moucha.

— C'est mam'selle Rosalie.

— Elle est malade ? s'écria Fanette, bouleversée.

Madame Régine baissa la voix en jetant un regard effrayé derrière elle.

— Monsieur est très fâché après elle. Il lui a ordonné de rester dans sa chambre. Pauvre petite, je lui ai porté un plateau de nourriture, mais elle a pas avalé une bouchée.

— Mais pour quelle raison ? s'écria Philippe.

Madame Régine n'eut pas le temps de poursuivre. La silhouette sombre du notaire Grandmont se dressa derrière elle.

— Madame Régine, vous pouvez disposer.

La domestique s'éclipsa furtivement. Le notaire se tourna vers les deux jeunes gens.

— On ne vous attendait pas si tôt. Avez-vous fait bon voyage ? dit-il froidement.

Philippe répondit à sa question par une autre.

— Pourquoi tenez-vous Rosalie enfermée ? Je veux la voir.

Le notaire le toisa, ironique.

— Enfermée ! Ce qu'il ne faut pas entendre… Je lui ai simplement demandé de prendre du temps pour réfléchir à son avenir.

Philippe regarda son père sans comprendre.

— Je vous attends dans mon bureau. J'ai à vous parler.

Il tourna les talons et disparut dans le couloir. Fanette et Philippe se regardèrent avec appréhension. De quel avenir le notaire voulait-il parler ? Comment la douce Rosalie pouvait-elle être la cause de tant de sévérité ?

Le notaire, installé derrière son pupitre, leur fit signe de s'asseoir. Philippe et Fanette obéirent, le visage tendu. Les rideaux étaient tirés. Une lampe en cuivre surmontée d'un abat-jour vert jetait un halo faible autour d'eux. Le reste de la pièce était plongé dans une demi-pénombre. Le notaire fit craquer ses longs doigts avant de prendre la parole.

— Je souhaite que Rosalie fasse son noviciat chez les Ursulines. Ma sœur, mère de l'Enfant-Jésus, est prête à l'accueillir à bras ouverts.

La nouvelle les surprit à tel point qu'ils furent incapables de dire un mot. Le notaire poursuivit :

— Rosalie refuse d'en entendre parler, malgré l'honneur qu'elle ferait à sa famille.

Fanette leva les yeux vers le notaire, faisant un effort pour rester calme :

— Vous n'allez pas l'obliger à devenir religieuse si elle ne le veut pas ?

Le notaire eut un sourire froid.

— Ma chère Fanette, vous posez mal le problème. Ce n'est pas une question de choix.

Philippe intervint à son tour, la gorge serrée.

— Si Rosalie ne veut pas devenir religieuse, il me semble que la question est réglée.

Le notaire se leva, fit quelques pas vers la fenêtre.

— Il faut voir la réalité en face. Rosalie n'a aucune chance de trouver un mari, à moins que je ne paie une fortune pour sa dot, ce qui est hors de question. Et je ne veux pas qu'elle devienne une vieille fille amère et désœuvrée. C'est la solution la plus honorable, pour elle comme pour nous.

Fanette se leva d'un bond. Philippe prit son bras pour tenter de la calmer, mais elle se dégagea.

— Comment pouvez-vous décréter qu'elle ne se mariera pas ? Qu'en savez-vous ?

Le notaire la toisa froidement.

— Ne m'obligez pas à dire des choses qui pourraient être blessantes pour elle.

— C'est à cause de son pied bot ? C'est ça ? Vous croyez qu'une simple infirmité enlève toute chance à une femme d'être aimée ? s'écria Fanette, indignée.

Le notaire, furieux, donna un coup de poing sur le pupitre.

— L'amour, l'amour, vous n'avez que ce mot à la bouche !

Les deux jeunes gens regardèrent le notaire, sidérés par la violence de son geste. Le notaire ravala sa colère.

— Vous ne semblez pas vous rendre compte que l'on vit dans un monde sans pitié. Tout ce que je veux, c'est protéger ma fille envers et contre ce monde.

— Tout ce que vous voulez, c'est cacher Rosalie au regard du monde, parce que vous avez honte de son infirmité ! dit Fanette, la voix tremblante.

Elle sortit du bureau sans ajouter un mot, des larmes de colère aux yeux. Philippe se leva pour la suivre.

— Philippe !

Il se tourna vers son père, la main sur la poignée de la porte.

— Ne laisse pas ta femme te mener par le bout du nez. C'est toi le maître, ne l'oublie jamais.

— Je ne suis le maître de personne. Surtout pas de Fanette.

Philippe sortit. Le notaire se rassit dans son fauteuil, la mâchoire crispée.

Fanette s'arrêta devant la chambre de Rosalie. La porte était fermée. Elle cogna doucement.

— Rosalie, c'est moi.

Après un moment, la porte s'ouvrit. Rosalie avait les yeux gonflés. Les deux amies se jetèrent dans les bras l'une de l'autre. Puis Rosalie se dégagea, mit un doigt sur sa bouche, referma la porte et la verrouilla.

— Tu es au courant ? murmura-t-elle.

Fanette acquiesça.

— Ne te laisse surtout pas faire.

Rosalie fit quelques pas vers son lit, s'appuya sur le montant pour s'asseoir. Son pied lui faisait mal.

— Tu ne le connais pas. Il ne me laissera pas tranquille jusqu'à ce que je cède.

Fanette vint la rejoindre sur le bord du lit, lui entoura les épaules.

— On n'est plus au Moyen Âge, Rosalie. Ton père ne peut pas t'obliger à entrer dans les ordres si tu n'y consens pas.

Rosalie la regarda avec une détresse que Fanette ne lui avait jamais vue.

— Personne ne voudra de moi, Fanette ! Mon père a raison au moins sur ce point.

— Comment peux-tu dire une sottise pareille ! s'écria Fanette.

Rosalie lui fit signe de parler moins fort.

— Il faut regarder les choses en face, dit-elle à mi-voix. Jamais un garçon ne m'a montré de l'intérêt. Je n'ai jamais attiré les regards.

— L'occasion ne s'est pas encore présentée, c'est tout !

— Même si l'occasion se présentait, comme tu dis…

Elle hésita, cherchant le mot juste.

— Mon père n'a pas épousé ma mère, il a épousé son nom. Je ne veux pas que la même chose m'arrive, tu comprends ? Je ne veux pas qu'on m'épouse parce que je suis la fille du notaire Grandmont.

— Tous les hommes ne sont pas calculateurs ou intéressés comme ton père.

Rosalie eut un faible sourire.

— En tout cas, tu as marié l'un d'eux.

Elles restèrent assises, leurs têtes appuyées l'une contre l'autre, comme elles le faisaient au couvent.

— Promets-moi de ne pas céder à ton père, Rosalie.

— Promis. Pomme de reinette et pomme d'api.

Fanette reconnut une comptine qu'elles répétaient souvent au dortoir des Ursulines, avant de dormir.

— Pomme de reinette et pomme d'api…

— D'api, d'api rouge…

— Pomme de reinette et pomme d'api…

— D'api, d'api gris…

— Cache ton poing derrière ton dos…

— Ou t'auras un coup d'marteau…

— Aïe aïe aïe aïe aïe !

Elles pouffèrent de rire.

XLI

Le meurtre de Clément Asselin fit la manchette de tous les journaux de Québec et eut même des échos jusqu'à Montréal. On avait surnommé Jacques Cloutier « Le meurtrier de Ouindigo », mot algonquin qui signifie « coin ensorcelé », nom donné à l'île d'Orléans par les Indiens, avant le début de la colonie. Emma jeta un coup d'œil à *L'Aurore de Québec,* qui faisait un compte rendu de l'affaire : « De mémoire d'homme, on n'a jamais connu un meurtre aussi crapuleux à l'île d'Orléans. La victime, Clément Asselin, un cultivateur bien connu et respecté dans la région, a été trouvé par sa femme, Hectorine Asselin, sur le chemin Prévost, à un quart de mille de sa résidence, baignant dans son sang. Le réputé Georges Duchesne, coroner du district de Québec, qui a été dépêché sur les lieux, a déclaré que la victime avait reçu pas moins de seize coups de couteau. Il a qualifié l'assassinat de "véritable boucherie". »

Emma interrompit sa lecture, horrifiée. Dire que toutes ces années, elle avait cru Jacques Cloutier en prison ! Elle jeta un coup d'œil à Eugénie, qui versait de l'eau chaude dans une bassine qu'elle avait placée dans l'évier afin d'y laver la vaisselle. Un frisson lui parcourut l'échine. Elle replongea dans l'article, les mains légèrement tremblantes.

❧

— Qu'est-ce qu'on attend pour pendre cette racaille ? maugréa le notaire en jetant avec dédain une copie du journal *L'Aurore de Québec* sur le coin de la table de la salle à manger.

Fanette se rembrunit. Si le notaire Grandmont savait qu'elle avait très bien connu « cette racaille », comme il l'appelait ! Rosalie osa faire un timide commentaire :

— Ce sera au juge de le condamner, s'il est coupable.

Le notaire eut une moue sarcastique.

— Tiens donc, ma fille qui se fait avocate, maintenant. Heureusement qu'on n'accepte pas de femmes au Barreau ! Ce serait du joli !

Rosalie se mordit les lèvres. Philippe et Fanette échangèrent un regard excédé. Depuis l'affrontement entre Fanette et le notaire, au sujet de Rosalie, ce dernier était d'une humeur exécrable. Le notaire renchérit, péremptoire :

— Enfin, ça saute aux yeux que cet homme est coupable !

— Ce n'est pas une raison pour traiter Rosalie comme vous le faites, dit Fanette, tâchant de ne pas élever la voix.

Un silence à couper au couteau suivit. Le notaire déposa sèchement sa tasse en fine porcelaine anglaise sur sa soucoupe et s'adressa à Philippe :

— J'ai quelques contrats urgents à rédiger. Viens me rejoindre dans mon bureau.

Le notaire sortit. Philippe poussa un soupir résigné et le suivit. Rosalie était malheureuse comme les pierres.

— Qu'est-ce que je te disais ? Mon père va nous rendre la vie impossible jusqu'à ce que je me plie à sa volonté.

Fanette la regarda avec inquiétude.

— Rosalie, tu ne vas pas céder ? Tu m'as promis.

Rosalie n'osa pas lui dire le fond de sa pensée. Elle connaissait son père. Quand il avait une idée en tête, il n'en démordait pas, ne serait-ce que par orgueil. Tout serait si simple si elle acceptait d'entrer au couvent ! Elle se leva à son tour, prit un plateau sur lequel elle disposa une théière, une tasse et quelques gâteaux secs.

— Je vais porter un peu de nourriture à ma mère. Elle m'inquiète, tu sais. C'est à peine si elle touche à ce que je lui apporte. Pauvre Fanette, tu n'es pas tombée sur une famille bien gaie !

Rosalie sortit. Fanette hocha tristement la tête. Elle avait du mal à accepter le joug que le notaire faisait peser sur ses enfants, comme s'ils lui appartenaient corps et âme… Elle se leva, avisa le journal qui était resté sur la table et y jeta un coup d'œil. Un grand titre clamait : « Le présumé meurtrier de Ouindigo mis en accusation ! » Elle parcourut l'article, signé par un certain Oscar Lemoyne. « Le coroner Duchesne s'apprêterait à porter une accusation de meurtre contre le présumé assassin de Ouindigo, Jacques Cloutier. Selon une source sûre, monsieur Duchesne a déjà interrogé plusieurs témoins, dont la veuve du cultivateur assassiné et Théo Legendre, un voisin, qui affirme avoir croisé Jacques Cloutier près du chemin Prévost où la victime a été retrouvée. Quant à la veuve Asselin, elle a informé le coroner que Jacques Cloutier était arrivé sur l'île, quelques mois auparavant, après un séjour de plusieurs années aux États-Unis. Son mari avait engagé Jacques Cloutier comme travailleur agricole pour donner un coup de main aux labours, mais le trouvant querelleur et fainéant, il l'avait renvoyé le matin du meurtre. La vengeance pourrait donc être l'un des mobiles du funeste crime. »

Fanette interrompit sa lecture, troublée. Elle se rappela les menaces de Jacques Cloutier lorsqu'elle l'avait surpris dans le poulailler de la ferme des Cloutier en train de voler des œufs ; la violence de son regard sur Eugénie, lorsqu'il était entré dans la maison et l'avait menacée avec son couteau. Elle avait eu si peur, quand il avait brusquement tiré le rideau derrière lequel elle s'était réfugiée ! Il tenait son couteau serré dans sa main, prêt à s'en servir. Oui, cet homme était capable de tout. Elle n'avait jamais compris pourquoi il les avait épargnées, Eugénie et elle, ni pourquoi il avait prononcé d'aussi étranges paroles avant de partir, en la fixant de ses yeux sauvages, paroles qu'elle n'avait jamais réussi à oublier : « Prie pour moi. » Elle revint à l'article : « Rappelons à nos fidèles lecteurs que ce dangereux criminel avait déjà fait l'objet d'une arrestation à Québec, il y a neuf ans, et avait réussi à s'enfuir avant de subir son procès pour le meurtre de Jean Bruneau, un marchand des Trois-Rivières assassiné sauvagement à coups de couteau, près du village de La Chevrotière. »

Le choc fut si brutal qu'elle eut l'impression que tout son corps était engourdi. Jean Bruneau, assassiné ! Fanette se rappela cet homme au visage rond et aimable qui portait un manteau de fourrure. C'est avec lui qu'Amanda avait quitté la ferme. Une angoisse affreuse s'empara d'elle. Qu'était devenue Amanda ? Elle se souvint de ses promesses, lorsqu'elle était partie avec monsieur Bruneau, en cette journée neigeuse et froide du 15 mars 1849 : « Je vais revenir te chercher, Fanette, je te le jure. » Elle avait tant prié pour qu'Amanda revienne ! Pourquoi ne lui avait-elle jamais donné signe de vie ? Pourquoi ce silence de neuf longues années ? Était-il possible qu'elle ait été… Elle n'osa prononcer ce mot. Les questions lancinantes auxquelles elle n'avait jamais eu de réponse revinrent la hanter. En cet instant, elle eut tout donné pour savoir ce que sa sœur était devenue. Elle replia le journal, le prit avec elle, puis alla voir Joseph, le cocher, et lui demanda d'atteler la voiture.

❧

Lorsque le coroner Georges Duchesne descendit de son boghei, il fut frappé par la désolation qui régnait sur la ferme des Cloutier. Neuf années s'étaient écoulées depuis sa visite des lieux. Les champs n'avaient pas été labourés et avaient été envahis par des mauvaises herbes ; une charrue rouillée gisait près de la grange dont le toit s'était effondré. Pas un signe de vie, à part le croassement d'une corneille perchée sur la branche d'un érable. Il crut d'abord que la ferme avait été abandonnée. Puis il aperçut une femme penchée au-dessus d'un potager. Elle releva la tête. Il eut peine à reconnaître Pauline Cloutier. Son visage s'était creusé, des mèches grises sortaient de son bonnet. Elle le regarda un moment, plissant les yeux à cause du soleil. Puis elle laissa tomber le sarcloir qu'elle tenait à la main et resta debout, figée comme la statue de Loth. Le coroner s'approcha d'elle.

— Madame Cloutier ?

Elle le regarda en silence. Ses yeux noirs étaient sans expression.

— Je voudrais vous poser quelques questions.

Elle continua à le regarder sans répondre, comme si elle n'avait pas entendu. Le coroner se racla la gorge, mal à l'aise.

— Votre mari n'est pas au champ ? dit-il, éprouvant soudain le besoin de faire un peu de conversation tant la misère de cette femme semblait grande.

— Y est mort y a deux ans, dit-elle, la voix atone. Y est tombé raide mort pendant qu'y labourait.

— Et vos enfants ?

Elle fit un geste vague vers le chemin.

— Partis travailler en ville. Mon petit dernier est mort.

Elle se pencha pour reprendre son sarcloir. Le coroner se pencha à son tour, le prit et le lui tendit.

— Votre fils va subir un procès pour le meurtre de Clément Asselin.

Elle se remit à sarcler.

— Comme vous le savez sans doute, il n'y a pas prescription pour les homicides.

Elle continua son travail. Il crut qu'elle n'avait pas compris le sens de ses paroles et renchérit :

— J'ai l'intention de déposer d'autres accusations contre votre fils pour le meurtre de Jean Bruneau. Je vais devoir vous assigner comme témoin.

Elle arracha quelques carottes qu'elle mit dans un vieux panier en paille. Il poursuivit :

— Quand je vous ai interrogée, il y a neuf ans, le lendemain du meurtre, vous aviez prétendu que votre fils était reparti au chantier la veille du meurtre de Jean Bruneau.

— C'est trop loin, tout ça, je me rappelle pas.

— J'ai envoyé un homme au camp de bûcherons, près du lac Batiscan. Votre fils avait été renvoyé du camp en février 1849, et il n'est jamais retourné. Pourquoi avez-vous menti ?

Pour la première fois, elle leva la tête vers lui. Ses mains noueuses étaient noires de terre. Son regard avait retrouvé une certaine vie.

— Jacques a pas tué Jean Bruneau. Le 15 mars 1849, mon fils était avec moi. Y m'a aidée à traire les vaches, y a travaillé aux champs avec son père. C'est l'Irlandaise qui a tué Jean Bruneau. Pis c'est ce que je vais dire en cour.

Le coroner fit un pas vers elle.

— Vous seriez prête à vous parjurer ?

— Je suis sa mère. Une mère accuse pas son propre enfant.

⁓

Il faisait un temps radieux. La calèche passa près de la place du Marché. Fanette, assise sur le banc, écoutait distraitement les cris des marchandes :

— Des beaux poulets, des beaux poulets, trente-huit cennes le poulet vivant !

Les volatiles, enfermés dans des cageots empilés les uns sur les autres, caquetaient en battant des ailes.

Un garçon, portant une casquette posée crânement sur le côté de sa tête, se promenait agilement entre les badauds et vendait le journal *L'Aurore de Québec* à la criée :

— En manchette dans *L'Aurore de Québec* ! Le meurtrier de Ouindigo accusé de l'assassinat de Clément Asselin ! Achetez *L'Aurore* ! Tout ce que vous voulez savoir sur le meurtrier de Ouindigo ! Un p'tit trois cennes pour connaître la vérité, juste la vérité, rien que la vérité !

⁓

Emma avait découpé l'article de *L'Aurore de Québec* avec soin et l'avait rangé dans le tiroir, avec les autres coupures de journaux jaunies par le temps. Elle espérait de tout son cœur que Fanette n'ait rien su de cette sordide histoire durant son voyage de noces. Au moins, que ses premiers jours de jeune mariée n'aient pas été assombris par ces terribles événements !

— Tôt ou tard, il faudra bien lui dire ce que tu sais, lui avait fait remarquer Eugénie avec douceur avant de partir pour le refuge du Bon-Pasteur.

Emma n'avait pas répondu, mais elle savait qu'Eugénie avait raison, même si elle aurait préféré laisser ce passé sinistre dans l'oubli. Elle souleva avec un linge un chaudron rempli d'eau chaude et se rendit dans le hangar où se trouvait la machine à laver que le docteur Lanthier lui avait offerte pour son anniversaire. Elle vida l'eau dans la cuve déjà remplie de vêtements, ajouta de la soude caustique et s'apprêtait à tourner la manivelle lorsqu'elle entendit frapper à la porte d'en avant. Elle s'essuya les mains sur son tablier et traversa la cour en direction de la porte cochère. Elle aperçut une fine silhouette debout devant la maison. Une calèche était immobilisée plus loin dans la rue.

— Fanette !

Emma ouvrit la barrière. Fanette courut vers sa mère et se précipita dans ses bras. Le parfum familier de violette et de pain qui avait bercé son enfance rassura la jeune femme.

༄

Emma mit un canard sur le poêle pour faire du thé, puis se tourna vers Fanette, qui lui parut pâle et inquiète. Il lui sembla qu'elle était revenue plus tôt que prévu de son voyage de noces. Pourvu que ce ne soit pas déjà une querelle de ménage…

— Il fallait que je vous voie. J'ai appris une chose… Je suis toute à l'envers.

Fanette lui tendit le journal qu'elle avait apporté. Emma le prit, reconnut un exemplaire de *L'Aurore de Québec*. La manchette sur Jacques Cloutier était bien en évidence.

— Je l'ai lu ce matin, dit Emma, cachant mal son malaise.

Fanette fit quelques pas dans la cuisine, fébrile.

— Amanda était partie avec Jean Bruneau, le jour du meurtre. Je m'en souviens comme si c'était hier. Juste avant de s'en aller, elle m'avait dit que c'était un homme bon, que c'était la seule personne qui pouvait nous sauver…

Fanette prit place sur une chaise, comme accablée par le chagrin.

— Pendant toutes ces années, j'ai cru qu'elle m'avait abandonnée…

Elle leva les yeux vers Emma :

— Elle était avec Jean Bruneau quand il a été tué. Peut-être… Peut-être que Jacques Cloutier l'a tuée, elle aussi.

Emma s'installa à côté d'elle, lui prit les deux mains.

— Fanette, j'ai un aveu à te faire. J'aurais dû t'en parler il y a longtemps, mais à l'époque, j'avais pensé qu'il valait mieux…

Le canard se mit à siffler. Emma se leva, versa l'eau bouillante dans une théière en faïence bleue, puis revint vers la table et déposa la théière. Fanette suivait tous ses gestes, comme si sa vie en dépendait.

— Au sujet d'Amanda ? finit par dire Fanette, la voix blanche.

Emma acquiesça, puis se dirigea vers le secrétaire dans le salon, ouvrit le tiroir, fouilla à l'intérieur, en sortit une vieille coupure de presse et revint vers Fanette.

— J'avais gardé cet article. Il est daté du 2 juillet 1849.

Fanette prit l'article de journal et le parcourut tandis qu'Emma versait le thé dans deux tasses.

« Jacques Cloutier, le fils d'un cultivateur du village de La Chevrotière, a été appréhendé avant-hier au matin par des policiers de Québec, alors qu'il tentait de s'enfuir avec l'argent de la recette d'un magasin général de la basse ville. Par chance, le caissier, après avoir été menacé avec un couteau par le dangereux individu, a pu s'enfuir et alerter deux policiers qui faisaient une ronde dans le quartier. Jacques Cloutier a été conduit à la prison de Québec, où il sera interrogé par le coroner Georges Duchesne. D'après ce que le coroner a laissé entendre, Jacques Cloutier pourrait être l'auteur du meurtre sordide de Jean Bruneau, survenu en mars dernier près du village de La Chevrotière. C'est grâce au dessin d'une fillette de neuf ans que l'homme a pu être identifié. Il aurait en effet pénétré dans le logis d'une dame de Québec, madame Emma Portelance, y aurait subtilisé de l'argent et menacé les occupantes, dont la fillette. La police a pu établir ces faits grâce au travail d'un fin limier, le constable Fernand Gauthier, qui avait reçu la déposition de mademoiselle Eugénie Borduas, une protégée de madame Portelance. »

Lorsque Fanette eut achevé sa lecture, Emma poursuivit à contrecœur :

— Avant de t'adopter, je m'étais rendue au village de La Chevrotière pour retrouver tes parents. J'avais su par madame Dubreuil, la dame qui tenait le magasin général, que toi et ta sœur étiez orphelines et que vous aviez été accueillies par les Cloutier. C'est elle qui m'avait parlé du meurtre de Jean Bruneau et de... de la disparition d'Amanda.

— Disparition ? dit Fanette, penchée en avant, les yeux devenus presque noirs.

Emma prit une gorgée de thé pour se donner du courage. La dernière chose qu'elle souhaitait était faire du mal à sa chère Fanette.

— J'étais ensuite allée rendre visite au coroner Duchesne. Il m'a dit qu'on n'avait pas retrouvé ta sœur sur les lieux du meurtre.

Fanette réfléchit à ce que sa mère adoptive venait de lui apprendre.

— Il y a autre chose, dit-elle.

Emma retint un soupir. Fanette n'avait pas changé. Toute petite, elle avait ce besoin de savoir la vérité et n'abandonnait pas tant qu'elle n'avait pas vu le fond du chaudron.

— D'après le coroner, il y avait des traces de sang, à environ un mille du corps de Jean Bruneau.

Fanette reçut la réponse d'Emma comme un violent coup de poignard.

— Le sang… d'Amanda ?

— C'est une possibilité. Le coroner n'en savait pas davantage. Du moins, c'est ce qu'il m'avait laissé entendre.

Emma vit que Fanette serrait les dents pour ne pas pleurer. Elle se retint de la prendre dans ses bras, sentant qu'elle avait besoin qu'on la laisse tranquille. Après un long temps, Fanette se mit à parler. Sa voix était éraillée par la peine :

— Pourquoi vous ne m'avez rien dit ?

— Je voulais te protéger. Le pauvre homme avait été tué à coups de couteau, une véritable boucherie, d'après madame Dubreuil.

Une véritable boucherie… C'était exactement en ces termes que le coroner avait décrit le meurtre de Clément Asselin, songea Fanette. Emma tripotait sa tasse de thé. Visiblement, cette discussion la mettait au supplice. Fanette la regarda dans les yeux :

— J'aurais préféré savoir.

— Tu n'avais que neuf ans ! Ce n'est pas le genre de choses qu'on répète à un enfant. Puis l'eau a coulé sous les ponts et j'ai pensé qu'il valait mieux ne pas remuer le passé. Pardonne-moi si j'ai eu tort.

Fanette garda à nouveau le silence, ne sachant que penser de toutes ces révélations. Après un moment, elle prit un air résolu :

— Amanda est peut-être encore vivante. Je veux savoir ce qui lui est arrivé.

Emma ne fut aucunement surprise de la résolution de sa fille. Elle n'espérait qu'une chose : que ce qu'elle découvrirait ne lui fasse pas davantage de mal que ce qu'elle savait déjà.

❧

Après sa visite à la ferme des Cloutier, le coroner se rendit dans la basse ville, rue Saint-Joseph, et laissa sa voiture devant une coquette maison de trois étages. Jamais on n'aurait pu soupçonner que cet immeuble d'allure bourgeoise abritait une maison close.

Madame Bergevin l'accueillit avec cette chaleur distante dont elle usait toujours avec les représentants de l'ordre. Elle lui offrit du thé; il déclina poliment. On était au milieu de l'après-midi. Une bonne époussetait les meubles cossus; une horloge se mit à sonner l'heure. Seules les tentures rouges et le chatoiement équivoque des soieries sur les canapés et les bergères trahissaient le genre d'activités qui se déroulaient dans cette maison lorsque le jour était tombé.

— Qu'est-ce que je peux faire pour votre service ? dit madame Bergevin, l'air très respectable dans sa robe en taffetas sombre et avec son chignon sévère.

Le coroner lui parla de son témoignage, neuf ans auparavant, concernant l'un de ses clients, Jacques Cloutier.

— Vous aviez déclaré à l'époque que Jacques Cloutier avait passé la nuit du 15 mars 1849 dans votre établissement, et y avait dépensé une grosse somme, cent cinquante livres.

Madame Bergevin se leva, refit un arrangement de gardénias dans un pot en porcelaine de Sèvres.

— Je suis désolée, monsieur Duchesne, mais j'en garde aucun souvenir.

Le coroner, qui avait relu soigneusement le dossier de l'enquête, revint à la charge :

— Pourtant, vous aviez bien témoigné à l'effet que…

— Neuf ans, c'est long, dit-elle en retournant s'asseoir. À mon âge, la mémoire fait parfois défaut.

Le coroner comprit dès lors qu'il n'avait plus rien à tirer de madame Bergevin. Le seul témoignage pouvant établir que Jacques Cloutier avait subtilisé l'argent de Jean Bruneau partait en fumée. Il n'y avait sans doute aucun témoin du meurtre du commerçant des Trois-Rivières, hormis peut-être cette Amanda O'Brennan, qui avait disparu depuis.

Le coroner remonta dans sa voiture et fouetta son cheval. Il prit la ferme résolution de retrouver « l'Irlandaise », comme l'appelait Pauline Cloutier. Il passerait la ville au peigne fin, retournerait les matelas, s'il le fallait, mais il la retrouverait. Si elle était encore de ce monde.

XLII

En rentrant chez elle, rue la Grande Allée, Fanette décida de ne pas souffler mot des confidences d'Emma sur sa sœur, ni de son intention d'en savoir plus long sur son sort. Elle ne voulait surtout pas que le notaire fût au courant de ses démarches. Il était déjà si frileux concernant sa réputation, qu'elle n'osait imaginer sa réaction s'il apprenait que sa belle-fille voulait entreprendre des recherches pour retrouver sa sœur disparue dans des circonstances aussi affreuses.

Après souper, le notaire convoqua Fanette dans son bureau. Il lui remit une petite enveloppe cachetée sur laquelle il avait soigneusement inscrit son nom en lettres moulées : Fanette Grandmont.

— Voici vos émoluments pour la semaine. J'espère que vous emploierez cet argent avec sagesse.

Fanette sortit du bureau, décacheta l'enveloppe, en sortit trois dollars. C'était peu, mais elle s'en contenterait. Le notaire, dès leur installation dans la maison, avait fait comprendre aux jeunes mariés que c'était lui qui tiendrait les cordons de la bourse. Elle aurait préféré de loin gérer un domaine, comme le faisait Emma, et ne dépendre de personne, surtout pas de ce beau-père près de ses sous qui semblait prendre un malin plaisir à souligner sa prétendue générosité, mais il lui fallait un peu d'argent pour mettre son plan à exécution.

Fanette franchit l'escalier qui menait à l'appartement du jeune couple. C'est Marguerite qui avait présidé à la décoration du boudoir et de la chambre, prenant soin d'alléger l'austérité des vieux meubles qui avaient appartenu au père du notaire

Grandmont en ajoutant des tapis et des rideaux aux coloris chatoyants, des vases en porcelaine de Sèvres et des lampes qui égayaient l'atmosphère. Chaque fois que Fanette entrait dans le boudoir, elle avait le sentiment d'échapper à la routine imposée par le notaire, d'être à l'abri de son regard inquisiteur.

Lorsqu'elle entra dans la chambre, elle vit Philippe assis dans le lit, un énorme livre ouvert sur ses genoux repliés. Des dossiers étaient répandus autour de lui. Il était si absorbé par sa lecture qu'il ne l'avait pas entendue entrer. Elle s'approcha, se pencha au-dessus de lui, déchiffra le titre de son livre.

— *Traité général du notariat et des pratiques contractuelles*. Excellent soporifique avant de dormir, déclara-t-elle, amusée.

Il leva la tête vers elle en souriant.

— Qui te dit que j'ai envie de dormir ?

Il ferma son livre, le déposa par terre, attira Fanette vers lui. Elle sentit sa chaleur, son parfum musqué qu'elle avait aimé dès leur premier baiser, sur le banc de pierre à La Malbaie. Ils roulèrent sur les dossiers épars.

Le lendemain matin, prétextant une visite à madame Portelance, Fanette héla un fiacre qui était garé plus loin dans la Grande Allée et se rendit rue Saint-Paul, chez le docteur Lanthier.

Par chance, il était devant chez lui, en train d'atteler son cheval à sa voiture. Elle descendit du fiacre et vint à sa rencontre. Il fut agréablement surpris de la voir.

— Fanette ! Quel bon vent t'amène ?

— Savez-vous comment on fait pour retrouver une personne disparue ?

Il resta bouche bée. Fanette, se rendant compte qu'elle avait été un peu abrupte, lui expliqua :

— Je cherche ma sœur. Elle a disparu il y a neuf ans.

Un homme ventru les croisa et toucha sa casquette du bout des doigts.

— Bien le bonjour, docteur. Mam'selle…

— Bonjour, monsieur Poitras.

L'homme s'éloigna. Le docteur se tourna vers Fanette et dit gentiment :

— Viens chez moi. Nous serons plus tranquilles.

Le docteur sortit son trousseau de clés et ouvrit la porte. Fanette fut frappée par l'ordre irréprochable qui régnait dans la maison, petite mais bien entretenue. Tout était à sa place. Pas un grain de poussière sur les meubles. Les planchers en bois sentaient l'encaustique. Elle remarqua un tableau placé au-dessus de la cheminée. On y voyait une jolie femme aux cheveux blonds assise dans un fauteuil festonné de motifs floraux ; le même fauteuil était placé au fond du salon, près d'une fenêtre.

— Ma femme, commenta le docteur, qui avait remarqué le regard de Fanette sur la peinture.

Le docteur, après avoir réchauffé un restant de café, écouta attentivement le récit de Fanette. Il lut également les articles de journaux qu'elle avait apportés, dont celui qu'Emma lui avait remis lors de sa visite chez elle. Ses lunettes cerclées d'or brillaient légèrement dans la lumière diffuse du soleil matinal. Il réfléchit un moment avant de parler.

— Neuf ans, c'est long. Plus le temps passe, plus il est difficile de retrouver la trace d'une personne disparue. Ta sœur a peut-être quitté le pays, changé de nom...

Il ajouta, très doucement, avec le ton qu'il prenait toujours en annonçant une mauvaise nouvelle à un patient :

— As-tu déjà pensé qu'elle pouvait...

— ... être morte ? C'est possible, mais je refuse de le croire.

Le docteur fut touché par la ferveur avec laquelle elle avait prononcé ces mots.

— Il faudra d'abord vérifier les registres des hôpitaux. L'Hôtel-Dieu garde les dossiers des patients soignés chez eux et inscrit également leur décès, le cas échéant. Par contre, les dispensaires et l'hôpital des Émigrés n'ont pas de registres. Si elle avait été soignée là, il n'y aurait aucun moyen de l'apprendre de cette façon.

Elle acquiesça courageusement.

— Est-ce que je peux compter sur votre aide ? dit-elle avec une petite voix qu'elle tenta en vain de raffermir.

Il acquiesça et la reconduisit vers la porte d'entrée.

— Je t'en donne des nouvelles dès que possible, dit-il.

Fanette lui prit la main et la serra dans la sienne.

— Merci, dit-elle, la voix étranglée par l'émotion.

Elle fit un mouvement pour sortir, puis se ravisa.

— Docteur Lanthier, j'aurais une autre faveur à vous demander.

Elle prit une inspiration.

— J'aimerais vous accompagner quand vous ferez ces démarches.

Le docteur la regarda, hésitant.

— Je ne crois pas que ce soit convenable, pour une jeune femme, de…

Elle lui jeta un regard implorant.

— Je vous en prie. Ce sera trop difficile de rester à la maison à me ronger les sangs. Je vous promets de ne pas être trop encombrante.

Le docteur n'eut pas le cœur de lui refuser sa demande.

— Bon, comme tu veux. Peux-tu être ici demain matin, à huit heures ?

Elle fit oui de la tête en souriant et sortit.

Le docteur referma la porte, songeur. Il n'avait pas voulu enlever tout espoir à Fanette, mais ses chances de retrouver sa sœur vivante étaient bien minces. Il retourna au salon, prit les deux tasses et se dirigea vers la cuisine. Il les déposa dans un évier en faïence blanche sous lequel se trouvait une cuve, les rinça en versant de l'eau d'une cruche qu'il laissait toujours à portée de la main, puis ressortit de la maison en verrouillant la porte. Il avait pris du retard sur son horaire chargé, mais il ne le regrettait pas. Pour une fois, ses patients pouvaient bien attendre.

❧

Fanette se réveilla à l'aube. Elle n'avait presque pas dormi, pensant sans cesse à Amanda et à son rendez-vous du lendemain avec le docteur Lanthier. Amanda avait quatorze ans lorsqu'elle était partie avec Jean Bruneau. Elle aurait donc vingt-trois ans aujourd'hui. Avait-elle changé ? La reconnaîtrait-elle ? Elle tourna la tête vers Philippe. Il dormait encore. Une mèche couvrait son front, et ses cils noirs ombrageaient ses joues. Elle le regarda dormir, le cœur gonflé de tendresse. Elle se leva, s'habilla avec des gestes furtifs pour ne pas le réveiller. Elle choisit une robe simple, en coton clair, assortie d'une crinoline légère. Philippe poussa un soupir, ouvrit un œil.

— Déjà levée ? murmura-t-il.

— Chut… dors.

Elle enleva délicatement la mèche sur son front, l'embrassa sur le coin de la bouche et sortit de la chambre. Il se rendormit, le sourire aux lèvres.

Fanette descendit l'escalier à pas de loup pour ne pas éveiller la maisonnée. Elle tressaillit lorsqu'elle entendit la voix métallique du notaire Grandmont s'élever derrière elle. Il portait une robe de chambre en soie prune et une écharpe de la même couleur nouée autour du cou.

— Vous êtes bien matinale, Fanette. Où allez-vous d'un pas si léger ?

Fanette le regarda sans ciller.

— J'ai rendez-vous avec le docteur Lanthier.

— Vous n'êtes pas souffrante, j'espère, dit le notaire, montrant pour une rare fois une inquiétude sincère.

— Non. Le docteur fait sa tournée de patients pauvres. Il m'a demandé de l'accompagner.

— Voilà qui est bien généreux de votre part.

Elle s'éloigna sans demander son reste. Il la suivit des yeux, pensif. Il avait le sentiment qu'elle ne lui avait pas dit toute la vérité.

Le docteur Lanthier attendait devant chez lui. Sa voiture était déjà attelée. Il consulta sa montre, qu'il tira d'un gousset.

Huit heures. Au même moment, un fiacre s'arrêta derrière sa voiture. Fanette en descendit.

— Tu es ponctuelle, ma chère Fanette, dit le docteur en souriant.

Ils se rendirent d'abord à l'Hôtel-Dieu. L'hôpital était situé rue Collins, que les gens du quartier appelaient familièrement « la rue de l'Hôpital », car elle conduisait de la rue Saint-Jean à l'Hôtel-Dieu.

Des infirmières bénévoles habillées de blanc et portant des plateaux remplis de bandages ou d'instruments chirurgicaux et des religieuses augustines aux longs voiles noirs allaient et venaient au milieu des patients étendus sur des lits alignés côte à côte dans l'immense salle commune. On entendait des gémissements et le bourdonnement des voix amplifiés par l'écho. Le docteur Lanthier demanda à une religieuse la permission de consulter les archives, en lui expliquant qu'il était médecin et cherchait le dossier d'une patiente. La nonne, une femme grande et maigre aux yeux cernés par la fatigue, les escorta jusqu'à un escalier qui menait au sous-sol.

— La salle des archives est en bas, derrière la voûte, dit-elle avant de s'éloigner à pas rapides.

Fanette et le docteur descendirent les marches en pierre calcaire polies par le temps et se dirigèrent vers la voûte dont l'augustine avait parlé. Ils entrèrent dans une grande salle sombre et humide. Fanette ne put retenir une exclamation de surprise en voyant les centaines de registres tapissant les murs.

— On n'y arrivera jamais !

Le docteur Lanthier s'approcha des registres, ajusta ses lunettes.

— Les dossiers des patients sont inscrits par ordre d'arrivée. À quelle date ta sœur a-t-elle disparu ?

— Le 15 mars 1849, répondit Fanette sans hésiter.

Le docteur Lanthier prit un registre au hasard et l'ouvrit. Le recueil relié en cuir fauve craquait sous ses doigts. Une date était inscrite à la main en haut de chaque page, avec le nom d'un patient. L'encre bleue était à demi effacée. Il lut à mi-voix :

— « Gratia Dupré, quarante et un ans... Admission pour aliénation mentale... le 12 janvier 1754. »

Il remit le registre à sa place et fit quelques pas vers la droite. Il s'empara d'un autre registre, y jeta un coup d'œil.

— « ... le 22 mai 1821. » On approche.

Fanette prit un registre à son tour et le feuilleta.

— 1834, dit-elle.

Elle finit par trouver un registre datant de 1849 et le tendit au docteur. Il parcourut méticuleusement les inscriptions à partir du 15 mars. Il se rendit jusqu'au mois de novembre de la même année.

— Rien, finit-il par dire. Aucune mention de ta sœur.

Fanette, en un sens, fut soulagée. Sans se l'avouer, elle craignait de voir le nom de sa sœur inscrit dans un registre avec la mention « décédée ».

Ils se rendirent ensuite à l'Hôpital général, situé dans le quartier Notre-Dame-des-Anges, dans la basse ville, tenu également par les Augustines. Après deux heures de recherches dans la salle des archives, ils ne découvrirent aucune trace d'un passage d'Amanda à l'hôpital.

Fanette garda un silence songeur pendant le trajet de retour. Si Amanda n'avait pas séjourné à l'hôpital ce jour-là et les suivants, ça pouvait signifier qu'elle n'avait pas été blessée, ou à tout le moins, qu'elle n'avait pas subi de blessures graves. Ou bien sa sœur était ailleurs, dans une autre ville, dans un autre pays, et elle n'entendrait plus jamais parler d'elle. Comme s'il avait suivi le fil de ses pensées, le docteur Lanthier finit par dire :

— Il ne faut pas se décourager.

Quelle piste suivre à partir de maintenant ? Comment procéder ? Peut-être qu'Amanda avait été soignée à l'hôpital des Émigrés, qu'elle y était morte de façon anonyme, sans personne pour lui tenir la main... Le docteur tira sur les rênes et sa voiture s'immobilisa devant la maison dans la Grande Allée.

— Tu devrais peut-être placer une annonce dans un journal. Sait-on jamais, dit-il.

Fanette remercia le docteur et descendit de la voiture. Elle aperçut les rideaux d'une fenêtre qui bougèrent. Le visage anguleux du notaire Grandmont se profila furtivement à travers la vitre puis les rideaux le masquèrent. Fanette sentit une pointe d'irritation : le notaire la surveillait-il ?

Durant le souper, Fanette mangea distraitement. La suggestion du docteur Lanthier lui trottait dans la tête : et si elle plaçait en effet une annonce dans un journal ? Il faudrait que le texte soit discret pour qu'il n'éveille pas l'attention, mais en même temps, précis, afin qu'Amanda se reconnaisse, si jamais elle était à Québec et lisait le journal. Elle entendit la voix du notaire comme dans un brouillard :

— N'avez-vous pas entendu la nouvelle ? Toute la ville ne parle que de cela !

Le regard bleu du notaire était braqué sur elle.

— Quelle nouvelle ? dit-elle, la voix blanche.

— Mademoiselle Simone Sicotte va épouser Walter Norton, le fils du juge Norton. Les bans ont été publiés au prône à l'église Notre-Dame. Monseigneur Turgeon en personne célébrera le mariage.

Il se tourna vers Philippe et ajouta, la voix empreinte d'amertume :

— Dire que tu aurais pu être l'heureux élu…

Philippe soutint le regard de son père sans broncher.

— Je souhaite à mademoiselle Sicotte tout le bonheur du monde. Pour ma part…

Il tourna la tête vers Fanette :

— … je suis un homme comblé.

Fanette lui jeta un regard reconnaissant. Le notaire prit une gorgée de vin comme s'il cherchait à noyer son dépit.

— J'ai relu le contrat d'achat que tu as rédigé pour l'un de nos meilleurs clients, monsieur Alistair Gilmour. Il est truffé d'erreurs. Je suis obligé de tout le reprendre. Si je n'étais pas là pour relire les contrats à la loupe, nous ferions banqueroute, mon garçon.

— Je ferai mieux la prochaine fois, père.

Ce n'était pas la première fois que le notaire Grandmont humiliait son fils à table. Philippe endurait ses remarques avec une patience d'ange, sans se plaindre. Fanette savait que ce n'était pas par faiblesse, mais par délicatesse à son égard. Il ne voulait pas qu'elle se rende compte à quel point le travail de notaire lui pesait, afin de ne pas souligner devant elle l'étendue du sacrifice qu'il avait fait en renonçant à la médecine pour l'épouser.

Cette nuit-là, elle s'éveilla et constata que la place à côté d'elle était vide. *Pourvu que Philippe ne soit pas encore en train de travailler*, pensa-t-elle. Ça lui arrivait de plus en plus souvent. Elle se leva, alluma une chandelle, jeta un coup d'œil dans le passage. La maison était plongée dans un silence profond. Elle descendit l'escalier, vit de la lumière sous la porte de la pièce qui servait de bureau à Philippe. Elle hésita, puis cogna doucement à la porte et entra. Philippe était installé dans un fauteuil et lisait. En entendant la porte s'ouvrir, il referma prestement son livre, l'air vaguement coupable.

— Tu ne dors pas ? dit-il pour cacher son malaise.

— Toi non plus, répliqua Fanette avec une note d'humour. J'avais peur que tu sois en train de t'arracher les yeux à réécrire ce satané contrat.

Elle s'approcha de lui.

— Qu'est-ce que tu lisais ?

— Oh, rien d'intéressant.

Fanette s'approcha de lui, reconnut le traité de médecine qu'il lisait à La Malbaie, assis sur le banc de pierre, sous le vieux tilleul. Le livre était écorné et abîmé par l'usage.

— Philippe, il n'est pas trop tard pour entreprendre ta médecine.

Il haussa les épaules.

— La médecine ne m'intéresse plus.

— C'est pour cette raison que tu t'amuses à lire un traité d'anatomie en pleine nuit ?

Son silence lui donna raison. Elle s'assit sur le bras du fauteuil, lui entoura le cou de ses bras fins.

— Tu n'as aucune raison de continuer à faire un travail que tu détestes.

— Je ne le déteste pas tant que ça. De toute façon, mon père a besoin de moi.

— Ton père veut simplement te garder sous sa coupe ! s'écria-t-elle.

Philippe se rembrunit. Fanette sentit qu'elle l'avait blessé.

— Je n'aime pas le voir te traiter comme il le fait. Il n'est même pas reconnaissant de ton dévouement !

Philippe lui fit signe de parler moins fort.

— Je n'attends pas de reconnaissance de sa part.

— Raison de plus pour ne pas renoncer à ton rêve.

— Mon rêve, je l'ai épousé. Il est assis à côté de moi, et il pose plein de questions inutiles.

Il l'attira vers lui, l'enlaça.

⁓

Le lendemain matin, suivant le conseil du docteur Lanthier, Fanette s'installa à son secrétaire et rédigea une courte annonce. « F. O. cherche sa sœur aînée A. » Elle secoua la tête. Ce n'était pas assez précis. Jamais Amanda ne saurait qu'il s'agissait d'elle. Elle réfléchit puis ajouta : « qui porte un pendentif en forme de trèfle. Signé : Forget me not. Prière de répondre à la rédaction du journal, sous ce nom. » Voilà qui était mieux. Elle glissa le feuillet dans une enveloppe et sortit en disant à Philippe qu'elle avait une course à faire. Elle se rendit en fiacre à la salle de rédaction du journal *L'Aurore de Québec*, située au rez-de-chaussée d'un immeuble de la rue Saint-Pierre, non loin de la Quebec Bank. Il lui restait tout juste assez d'argent pour régler la course, car elle voulait garder un peu de monnaie pour payer l'annonce. Elle descendit de la voiture et leva les yeux vers la façade de l'immeuble, dont les longues fenêtres étaient obstruées par des tentures sombres. Elle poussa la lourde porte en chêne et entra. Une odeur âcre d'encre et de papier la prit à la gorge. Des journaux attachés avec de la corde étaient empilés dans un coin de la grande salle. Des lampes suspendues à de longs fils jetaient une lumière jaune sur une rangée de pupitres collés les uns sur les autres. Des hommes allaient et venaient, les manches retroussées, une plume à l'oreille. Une énorme presse trônait au fond de la pièce. Deux hommes en bleu de travail s'activaient à y placer du papier et à actionner des manivelles qui tournaient en faisant un cliquetis métallique. Fanette, intimidée malgré elle, s'approcha d'un pupitre près de la porte. Un jeune homme portant une visière écrivait fébrilement, les manches de sa chemise roulées et les doigts tachés d'encre.

— Excusez-moi, monsieur. Je voudrais passer une annonce dans votre journal.

Il leva la tête. Ses joues étaient couvertes de taches de rousseur. Fanette lui aurait donné tout au plus dix-sept ans.

— Donnez, je m'en occupe.

Elle lui tendit l'enveloppe, non sans une légère hésitation. Il le remarqua.

— J'ai vingt-deux ans et toutes mes dents, dit-il avec un sourire goguenard.

Il avait en effet une bonne rangée de dents qui se pressaient les unes contre les autres, et lui donnaient une mine délurée mais sympathique.

— Oscar Lemoyne, pour vous servir.

Fanette regarda le jeune homme de plus près. Ce nom lui était familier. Lemoyne se rengorgea.

— C'est moi qui couvre l'affaire Cloutier.

C'était donc cela. Elle se rappelait avoir vu son nom sous l'article qu'elle avait lu dans *L'Aurore*. Le journaliste sortit le feuillet de l'enveloppe et y jeta un coup d'œil. « F. O. cherche sa sœur aînée A. qui porte un pendentif en forme de trèfle. Signé : Forget me not. Prière de répondre à la rédaction du journal sous ce nom. » Sa curiosité fut tout de suite piquée par le texte de l'annonce : « pendentif »… « Forget me not »… de toute évidence, cette jeune femme ne voulait pas révéler son identité ni celle de sa sœur et utilisait des mots dont elles seules connaissaient la signification.

— Pour les avertissements…

Fanette le regarda sans comprendre. Il expliqua :

— Les annonces. C'est sept sous la ligne. Votre annonce fait trois lignes, ça fait vingt et un sous pour deux parutions, le double pour une semaine complète.

Fanette accusa le coup.

— C'est cher. J'ai bien peur de ne pas…

— Pour vous, je suis prêt à faire un spécial. Trois sous la ligne, pour cinq parutions. Plus un sourire.

Elle sourit. Il donna le feuillet à un typographe tandis qu'elle fouillait dans sa bourse pour trouver de la monnaie. Il l'examina avec curiosité. Peut-être avait-elle une histoire intéressante à raconter. En tant que journaliste, il était constamment à la recherche de la « perle » qui ferait une bonne manchette.

— Comme ça, vous cherchez votre sœur ?

Saisie par sa question, elle ne répondit pas. Il se pencha vers elle.

— Si vous me dites son nom, je pourrais vous donner un coup de main. Gratis.

Pendant un instant, elle fut tentée par sa proposition. Puis elle secoua la tête et déposa les pièces de monnaie sur le pupitre.

— Merci, je préfère me débrouiller toute seule.

Elle fit un mouvement pour partir, mais il la retint. Il avait remarqué son hésitation et brûlait d'en savoir plus long.

— Quand on est rendu à placer une annonce pour retrouver quelqu'un, c'est qu'on a tout essayé, sans succès, dit-il.

Fanette sentit l'émotion lui serrer la gorge. Elle ne put résister à la tentation de se confier.

— Ma sœur a disparu. J'ai peur qu'il lui soit arrivé quelque chose.

— À votre place, je ferais le tour des hôpitaux.

— C'est déjà fait.

Il la regarda, étonné. Cette jolie jeune femme bien habillée semblait pas mal débrouillarde pour une bourgeoise de Québec… Il poursuivit :

— Après, j'irais voir dans les refuges. Ensuite, la police.

Constatant que la jeune femme gardait le silence, il décida d'aller à la pêche, espérant récolter une information intéressante.

— À moins que votre sœur ait eu des… ennuis avec la justice ?

Fanette rougit d'indignation.

— Ma sœur n'a rien fait de mal !

Fanette regretta aussitôt son cri du cœur. Oscar Lemoyne la scruta de plus près. Il repensa à l'annonce qu'elle voulait publier : « F.O. cherche A. »… « Un pendentif en forme de trèfle »… Le trèfle, appelé *shamrock* en gaélique, était devenu le symbole de l'Irlande. D'après un article qu'il avait lu, saint Patrick aurait présenté le mystère de la trinité comme étant aussi naturel que le trèfle, cette herbe à trois feuilles qui pousse abondamment sur la verte Erin. Cette jeune femme était peut-être d'origine irlandaise… De son propre aveu, elle lui avait confié que sa sœur avait disparu. Cette mystérieuse « A » avait donc peut-être eu des ennuis avec la justice. Une idée folle lui vint à l'esprit. Il avait lu tout ce qu'il avait pu trouver sur l'affaire Cloutier, y compris le rapport du coroner sur l'assassinat de Jean Bruneau. Le rapport faisait mention d'une certaine Amanda O'Brennan, qui avait disparu le jour du meurtre. Se pouvait-il que « A » soit cette même Amanda ? Il décida de jeter à nouveau sa ligne à l'eau. Il n'avait rien à perdre !

— Vous seriez pas la sœur d'Amanda O'Brennan, par hasard ?

Fanette resta muette, complètement prise de cours par la clairvoyance du jeune homme. Il fit un effort pour ne pas montrer l'excitation qui lui faisait palpiter le cœur. Son oncle Victor lui disait toujours : « Un bon journaliste doit garder ses émotions pour lui. » Il dit, l'air faussement neutre :

— Ne vous inquiétez pas. Un bon journaliste sait rester discret et protège toujours ses sources.

Il semblait si honnête et sincère ! Mais un réflexe de prudence retint Fanette de lui faire confiance.

— À partir de quand mon annonce sera-t-elle publiée ?

Elle n'avait pas mordu à l'hameçon. *Dommage*, se dit le journaliste.

— Demain, mademoiselle.

— Madame, le reprit-elle.

— Madame.

Il se racla la gorge.

— Si ça vous intéresse, j'ai une copie du rapport du coroner Duchesne sur le meurtre de Jean Bruneau.

Fanette inclina la tête et s'empressa de sortir. Le journaliste vit la porte se refermer sur cette jeune femme et son mystère. Elle n'avait pas confirmé le fait qu'elle était la sœur d'Amanda O'Brennan, mais ne l'avait pas nié non plus. « F.O. »… Son nom de fille était sûrement O'Brennan, mais elle l'avait corrigé lorsqu'il l'avait appelé « mademoiselle ». Elle était donc mariée. Il se jura d'en savoir plus long sur elle. De toute façon, elle reviendrait, raisonna-t-il. Sur son annonce, n'avait-elle pas spécifié : « Prière de répondre à la rédaction du journal » ? *Elle reviendra…*

XLIII

Le lendemain, Fanette attendit avec impatience l'arrivée des journaux. *Le Canadien* était livré à la maison de la Grande Allée une fois par semaine, la *Gazette* et *L'Aurore de Québec*, tous les jours vers neuf heures. Le notaire pestait toujours contre les frais de livraison postale, qui coûtaient un dollar par semestre pour chaque journal, en sus de l'abonnement.

À neuf heures, Fanette entendit cogner à la porte. Chaque matin, madame Régine prenait les journaux et les déposait sur la table à café, dans le hall, près de l'escalier. Fanette attendit que madame Régine s'éloigne et s'empara de *L'Aurore*. Les annonces figuraient généralement sur la première page. Elle parcourut fébrilement la rubrique « Avertissements », repéra rapidement l'annonce qu'elle y avait placée. Elle était bien là, en toutes lettres, à côté d'une réclame d'une Dame Décary, qui vendait des remèdes pour guérir de la « consumption, de la petite vérole, de la grippe, de la dysenterie et autres maladies affligeantes » et d'un entrefilet sur une fillette de onze ans enterrée vivante mais sauvée grâce aux aboiements de son chien, qui avait hurlé sur sa tombe jusqu'à ce que le fossoyeur découvre la funeste erreur. *Voilà, les dés sont jetés*, se dit-elle. Dans quelques jours, elle retournerait à la rédaction du journal pour savoir si sa sœur Amanda avait donné signe de vie.

Fanette allait remettre le journal à sa place lorsqu'une manchette attira son attention : « Le procès du célèbre meurtrier de Ouindigo commence aujourd'hui. C'est en effet ce matin, devant la cour du banc de la reine, que se déroulera le procès le plus attendu de l'heure, celui de Jacques Cloutier, alias le meurtrier de Ouindigo, accusé du meurtre crapuleux de Clément Asselin, un cultivateur de l'île d'Orléans. Le juge Sicotte présidera la séance. »

Fanette, sur un coup de tête, décida d'assister au procès. Sait-on jamais, elle pourrait peut-être y glaner des renseignements qui lui seraient utiles dans sa quête pour retrouver sa sœur.

❧

Debout devant la glace, dans le hall, Fanette mit un chapeau garni d'une voilette en tulle et enfila des gants.

— Vous sortez encore, Fanette ?

Elle leva les yeux et aperçut le reflet du notaire dans le miroir. Elle se tourna vers lui, tâchant d'avoir l'air naturel.

— Je me rends au refuge du Bon-Pasteur.

Elle s'était résolue à mentir. Le regard inquisiteur du notaire ne lui avait guère laissé le choix…

— Ma foi, vous consacrez beaucoup de votre temps aux bonnes œuvres. Je vous en félicite, fit-il avec une note d'ironie. Je vais demander à Joseph d'atteler la voiture pour vous.

Fanette ravala. Elle ne voulait surtout pas que Joseph l'accompagne ! Le cocher ne manquerait pas de dire à son maître, en toute innocence, qu'il l'avait conduite non pas au refuge, mais au palais de justice…

— Ne vous donnez pas cette peine, monsieur Grandmont. Il fait beau, j'irai à pied.

Le notaire protesta :

— Vous n'y songez pas ! Que dira le voisinage en voyant une Grandmont se promener seule, sans attelage ?

— Les commérages m'indiffèrent. De toute façon, l'air me fera du bien.

Le notaire pinça les lèvres. Il ne pouvait tolérer l'esprit indépendant de cette jeune femme, qu'elle tenait sans aucun doute de madame Portelance. Fanette s'empressa d'ouvrir la porte et sortit. Elle tourna la tête. Le notaire était debout devant la porte et la suivait des yeux. Elle décida de longer la Grande Allée jusqu'à ce qu'elle fût assez éloignée de la maison du notaire pour héler un fiacre sans qu'il la voie.

— Place d'Armes, s'il vous plaît.

Le fiacre s'arrêta devant le palais de justice. Le « rond de chaîne » était encombré de voitures et de charrettes. Fanette paya le cocher et se dirigea vers l'entrée majestueuse flanquée de colonnes que surmontait un fronton. À l'intérieur, une foule compacte se pressait derrière un cordon jaune que surveillaient plusieurs gardes en uniforme.

— Que se passe-t-il ? demanda Fanette à une ménagère qui s'éventait avec un mouchoir.

— C'est le procès du meurtrier de Ouindigo qui commence.

L'un des gardes enleva le cordon. La foule commença à avancer.

— Attention, mon pied ! s'écria quelqu'un.

— Pas de bousculade ! tonna un garde.

Fanette sentit quelqu'un qui poussait derrière elle. Elle décida de suivre le mouvement et se laissa entraîner vers l'escalier.

Fanette se fraya un chemin de peine et de misère vers la galerie réservée aux dames, qui était pleine à craquer. Des femmes élégantes y côtoyaient des ouvrières et des femmes de cultivateurs portant fichu et sabots. Elle réussit à se faufiler à l'avant de la galerie et trouva une place libre sur un banc, juste à côté d'une ménagère dont le panier contenait une poule vivante. La fumée des cigares et des pipes montait du parterre où s'entassaient des hommes de toutes les couches de la société et d'âges divers : des ouvriers en bleu de travail, des bourgeois portant des haut-de-forme et des guêtres. Une sorte de trône en chêne dominait une estrade cintrée par une balustrade. À gauche de l'estrade, douze hommes étaient assis côte à côte, le visage aussi empesé que leur chemise, comme s'ils prenaient conscience de l'importance de leur rôle. La chaleur était étouffante, et l'air, chargé de parfum et de sueur. Fanette sentit soudain un regard posé sur elle. Elle aperçut Oscar Lemoyne, assis au premier rang du parterre parmi d'autres journalistes qui s'éventaient avec leur chapeau. Il lui fit un signe de la main auquel elle ne répondit pas. Elle regrettait presque d'être venue. Une voix s'éleva : « Debout ! La séance est ouverte. Monsieur le juge Hector Sicotte préside. Que Dieu protège la reine ! »

L'assistance se leva. Le juge Sicotte fit son entrée et s'installa sur son siège. Fanette le reconnut tout de suite, malgré sa perruque blanche et sa toge noire doublée d'hermine qui lui donnaient un air sévère et auguste. Un greffier prit place devant l'estrade. Un artiste peintre, muni d'un bloc de papier, affûtait sa plume.

L'accusé fit son entrée, escorté de deux gendarmes. Il portait des fers aux pieds et aux poignets et un costume de prisonnier verdâtre. Son arrivée provoqua des murmures à la fois horrifiés et presque admiratifs dans la salle. Jacques Cloutier avait une stature impressionnante malgré sa vie de fugitif. Ses traits durcis et burinés avaient gardé une sorte de beauté farouche. Il promena un regard sombre autour de lui. Des femmes s'éventèrent avec leur mouchoir en émettant un petit rire nerveux.

— À l'ordre ! À l'ordre ! tonna le crieur, debout devant l'entrée, qui veillait au bon déroulement des travaux de la cour.

Le prévenu prit place sur le banc des accusés, faisant cliqueter ses chaînes. Le procureur de la Couronne produisit son premier témoin. Il y eut une sorte de soupir dans la salle quand apparut Hectorine Asselin, la veuve de la victime. Son visage était pâle et son regard absent, comme celui d'une insomniaque. Elle portait une robe noire et un châle sombre sur ses épaules étroites. Un bonnet couvrait ses cheveux. Après avoir prêté serment, elle raconta, avec une voix sans timbre, dans quelles circonstances elle avait découvert le corps de son mari.

— C'était une nuit sans lune. Y faisait un noir d'encre. J'ai vu une forme au bout du chemin. J'me suis approchée avec mon fanal...

Elle s'interrompit, frottant machinalement les mains sur sa jupe. Le juge intervint :

— Poursuivez, madame Asselin.

— J'ai reconnu ses souliers. Des souliers en cuir, bien cirés. Mon mari était toujours bien mis.

Elle se racla la gorge et continua son témoignage :

— J'ai vu des traces noires sur ses habits. Ça faisait une sorte de flaque en dessous de lui. J'ai avancé mon fanal. C'était… du sang. Le sang de mon mari.

Le silence était si profond qu'on n'entendait plus que le grattement de la plume du greffier et de celle de l'artiste qui dessinait le visage de la veuve à petits traits précis.

— Quelle heure était-il quand vous avez découvert votre époux ?

— Je suis sortie de la maison vers les dix heures. Je m'inquiétais, vous comprenez. Mon mari devait rentrer vers neuf heures et y était pas encore arrivé.

— Où était-il allé ?

— À Québec.

— Pour quelle raison ?

— Il devait prendre de l'argent à la banque.

— Combien d'argent, madame Asselin ?

Un jeune avocat se leva, les mains moites et les jambes flageolantes. Il se racla la gorge. Le juge tourna la tête vers lui.

— Oui, maître Binet ?

— Je… Je désire m'objecter, dit-il, la voix éraillée par la nervosité. La question n'a pas… Mon honoré collègue tente de faire un lien de cause à effet entre ce retrait à la banque et le meurtre.

Le procureur Fitzpatrick leva les yeux au ciel.

— Je tente en effet d'établir l'un des mobiles du crime, Votre Seigneurie.

— Objection non retenue, dit le juge au jeune avocat, l'air rogue.

Maître Binet se rassit, s'épongeant le front avec un mouchoir. Le juge Sicotte se tourna vers le procureur de la Couronne.

— Reposez votre question, maître Fitzpatrick.

Le procureur regarda Hectorine Asselin dans les yeux.

— Combien d'argent votre mari avait-il retiré de la banque, madame Asselin ?

— Trois cents dollars.

Des murmures se firent entendre. C'était beaucoup d'argent. Le procureur se rapprocha davantage du témoin.

— À votre connaissance, pourquoi votre mari avait-il retiré une somme aussi importante ?

— Il voulait acheter le cheptel à Aimé, le fils à Garand, dans la paroisse de Saint-François, répondit la veuve.

— Et qu'est devenu cet argent, madame Asselin ?

L'avocat de la défense se leva à nouveau, la main levée.

— Objection, Votre Majesté.

Des rires s'élevèrent de la salle. Le juge corrigea l'avocat avec impatience :

— Vous pouvez m'appeler « Votre Seigneurie », ça suffira amplement, maître Binet.

Le jeune avocat balbutia :

— Votre Seigneurie, la… la question de mon confrère est… est subjective.

— Vous voulez dire suggestive. Je me demande comment certains avocats ont réussi à obtenir leur licence ! Objection non retenue, tonna le juge. Assoyez-vous !

Maître Binet se rassit, penaud. Oscar Lemoyne prenait des notes à toute vitesse dans son calepin. Le juge s'adressa à la veuve :

— Répondez, madame Asselin.

Elle eut l'air désemparée.

— 'Scusez, je me souviens plus de la question.

D'autres rires accueillirent la remarque de la veuve Asselin. Le juge frappa vigoureusement le pupitre avec son maillet.

— Si j'entends encore un seul son, j'ajourne cette audience !

La salle redevint calme et silencieuse. Le procureur de la Couronne se pencha vers le témoin.

— Qu'est-il arrivé à ces trois cents dollars, madame Asselin ?

— Mon mari mettait toujours son argent dans une bourse en cuir qu'il attachait à sa ceinture. Quand... quand j'ai trouvé mon pauvre Clément su'l'chemin, pis que j'me suis penchée au-dessus de lui pour voir s'il respirait encore, la bourse avait disparu.

Des murmures accueillirent le récit. Le procureur lança un regard appuyé aux douze jurés pour leur faire comprendre à quel point ce détail était important, puis il poursuivit son interrogatoire :

— Madame Asselin, à part vous, y avait-il d'autres personnes qui savaient que votre mari avait une telle somme en sa possession ?

La veuve hésita un court instant, puis fit oui de la tête.

— De qui s'agit-il ?

Elle tourna la tête vers le prisonnier, l'air effrayé.

— Jacques Cloutier.

Ce dernier lui jeta un regard mauvais. La veuve poursuivit, la voix blanche :

— Mon mari m'avait dit, la veille de sa mort, qu'y s'rendrait à la banque. Jacques Cloutier était là, je l'ai vu qui écorniflait près de la porte de la cuisine.

Le prisonnier se leva d'un bond comme un tigre qui bondit dans sa cage.

— C'est pas vrai ! C't'une maudite menterie ! J'étais dans le champ en train de labourer !

Deux gardiens prirent l'accusé par les épaules et l'obligèrent à se rasseoir.

Maître Fitzpatrick, un sourire satisfait aux lèvres, laissa le calme se rétablir, puis se dirigea vers une table sur laquelle se trouvait un objet recouvert d'un linge.

— Je demanderai au témoin de bien vouloir s'approcher de cette table, dit-il, la voix grave.

Le juge fit signe à la veuve Asselin d'obtempérer. Elle s'avança timidement vers la table. Maître Fitzpatrick, d'un mouvement dramatique, enleva le linge et découvrit un couteau. Il y avait encore des taches rougeâtres sur la lame. La veuve Asselin eut un cri étouffé. Des clameurs horrifiées s'élevèrent dans la salle.

— Silence ! gronda le juge.

L'avocat s'adressa au témoin, le visage empreint de gravité.

— Madame Asselin, reconnaissez-vous cet objet ?

La veuve, les lèvres tremblantes, fit oui de la tête.

— Répondez par oui ou par non, dit le juge.

La veuve fit un effort pour raffermir sa voix.

— Oui. On s'en servait pour faire boucherie. Y avait disparu.

La tension devint palpable dans la salle d'audience. L'avocat poursuivit :

— Quand ce couteau avait-il disparu ?

— La veille du… du meurtre.

L'avocat s'adressa au juge.

— Je n'ai plus de questions, Votre Seigneurie.

Le juge toisa maître Binet, qui se leva à demi en balbutiant :

— Je n'ai pas de questions.

— La cour appelle le coroner Georges Duchesne à la barre ! clama le crieur.

Le coroner s'avança sous des murmures admiratifs et fit son serment d'une voix ferme. Le procureur de la Couronne demanda au célèbre témoin de jeter un coup d'œil au couteau.

— Reconnaissez-vous ce couteau, monsieur Duchesne ?

— Oui, dit le coroner. La police l'a trouvé à quelques pieds de la victime.

Maître Fitzpatrick brandit un document :

— Dans votre rapport d'enquête, vous avez révélé que Clément Asselin avait reçu, et je cite : « … pas moins de seize coups de couteau ». Est-ce exact ?

— J'ai eu l'occasion d'examiner le corps de la victime. C'est tout à fait exact.

— Qu'avez-vous découvert d'autre, monsieur Duchesne ?

— Eh bien, les blessures sur le cadavre correspondaient à la lame du couteau trouvé sur les lieux du crime.

— Autrement dit, le couteau que vous voyez sur cette table est celui qui aurait servi à tuer Clément Asselin ?

— Exactement.

Maître Fitzpatrick se tourna vers l'avocat de la défense.

— Votre témoin.

Maître Binet se leva et s'essuya nerveusement le front.

— Monsieur Duchesne, êtes-vous absolument certain que ce couteau-là est bien l'arme du crime ?

Le coroner toisa sévèrement le jeune avocat :

— Si je n'en étais pas certain, jeune homme, je ne le dirais pas.

Des rires s'élevèrent. Maître Binet se rassit, la mine piteuse.

Le témoin suivant fut appelé à témoigner. Théo Legendre entra dans la salle, tenant timidement sa casquette dans ses grosses mains calleuses. Il échangea un bref regard avec la veuve, qui baissa modestement les yeux. Il fit bonne impression, avec ses épaules larges et sa fossette sur le menton qui lui donnait un air candide. Après avoir prêté serment sur la Bible que lui tendait le greffier, il se rendit à la barre. Le procureur de la Couronne souleva un pan de sa toge d'un geste théâtral et se dirigea vers le cultivateur. Il s'immobilisa à sa hauteur.

— Monsieur Legendre, regardez bien l'homme qui est assis sur le banc des accusés.

Le témoin obtempéra, visiblement anxieux. Jacques Cloutier le fixait de ses yeux noirs, un rictus amer aux lèvres. Les mains du cultivateur se serrèrent sur ses cuisses.

— Reconnaissez-vous cet homme, monsieur Legendre ?

Il acquiesça, les yeux baissés.

— Répondez à voix haute, s'il vous plaît.

— Oui.

— Quel est son nom ?

— Jacques Cloutier, répondit-il dans un souffle.

— Quand l'avez-vous vu pour la dernière fois ?

— Y a dix jours, un mardi, sur le chemin Prévost, pas loin de chez Clément Asselin.

Maître Fitzpatrick se tourna vers les membres du jury.

— Messieurs, veuillez noter qu'il s'agit du soir du meurtre.

Puis il revint à son témoin.

— Quelle heure était-il ?

— À peu près neuf heures. Je le sais parce que le soleil était couché depuis un bon quinze minutes.

— Aviez-vous remarqué quelque chose de particulier chez l'accusé ?

— Y avait du sang partout sur ses mains pis sur sa chemise.

Une clameur se fit entendre, comme une vague. Une femme derrière Fanette perdit connaissance.

— Silence ! ordonna le juge, le visage sévère. L'audience est ajournée jusqu'à demain !

La femme, soutenue par deux gardes qui étaient accourus, fut évacuée au son de murmures à la fois excités et compatissants. Le regard de Fanette s'attarda sur la pauvre femme. Son visage était d'une pâleur spectrale. Soudain, Fanette la reconnut. Ses traits s'étaient creusés, ses cheveux étaient gris sous son bonnet usé, mais il n'y avait aucun doute, c'était bien elle. C'était Pauline Cloutier.

XLIV

La foule était si dense que Fanette dut jouer des coudes pour parvenir à la sortie du palais de justice. Dehors, le soleil était aveuglant et la cohue, indescriptible. Des charrettes et des voitures encombraient la chaussée. Fanette, encore bouleversée par la vision de Pauline Cloutier, son visage marqué par la souffrance et le dénuement, tenta de trouver un fiacre, mais toutes les voitures étaient occupées. Il était encore tôt ; elle décida donc de marcher jusqu'au refuge du Bon-Pasteur, à une vingtaine de minutes à pied du palais de justice. Si le notaire lui posait des questions sur sa journée, elle pourrait affirmer sans être obligée de mentir qu'elle était bel et bien passée par là.

❧

À mi-distance, dans la rue Saint-Louis se dressait une façade grise et anonyme : c'était le refuge du Bon-Pasteur. Elle connaissait bien les lieux, car Emma et Eugénie l'y avaient emmenée parfois, à partir de l'âge de quatorze ans. Elle y avait appris à faire des lits, à changer les langes des nourrissons, à soutenir la tête des vieillards à qui l'on donnait de la soupe.

Fanette entra dans le refuge. Elle vit Emma en train de bercer un bébé en pleurs. Le visage d'Emma s'éclaira en l'apercevant. Elle tendit l'enfant à une bénévole et embrassa Fanette.

— Quelle bonne surprise !

— Je suis venue vous prêter main-forte.

Emma sourit.

— Ça tombe bien. Je ne sais pas si tous les déshérités de la terre se sont donné le mot, mais le refuge est plein à craquer, aujourd'hui. Je ne sais plus où donner de la tête.

— Où est Eugénie ?

Emma se rembrunit légèrement.

— Elle s'est engagée comme bénévole auprès du comité des Dames de la charité. Elles cherchent des fonds pour ouvrir un nouveau refuge, le St. Brigid's Home, qui serait dédié aux Irlandais. C'est une bonne cause, mais Eugénie travaille déjà beaucoup…

Une vieille femme assise dans un fauteuil se mit à gémir. Emma s'approcha d'elle, lui prit la main :

— Tâchez de dormir, madame Bilodeau, dit-elle avec douceur. Vous avez besoin de repos.

Une jeune religieuse arriva sur ces entrefaites, l'air débordé.

— Madame Portelance, y a plus de draps propres.

— Ils sont en train de sécher. Je m'en occupe.

Emma prit Fanette par le bras et l'entraîna vers une cour, à l'arrière du bâtiment, où l'on avait étendu du linge sur des tréteaux. Elle palpa un drap.

— C'est sec.

Emma prit un drap et en tendit une extrémité à Fanette. Elle regarda sa fille du coin de l'œil. Elle la connaissait trop pour ne pas deviner que quelque chose la tracassait.

— As-tu trouvé quelque chose sur ta sœur ?

Fanette secoua doucement la tête, soulagée de pouvoir se confier à elle.

— Pas encore.

Elle expliqua à sa mère les démarches qu'elle avait effectuées jusqu'à présent : la consultation des archives des hôpitaux, l'annonce dans le journal, le procès de Jacques Cloutier.

— Pauline Cloutier était au procès de son fils. Elle faisait pitié à voir.

Emma la regarda avec gravité.

— Tu es certaine de vouloir poursuivre tes recherches ?

— Plus que jamais.

✺

Le notaire, assis derrière son pupitre, relisait le contrat d'un important client, Alistair Gilmour, que son fils avait rédigé. Tout compte fait, il n'y avait pas tant d'erreurs que cela, se dit le notaire. Pourquoi avait-il si durement réprimandé Philippe à table, la veille ? Il rangea le contrat d'un geste sec avant que le remords se fraie un chemin jusqu'à sa conscience. Monsieur Gilmour, un riche marchand naval installé depuis peu à Cap-Rouge, près de leur bonne ville de Québec, était un client très exigeant, certes, mais il payait bien, très bien. Sans compter qu'il fréquentait tout ce que Québec comptait de personnages importants. On disait même qu'il avait parmi ses intimes le gouverneur Edmund Walker Head en personne. Le notaire avait tout intérêt à traiter un tel client aux petits oignons…

Le roulement d'une voiture le tira de sa réflexion. Il se leva, se rendit à sa fenêtre, souleva le rideau. Il aperçut la voiture d'Emma Portelance s'arrêter devant la maison. Fanette en descendit. Un étrange sentiment l'envahit : une sorte de soulagement que Fanette lui ait dit la vérité sur son emploi du temps, et la déception de ne pas l'avoir prise en flagrant délit de mensonge, comme si cette découverte lui eut donné un certain pouvoir sur elle. Il retourna à son pupitre en se morigénant intérieurement : il fallait qu'il cesse de prêter de mauvaises intentions à Fanette. C'était peut-être ses remords qui lui dictaient son obsession à son sujet. Il secoua la tête et chassa cette pensée comme on se débarrasse d'une mouche importune.

Fanette entra dans le hall. Ses yeux s'attardèrent sur le portrait du notaire suspendu à la cheminée du salon : son regard bleu semblait suivre chacun de ses mouvements. Elle réprima un frisson, monta l'escalier. La maison était silencieuse. En passant devant la chambre de Rosalie, elle remarqua que la porte était entrouverte. Elle s'arrêta sur le seuil. La pièce était plongée dans une demi-obscurité. Rosalie était à genoux au pied de son lit, les mains croisées et les yeux clos. Elle priait. Ça lui arrivait de plus en plus souvent. Rosalie leva la tête, aperçut Fanette dans l'entre-bâillement de la porte, lui fit signe d'entrer tout en se relevant. Elle était encore plus pâle que d'habitude. Son visage arborait une gravité teintée de mélancolie.

— Je voudrais te parler.

Intriguée, Fanette vint la rejoindre. Rosalie referma soigneuse-ment la porte, prit la main de son amie et l'entraîna vers son lit. Elle tapota la place à côté d'elle pour lui indiquer de s'asseoir, comme elle le faisait lorsqu'elle avait quelque chose d'important à lui dire.

— J'ai décidé d'entrer comme postulante chez les Ursulines.

Fanette fut tellement saisie qu'elle fut incapable de parler. Rosalie renchérit avec une fermeté qui ne lui était pas coutu-mière, comme pour contrer à l'avance ses arguments :

— Je ne prends pas cette décision à la légère, Fanette. J'y ai mûrement réfléchi.

— Ce n'est pas ta décision, c'est celle de ton père ! s'écria Fanette, révoltée. C'est lui qui te force à devenir religieuse !

Rosalie lui fit signe de parler moins fort en jetant un coup d'œil anxieux à la porte fermée.

— Au début, oui. Plus maintenant.

Fanette, impressionnée malgré elle par le calme presque serein de son amie, tâchait de comprendre.

— Donne-moi une seule bonne raison d'accepter de t'enfermer au couvent, une seule !

— Échapper à mon père, répondit Rosalie à mi-voix, les yeux baissés.

— Il y a d'autres moyens de lui échapper que le couvent, Rosalie !

— Lesquels, dis-moi ? À part le mariage, et jusqu'à présent, tu admettras que les candidats ne se sont pas bousculés au portillon.

— Tu pourrais… Je ne sais pas, devenir enseignante.

Depuis la création du département de l'instruction publique, des dizaines d'écoles primaires avaient ouvert leurs portes et cherchaient des instituteurs.

— Mon père n'acceptera jamais. Il prétend que, dans la famille Grandmont, les femmes n'ont jamais eu à travailler pour gagner leur vie.

Il y eut un silence entre elles. Fanette finit par dire, la voix éraillée par la peine :

— Tu m'avais promis.

— Nous ne sommes plus des enfants, Fanette.

Rosalie se leva, fit quelques pas vers la fenêtre, regarda distraitement dehors. Une grive à gorge orangée, perchée sur la branche d'un tilleul, chantait une mélopée triste.

— Sais-tu ce que mon père m'a dit quand j'ai eu sept ans ? Que j'avais été envoyée sur terre comme punition pour ses fautes.

Elle garda le silence un moment, trop émue pour poursuivre. Une fine veine bleue battait sur sa tempe.

— On dit que le temps efface la peine, mais ce n'est pas toujours vrai. Je me souviens encore du pli amer qui s'était formé sur le visage de mon père, le craquement de son fauteuil de cuir pendant qu'il me parlait, l'odeur d'encaustique du parquet ciré. Ses mots sont restés gravés dans ma mémoire, je n'ai jamais pu les oublier.

Fanette, bouleversée, fit un mouvement pour la rejoindre. Rosalie avança la main, comme si elle craignait de perdre courage en laissant Fanette s'approcher d'elle.

— Crois-moi, je ne serai pas malheureuse au couvent. J'aurai ma chambre. Je pourrai jardiner à mon aise. J'instruirai des orphelines qui mèneront une meilleure vie que leurs parents. Ce sera une existence utile. N'est-ce pas déjà un progrès sur celle que je mène en ce moment ?

Fanette, pour une fois, fut à court d'arguments. Pendant toutes leurs années au couvent, Rosalie et elle s'étaient si souvent confiées l'une à l'autre ; elles connaissaient la moindre inflexion de leur voix, les nuances les plus ténues de leurs sentiments. Or, Fanette n'avait jamais décelé cette fêlure dans son apparente sérénité, cette douleur dont les racines semblaient si profondes qu'il aurait fallu creuser très loin pour les extirper, au risque de causer des blessures encore plus graves.

— Tu dois le détester, finit par murmurer Fanette, atterrée par les confidences de son amie.

— Ça va peut-être te surprendre, mais j'ai pitié de lui. Pour considérer la venue d'un enfant comme une punition, il faut avoir soi-même beaucoup souffert.

Ou bien avoir fait beaucoup souffrir, ne put s'empêcher de penser Fanette. Elle ne comprenait pas comment Rosalie pouvait être aussi indulgente. Mais c'était cette même indulgence qui la rendait si attachante.

XLV

Oscar Lemoyne, attablé derrière son pupitre, était en train de relire le papier qu'il venait d'écrire et qui devait faire la manchette du lendemain. « Le meurtrier de Ouindigo condamné à mort ! Les douze membres du jury présidé par monsieur Lucien Bérubé, un apothicaire de Québec, n'ont pris que quelques heures pour délibérer et ont rendu un verdict unanime : Jacques Cloutier est reconnu coupable du meurtre prémédité de Clément Asselin. Les preuves contre le meurtrier étaient accablantes. Il a été vu par un voisin le soir du meurtre, non loin de la résidence de Clément Asselin, la chemise et les mains ensanglantées, sans compter que la police avait trouvé l'argent volé à la victime en possession de l'assassin, lors de son arrestation. Le coroner Georges Duchesne a établi que les nombreuses blessures de la victime correspondaient à la lame d'un couteau qui gisait à quelques pieds du cadavre. La veuve Asselin a confirmé que ce couteau leur appartenait et qu'elle avait constaté sa disparition, la veille du meurtre de son mari. Le juge Sicotte a aussitôt condamné le sinistre individu à être pendu haut et court devant la prison de Québec, la semaine prochaine. L'accusé n'a pas montré la moindre trace de remords à l'énoncé de la sentence, mais son infortunée mère, qui était assise dans la première rangée de la galerie réservée aux dames, a poussé un cri déchirant. »

Le jeune journaliste hocha la tête, insatisfait. Pourtant, le titre était accrocheur et l'article, pas trop mal ficelé. Même son patron l'avait félicité, lui qui n'était pas fort sur les compliments. Il avait particulièrement apprécié le « cri déchirant » de Pauline Cloutier.

— Ça va faire vendre de la copie, avait-il dit.

Alors pourquoi ce malaise ? Plusieurs éléments le troublaient. D'abord, la faiblesse de l'avocat de la défense, dont maître Fitzpatrick, d'une efficacité redoutable, n'avait fait qu'une bouchée. Mais il y avait autre chose : pourquoi diable Jacques Cloutier était-il tranquillement allé se coucher dans une grange située à un demi-mille de la ferme des Asselin, avec la bourse de trois cents piastres sur lui, au lieu de s'enfuir ? Comment se faisait-il qu'aucune trace de sang n'ait été vue sur la chemise qu'il portait, le matin de son arrestation ? Maître Fitzpatrick, dans sa plaidoirie, avait insisté sur le fait que l'accusé pouvait fort bien s'être débarrassé de la chemise tachée de sang après avoir accompli son forfait. Mais encore une fois, personne n'expliquait pourquoi il s'était bêtement caché à l'île d'Orléans pour passer la nuit, alors qu'il aurait pu voler une barque et se rendre jusqu'à Québec, où il aurait pu facilement trouver refuge. Oscar s'était lui-même rendu à l'île et avait parlé à madame Royer, qui tenait l'auberge où Clément Asselin avait été vu, le jour de sa mort.

— Tout le monde savait que Clément devait aller à Québec retirer de l'argent, avait-elle confié au journaliste à mi-voix. Clément roulait sur l'or, et y en a qui le jalousaient.

— Comme qui, par exemple ? s'était enquis le journaliste, l'air innocent.

Madame Royer laissa entendre que Théo Legendre reluquait depuis un bout de temps les terres d'Asselin, qui refusait d'en vendre, ne serait-ce qu'une parcelle.

— Mais y a pas juste les terres qu'y reluquait, ajouta-t-elle, l'air entendu. Théo venait donner un coup de main à Clément, de temps en temps, pour les labours pis les récoltes. Y en profitait pour faire les yeux doux à Hectorine.

Madame Royer avait dû interrompre son récit pour servir d'autres clients.

Oscar laissa courir son imagination. Théo Legendre et la veuve Asselin auraient fort bien pu concocter un plan pour se débarrasser du mari, tout en faisant porter le chapeau à un « étrange » qui avait déjà mauvaise réputation... Théo aurait facilement pu s'emparer du couteau chez les Asselin, s'en servir pour tuer le cultivateur et prétendre ensuite avoir vu Jacques Cloutier sur le chemin, la chemise et les mains en sang...

Oscar en était là dans ses « élucubrations », comme les nommait son oncle Victor, lorsqu'il vit une jeune femme s'avancer dans la salle de rédaction. C'était la mystérieuse « F » qui était venue porter une annonce et qu'il avait aperçue au procès de Jacques Cloutier. Ses cheveux sombres étaient remontés en chignon, et sa robe avait la même couleur que ses yeux. Il fut surpris de sentir son pouls s'accélérer. *Du calme, mon gars, c'est une femme mariée*, se dit-il en la voyant s'approcher de son pupitre. Elle semblait pâle, tendue.

— Avez-vous reçu une lettre pour moi ?

— Attendez, je reviens tout de suite.

Il se leva et se rendit vers les classeurs en bois où étaient rangés les dossiers des clients. Fanette suivait chacun de ses mouvements, anxieuse. Puis elle aperçut les feuillets de l'article que le journaliste était en train de relire, et y jeta un coup d'œil. Elle accusa le coup. Ainsi, Jacques Cloutier avait été trouvé coupable. Les mots « pendu haut et court » la remplirent d'effroi. Il avait beau être un meurtrier, elle ne put s'empêcher d'éprouver une sorte de pitié. Oscar Lemoyne revint vers elle, les mains vides.

— Il n'y a pas de lettre.

— Pas même un message ?

— Rien. Je suis désolé.

En voyant la mine défaite de la jeune femme, il eut une envie folle de la prendre dans ses bras, mais un garçon l'apostropha, ce qui lui fit reprendre ses sens :

— Oscar, as-tu de l'ouvrage pour moé à matin ?

Le garçon, qui avait tout au plus onze ans, était debout devant Oscar, les mains posées crânement sur les hanches, sa casquette de travers. Fanette fit mine de s'éloigner. Oscar l'interpella :

— Mademoiselle ! Je veux dire… madame.

Fanette se tourna vers lui.

— J'ai quelque chose pour vous.

Le garçon leva les yeux au ciel et alla s'asseoir sur une chaise, balançant impatiemment ses jambes. Oscar fouilla dans la paperasse qui formait une « tour de Pise » sur son pupitre. Des papiers glissèrent par terre, mais il n'en avait cure. Il trouva ce qu'il cherchait. C'était un document d'une quinzaine de pages couvert d'une écriture fine et pointue.

— Le rapport du coroner Duchesne sur le meurtre de Jean Bruneau. Ça pourrait peut-être vous être utile.

Fanette hésita, puis prit le rapport que lui tendait le journaliste. Après tout, ça ne l'engageait à rien.

— Merci.

Elle se dirigea vers la sortie. Aussitôt, Oscar fit signe au garçon de s'approcher.

— Antoine ! Viens ici, vite !

Antoine sauta sur ses pieds et courut vers Oscar, trop heureux d'avoir enfin du travail. Le journaliste fouilla dans ses poches, mit quelques pièces dans la main du garçon ébahi.

— Tu sais, la jolie dame qui vient de sortir ?

Antoine fit oui de la tête.

— Suis-la. Essaie de savoir où elle habite. Je t'ai donné assez de sous pour prendre un fiacre, si c'est nécessaire. Reviens me voir à la fin de la journée.

Antoine, les yeux brillants comme des escarboucles, courut vers la sortie. Oscar regretta soudain d'avoir confié cette étrange mission au jeune garçon, mais il n'avait pu résister à la curiosité. Après tout, n'était-ce pas la première qualité de tout journaliste qui se respecte ? Mais il savait bien, au fond, que ce n'était pas seulement l'intérêt professionnel qui le guidait. Il était amoureux.

Sans espoir, sans attendre rien en retour. Simplement, il ne pouvait voir cette jeune femme sans se sentir tout remué. Il aurait franchi des montagnes, fait le tour du monde pour lui être utile. Et il éprouvait le besoin de tout amoureux : celui de découvrir ne serait-ce qu'une parcelle du mystère qui entourait la personne aimée.

౼

Fanette avait si hâte de lire le rapport du coroner qu'elle avisa un banc situé dans un petit square et s'y installa. Elle plongea dans sa lecture et ne vit pas Antoine qui, en s'apercevant que la « jolie dame » s'était assise sur un banc, s'arrêta sur ses pas et attendit, le dos appuyé contre un mur, qu'elle eût terminé sa lecture avant de continuer à la suivre. Il se sentait très important tout à coup, une sorte de héros, comme Rocambole, dont sa mère lui lisait les aventures, le soir, avant de dormir. Une nuit, son père avait battu sa mère un peu plus que d'habitude. Il avait entendu ses cris de sa chambre qui servait aussi d'entrepôt pour les charrettes que son père fabriquait. Le cœur battant, il s'était levé, avait vu son père frapper à coups de pieds une forme étendue par terre, mais il était resté là, paralysé par la peur. Le lendemain, sa mère n'était plus à la maison. Son père, honteux et la tête basse, s'était contenté de lui dire que le Bon Dieu était venu la chercher et qu'elle était au ciel. Antoine s'était enfui. Il vivait depuis dans un abri de planches qu'il s'était fabriqué près du port de Québec.

Fanette termina la lecture du rapport, la mort dans l'âme. Le document confirmait que Jean Bruneau avait été sauvagement assassiné, qu'il y avait des traces de sang à un mille du cadavre et qu'aucun autre corps que celui de Jean Bruneau n'avait été retrouvé, mais il n'y avait aucun élément neuf qui la mît sur la piste de sa sœur. Fanette sentit une immense lassitude l'envahir. Jusqu'à présent, toutes ses démarches pour retrouver la trace d'Amanda avaient été vaines. La possibilité qu'elle fût morte revint la hanter. Jacques Cloutier, le seul être qui savait peut-être la vérité, allait être exécuté dans une semaine.

Cette réflexion la décida d'entreprendre une ultime démarche. C'était la dernière carte qui lui restait. Elle se leva et marcha à pas rapides sur le trottoir en bois, cherchant un fiacre. Antoine, qui s'était endormi au pied du mur, se réveilla en sursaut en entendant le claquement des talons sur le bois. Il bondit sur ses pieds, vit la jolie dame qui était déjà au bout de la rue. Il courut à sa poursuite. Fanette, trop préoccupée par sa nouvelle résolution, ne se rendit pas compte qu'elle était suivie. Elle héla un fiacre au coin de la rue Notre-Dame et y grimpa. Antoine, à bout de souffle, parvint à la hauteur de la voiture et, au moment où elle s'ébranlait, sauta sur le marchepied d'un mouvement leste.

Le fiacre, après avoir franchi la côte de la Montagne, s'engagea dans la rue du Fort, puis sur Sainte-Anne. Antoine avait les doigts gourds à force de s'agripper aux montants de la voiture pour ne pas tomber et fut soulagé lorsqu'elle s'arrêta au coin de la rue Saint-Stanislas. Il sauta par terre et se réfugia derrière un muret. La jolie dame descendit du fiacre et marcha sur Saint-Stanislas. *Où c'est qu'elle va ?* se demanda Antoine en la suivant à distance. Il eut sa réponse un coin de rue plus loin et retint une exclamation de stupeur. Les murs gris de la prison de Québec se dressaient devant lui.

Fanette faillit rebrousser chemin lorsqu'elle fit face à la prison tant la façade, couverte de taches d'humidité noirâtres, avait l'air sinistre. Puis elle se secoua. Il fallait franchir ces murs, c'était la seule façon de savoir la vérité. Elle s'avança vers une guérite derrière laquelle bavardaient quelques gardiens. Ils cessèrent tout de suite de parler lorsqu'ils virent la jeune femme s'approcher et échangèrent des coups d'œil égrillards.

— Eh la belle, qu'est-ce qu'on peut faire pour tes beaux yeux ?

Elle prit son courage à deux mains :

— Je voudrais rendre visite à un prisonnier.

— Y en a qu'ont de la chance ! s'exclama un homme replet au crâne dégarni.

Ils s'esclaffèrent. Elle poursuivit, faisant comme si elle ne les avait pas entendus.

— Il s'appelle Jacques Cloutier.

L'homme replet la regarda, surpris.

— Le condamné à mort ?

Il y eut un silence embarrassé. Ces hommes en avaient tellement vu de toutes les couleurs que leur cœur s'était endurci, mais il y avait belle lurette qu'il y avait eu pendaison à la prison, et cet événement revêtait un caractère presque solennel. L'homme replet se racla la gorge.

— Faut demander la permission au directeur. Attendez ici.

Il ouvrit la grille et la laissa entrer.

Antoine vit la jolie dame disparaître à l'intérieur de la prison. Que devait-il faire maintenant ? Partir ? L'attendre ? Il s'installa le plus confortablement possible au pied d'un arbre. Combien de temps lui faudrait-il rester là ? Au fond, il aurait amplement le temps de se rendre au magasin de confiserie, sur la place Royale, et de se gaver de marrons glacés avec l'argent qu'Oscar lui avait remis, puis de revenir attendre la jolie dame. Après tout, le fiacre ne lui avait pas coûté un sou vaillant, il pouvait bien se permettre une petite fantaisie. Il se leva et partit en sifflotant, les mains dans les poches, faisant tinter la monnaie qui s'y trouvait.

Le gardien replet, embarrassé soudain devant une visiteuse aussi élégante, avec le teint pâle des dames de la haute, enleva sa casquette et lui désigna un banc crasseux.

— Merci, je préfère rester debout, dit Fanette poliment.

Après une attente qui lui sembla éternelle, Fanette fut conduite à un bureau. Elle remarqua un nom gravé sur une plaque de métal clouée à sa porte : *Edgar Cummings, directeur.* Un homme assez jeune, au visage glabre et aux épaules étroites, portant un veston trop large qui accentuait sa maigreur, l'accueillit avec un sourire affable. Il avait un léger accent anglais. Une gravure médiocre de la reine Victoria avait été accrochée sur un mur enduit de chaux jaunie par le temps.

— Ainsi, vous désirez rendre visite à l'un de nos pensionnaires. Puis-je en connaître la raison, *miss*...

Fanette hésita un instant puis plongea :

— Madame Angéline Clermont. Je suis bénévole au refuge du Bon-Pasteur. Visiter des prisonniers fait partie de nos devoirs de charité.

— Notre règlement ne permet que les visites de la proche parenté.

Il examina Fanette, admira son teint clair, ses yeux d'un bleu profond, le fin contour de son visage, l'élégance simple de sa mise. De telles visites étaient si rares, il eut envie de lui plaire.

— Mais il n'existerait pas de règles s'il n'y avait pas d'exceptions. Ce pauvre homme vit ses derniers jours sur terre.

Il ajouta, pour épater sa visiteuse, la seule locution latine qu'il se rappelait de ses cours de versification :

— *Cantabit vacuus coram latrone viator.* Le voyageur dont la bourse est vide passera en chantant devant les voleurs.

Il se racla la gorge, se trouvant soudain un tantinet ridicule.

— Suivez-moi, madame Clermont. Mais je vous avertis, une prison n'est pas un spectacle très agréable pour une dame.

Fanette, précédée par monsieur Cummings et un gardien à la mine patibulaire, marchait dans un couloir en pierre éclairé avec parcimonie par des lampes fixées aux murs qui dégageaient une fumée âcre. L'odeur de corps non lavés, d'humidité et de déjections lui souleva le cœur. Elle dut s'arrêter sur ses pas et prendre un mouchoir dont elle se couvrit les narines. Le directeur et le gardien s'arrêtèrent à leur tour.

— Tout va bien, madame Clermont ?

Elle fit un effort pour déglutir.

— Oui, merci.

Elle vit des doigts sales s'accrocher aux barreaux d'une cellule en face d'elle. Des ricanements s'élevèrent, accompagnés de sifflements. Fanette se remit à marcher pour échapper aux regards des prisonniers qui commençaient à s'agglutiner aux barreaux de leur cellule pour profiter du rare spectacle d'une femme aussi belle et élégante dans ce lieu sinistre. Le directeur s'immobilisa devant une cellule au fond du corridor.

— Cloutier, vous avez de la visite.

Le directeur se tourna vers Fanette.

— Quand vous aurez fini votre… entretien, vous n'avez qu'à faire signe à monsieur Gibbons.

Il disparut dans le couloir, laissant Fanette seule avec le gardien. Ce dernier prit un trousseau de clés accroché à sa ceinture et ouvrit la grille. Fanette resta debout devant l'espace entrouvert, figée de crainte. Le gardien lui fit un signe de tête impatient. Elle serra les dents et entra dans la cellule. Le gardien laissa la grille entrouverte et se tint devant, la main sur un pistolet qu'il portait à la ceinture.

Fanette fit quelques pas dans la cellule, tentant de s'habituer à la pénombre. Une étroite meurtrière laissait passer un filet de lumière. Elle entendit un bruit de fer, puis aperçut deux yeux sombres qui la fixaient.

— Va-t'en, dit une voix rauque à force d'avoir gardé le silence. J'veux pas voir personne.

Fanette fit encore un pas. Le filet de lumière éclaira son profil. Jacques Cloutier crut pendant un instant qu'il avait affaire à une apparition. Depuis sa condamnation à mort, il n'avait pas fermé l'œil et ne mangeait presque plus.

— Va-t'en ! répéta-t-il plus fort.

Fanette ne bougea pas. Ses yeux s'habituaient à l'obscurité. Elle vit la grande silhouette sombre de Jacques Cloutier affalée sur une paillasse. Il y avait un pot de chambre et un broc dans un coin de la cellule.

— On s'est connus il y a longtemps, dit-elle à mi-voix.

— Si j'te connaîtrais, je m'en rappell'rais, dit-il avec un faible ricanement.

Il avait des ombres profondes sous les yeux. Elle remarqua que ses mains étaient entravées.

— C'est moi, Fanette.

Il la regarda, ébahi. Jamais il n'aurait pu deviner que cette femme grande et mince, habillée comme une dame, puisse être la petite souillon haute comme trois pommes, avec des bras et des jambes comme des allumettes, que ses parents avaient accueillie à la ferme.

— La p'tite Irlandaise qui est devenue une dame d'la haute ! se moqua-t-il. Qu'est-cé que tu fais icitte ? Tu voulais voir de quoi ç'a l'air, un condamné à mort ?

— Je veux savoir ce qui est arrivé à ma sœur Amanda.

Il y eut un long silence. Fanette entendit à nouveau les chaînes remuer.

— J'ai rien à dire. Ast'heure, sacre ton camp.

Fanette ne se laissa pas désarmer ; sa voix se fit pressante.

— Amanda était avec Jean Bruneau le soir du meurtre. J'ai lu le rapport du coroner. Il y avait des traces de sang à un mille de l'endroit où le cadavre a été trouvé.

Il ne répondit pas. Elle contrôla la vague de désespoir qui la prit à la gorge. Elle le tutoya sans s'en rendre compte.

— Tu vas mourir. Qu'est-ce que t'as à perdre de me dire la vérité ?

— J'ai rien à perdre, pis rien à gagner, répliqua Cloutier.

— Pour l'amour du ciel…

— Y en a pas, de ciel ! Pis si l'enfer existe, y est icitte !

Il y eut un long silence. Puis il se remit à parler de sa voix d'outre-tombe :

— J'ai pas tué Clément Asselin. J'vas mourir pour un crime que j'ai pas commis.

Elle s'avança vers lui. Elle vit presque clairement son visage creusé par la misère et le désespoir.

— Dis-moi ce qui est arrivé à Amanda. Je t'en supplie, il faut que je sache.

Il leva ses yeux sombres vers elle, mais ne dit rien. Après un long silence, elle se résigna à partir. Au moment où elle atteignait la grille, il dit, d'une voix à peine audible :

414

— Si tu veux tout' savoir, elle est morte. Je l'ai tuée.

Elle resta figée sur place. Il poursuivit, la voix atone :

— J'ai tué Bruneau, j'ai pris son argent. Là j'ai vu Amanda déguerpir de la voiture. J'ai couru après elle. On a couru longtemps. Je l'ai rattrapée. Je l'ai achevée d'un coup de couteau.

— On n'a pas retrouvé son corps, réussit à articuler Fanette.

Il haussa les épaules.

— Elle est peut-être pas morte sur le coup. On était pas loin de la forêt. Elle a p't-être marché, pis perdu son chemin. Y a des meutes de loups dans c'coin-là. J'les ai entendus hurler.

Fanette resta immobile, clouée par les paroles de l'assassin de sa sœur. Elle avait espéré depuis si longtemps qu'Amanda serait encore vivante qu'elle eut le sentiment de la perdre une deuxième fois.

Jacques Cloutier se remit à parler comme s'il ne pouvait plus supporter le silence de Fanette.

— C'est toé qui voulais savoir, ben tu le sais ast'heure, dit-il d'une voix basse de laquelle perçait un certain remords. J'avais pas le choix. Elle avait tout vu. Fallait que je le fasse.

— T'avais pas le choix de tuer une femme sans défense ? s'écria Fanette, le cœur soulevé par la haine et le désespoir. Lâche ! Maudit lâche !

Sa voix cassa. Amanda avait été assassinée par un homme qui n'en avait plus que pour quelques jours à vivre. La haine qu'elle éprouvait était si forte qu'elle en suffoquait. *Qu'il meure !* se dit-elle. *Qu'il souffre comme Amanda a souffert, qu'il connaisse dans sa chair les affres de la mort, l'angoisse de la solitude, que son âme brûle de tous les feux de l'enfer !* Dans un état second, elle s'adressa au gardien :

— Laissez-moi sortir.

Au moment où la grille se refermait sur le prisonnier dans un grincement sec, il l'interpella :

— Fanette !

Elle se tourna vers lui.

— Je voulais pas la tuer. Je l'aimais. Quand elle est partie avec lui, ça m'a rendu fou. Pardon… Pardon…

Elle s'enfuit presque, indifférente aux quolibets et aux blagues salaces provoqués par son passage dans le corridor. Elle sortit de la prison, n'entendant pas les salutations ironiques des gardiens qui battaient toujours la semelle derrière la guérite. Elle s'engagea dans la rue Sainte-Anne sans même savoir où elle allait, comme une somnambule. Elle ne s'arrêta qu'à quelques rues de là, respirant l'air à pleins poumons, hors d'elle, étouffant des sanglots sans larmes. *Elle est morte, Amanda est morte...* Les mots tournaient dans sa tête comme une danse macabre. Il se mit à pleuvoir, une bruine froide qui faisait un halo de vapeur jaunâtre autour des lampadaires au gaz.

Elle marcha jusqu'à la maison, sur la Grande Allée, sans se souvenir du chemin qu'elle avait pris. Elle fouilla dans sa poche, les mains tremblantes. Ne trouvant plus sa clé, elle dut sonner. Madame Régine ouvrit la porte. Ses yeux s'ouvrirent un peu plus grands lorsqu'elle vit Fanette, trempée par la pluie et grelottante.

— Pour l'amour de Jésus, d'où venez-vous comme ça, mam'selle Fanette ? On dirait que vous avez le diable à vos trousses !

Fanette avait beau être mariée, madame Régine l'appelait toujours « mam'selle Fanette », se rappelant la fillette malingre qui avait eu si peur d'elle la première fois qu'elle l'avait vue. Fanette entra sans répondre. Une flaque d'eau se forma sous ses pieds. Madame Régine aida Fanette à enlever son chapeau détrempé.

— Faut pas que monsieur le notaire vous voie dans cet état, chuchota-t-elle.

Fanette ne répondit pas. Le notaire, ses conventions rigides et sa sévérité crispée devenaient des fantômes sans substance devant la réalité crue de la mort d'Amanda.

— Assoyez-vous ici, je reviens tout de suite, dit madame Régine à voix basse.

Tandis que madame Régine s'éloignait furtivement, Fanette se laissa choir sur une chaise près de la porte, ôta ses escarpins mouillés et appuya sa tête contre le mur. Elle n'avait même plus la force de pleurer. La haine l'avait quittée ; elle ne ressentait plus qu'une grande lassitude, comme ces terres brûlées dont le feu n'a laissé que des bouts de bois fumants et sans vie. Elle ferma les yeux et s'était presque endormie lorsqu'elle sentit une main sur son bras. Elle ouvrit les yeux.

— Philippe, murmura-t-elle.

Il déposa une couverture sur ses épaules.

— Te sens-tu la force de marcher ? dit-il simplement.

Elle acquiesça sans un mot. Philippe lui prit le bras et l'aida à se lever. Dieu sait qu'il brûlait de savoir d'où Fanette venait et pourquoi elle revenait à la maison dans cet état, mais il l'aimait d'un amour inconditionnel qui ne s'encombrait pas de jugements ni de doutes. Lorsque Fanette serait disposée à lui parler, il serait là pour l'écouter. La soutenant par les épaules, il la guida vers l'escalier. Le pas de Fanette était un peu chancelant, mais elle arrivait à marcher et semblait reprendre peu à peu ses sens. Ils s'engagèrent dans l'escalier en faisant attention de ne pas faire craquer les marches. La dernière chose que Philippe souhaitait était que son père surprît Fanette dans cet état. Ils traversèrent le passage sans encombres. Les lampes torchères au gaz brûlaient en émettant un sifflement presque imperceptible. Ils passèrent devant la porte de la chambre du notaire, qui était fermée. Une rainure de lumière brillait dans l'interstice sous la porte. Soulagés, ils s'éloignèrent vers leur chambre lorsqu'une voix métallique les fit sursauter.

— Que se passe-t-il ?

La porte s'était brusquement ouverte. Le notaire, debout sur le seuil, examina Fanette des pieds à la tête. Son chignon s'était défait, sa robe encore humide tombait en pans froissés vers le sol.

— D'où venez-vous ? Et dans quel état !

Fanette fit un effort pour parler.

— De chez ma mère. J'ai été surprise par l'averse.

Les yeux froids du notaire étaient rivés sur elle.

— Je suis étonné que madame Portelance vous ait laissée partir sous la pluie sans voiture.

— Il ne pleuvait pas au moment où j'ai quitté sa maison, voilà tout.

Philippe entraîna Fanette par le bras sans attendre la réponse de son père. Il voulait éviter qu'elle subisse un interrogatoire plus serré. Le notaire les suivit des yeux, étonné par la violence du sentiment qui l'agitait et qu'il n'osait s'avouer à lui-même. Fanette mentait, il en était convaincu. Il aurait donné son âme pour savoir où elle avait passé la soirée, et surtout, avec qui…

Philippe et Fanette entrèrent dans la chambre. Il alluma une lampe de table en étain à double mèche qui éclaira d'une clarté vive des livres ouverts et une pile de contrats. Philippe avait travaillé toute la soirée à la demande de son père. Le cœur étreint par la culpabilité, Fanette prit place dans une bergère. Philippe retourna vers la porte qu'il avait laissée ouverte, la referma soigneusement puis revint vers Fanette. Cette dernière était d'une pâleur de cire et était parcourue d'un léger tremblement, malgré la couverture. Philippe se pencha vers elle, inquiet.

— Veux-tu que j'aille chercher le docteur Lanthier ?

Elle secoua la tête.

— Non, je vais mieux.

— Je vais demander à madame Régine de t'apporter du thé.

Au moment où il se retourna pour sortir, il entendit la voix de Fanette, encore faible.

— Philippe…

Il se tourna vers elle.

— Je n'étais pas chez Emma ce soir.

— Je ne te demande rien.

Il y avait une telle confiance dans son regard, une tendresse si profonde, qu'elle se résolut à lui dire la vérité.

❧

Les tasses de thé vides étaient déposées sur un plateau en étain. Philippe, installé dans un fauteuil, les mains croisées sous son menton, écoutait. Fanette, en robe de nuit, le dos appuyé sur des oreillers que Régine avait disposés sur la tête de lit en acajou sculpté, lui raconta tout, tâchant de n'omettre aucun détail. Sa voix fléchit lorsqu'elle parla de sa visite à Jacques Cloutier en prison et du sort terrible de sa sœur Amanda. Philippe garda un silence pensif. Puis il se leva, s'assit près d'elle, lui prit la main.

— Pourquoi ne m'as-tu rien dit, Fanette ? Tu n'as pas confiance en moi ?

Sa voix était posée, mais Fanette sentit toute la peine qu'elle contenait. Elle se redressa.

— Ce n'est pas une question de confiance.

Il attendit patiemment qu'elle poursuive.

— Je ne savais pas ce que j'allais découvrir. J'avais peur…

Elle s'interrompit, cherchant ses mots.

— Peur de quoi, Fanette ?

Elle finit par dire, étonnée elle-même par son aveu :

— Que tu ne m'aimes plus. Que tu ne veuilles plus de quelqu'un dont le passé est rempli de violence, de haine, de mort.

— Tu n'es pas responsable de ton passé, Fanette. J'aime tout ce que tu es, tout ce qui t'a faite telle que tu es.

Il plaça la main de Fanette sur son cœur.

— Tant que ce cœur battra, il t'appartiendra.

Cette nuit-là, comme pour conjurer la cruauté du sort d'Amanda et le silence qui avait momentanément dressé une barrière entre eux, ils s'aimèrent avec passion. Philippe fut surpris par l'ardeur presque violente de Fanette, ses caresses pressantes, ses gémissements qui ressemblaient à des pleurs. Elle le serrait si fort contre elle qu'il eut l'impression que leurs deux corps ne faisaient plus qu'un, soudés l'un à l'autre dans une sorte de fièvre sans remède, de soif sans fin.

XLVI

Le piaillement de chardonnerets qui se pourchassaient à travers les branches d'un arbre le réveilla. Le soleil le fit cligner des yeux. Il vit d'abord le ciel bleu, puis un visage rougeaud à la barbe hirsute se pencha au-dessus de lui. Une odeur aigre de cidre et d'ail le fit grimacer. Une voix avinée éructa :

— Pis, t'as bien dormi, mon pit ?

Antoine se redressa sur ses coudes. Un quêteux au sourire édenté était debout à côté du banc où il s'était endormi la veille. Le garçon mit un temps avant de comprendre où il était et comment il avait abouti sur ce banc. Il avait des élancements dans la tête et se sentait lourd comme un sac de ciment. Le quêteux lui tapota l'épaule et partit, le pas chancelant. Antoine se frotta les yeux, puis jeta un coup d'œil à la ronde. Il vit la place Royale à distance. Des oiseaux jaunes s'envolèrent à tire-d'aile. Il se rappela être entré dans la confiserie et avoir acheté un énorme cornet de marrons. Un sourire lui vint aux lèvres au souvenir de ce festin. Qu'avait-il fait après ? Il se rappela vaguement qu'il devait accomplir quelque chose de très important, mais quoi ? Il avait mangé ses marrons et ensuite… ensuite, il avait bu du cidre que quelqu'un lui offrait, sûrement le quêteux qui s'éloignait et venait de disparaître au coin d'une rue. Il ferma les yeux, comme si cela pouvait l'aider à recouvrer sa mémoire. Il vit des murs sinistres, une robe bleue comme le fleuve quand il pleuvait. La jolie dame… Tout lui revint d'un coup : la mission qu'Oscar lui avait confiée de suivre la jolie dame et de lui révéler où elle habitait ; les sous qu'il lui avait remis pour accomplir cette mission. Antoine sentit l'angoisse lui serrer le ventre. L'argent. Il avait dépensé au moins quatre sous pour les marrons. Il fouilla fébrilement dans ses poches, les retourna. Rien. Il n'avait plus rien ! C'était impossible, Oscar lui avait donné au moins cinquante sous. La respiration haletante, il comprit qu'il avait sans doute été volé. Le quêteux ! Ça ne pouvait être que lui. Il se leva d'un bond et se mit à courir. Il faillit être renversé par une charrette remplie de bois de chauffage, s'appuya contre un mur, hors d'haleine. Ça ne servait à rien de courir. Le quêteux avait trop d'avance sur lui. De toute façon, comment prouver que l'argent lui appartenait ? Personne ne croyait les enfants. Sauf Oscar. Oscar était la seule personne à lui avoir fait confiance, la seule personne à lui avoir témoigné un peu de bonté. Et lui, tout ce qu'il avait réussi à faire, c'est de le trahir. Jamais il n'oserait retourner au journal. Il n'était pas question qu'il revienne chez son père non plus. Plutôt mourir. Des larmes se mirent à couler, traçant une ligne pâle sur ses joues sales.

❧

Jamais on n'avait vu tant de mendiants quêter dans les rues ; les refuges étaient remplis à craquer et refusaient du monde. Les hôpitaux étaient bondés de pauvres gens dont la seule maladie était de mourir de faim. Des familles entières faisaient la queue aux portes des presbytères pour avoir de quoi manger et un toit sur la tête. Devant toute cette misère, Eugénie avait convaincu Emma de se joindre au Comité des dames de la charité, composé de dames patronnesses d'origine irlandaise et canadienne-française. Mrs. McPherson, l'une des dames patronnesses, une femme au tempérament sanguin, mais au dévouement inépuisable, avait eu l'idée d'organiser une fête de charité, un *bazaar*, comme elle l'appelait en prononçant « bazaw ». Les fonds recueillis serviraient à fonder un nouveau refuge destiné principalement aux Irlandais nécessiteux.

Emma avait repris son bâton de pèlerin et rencontré quelques curés pour tenter de les convaincre d'allouer des fonds au Comité, mais leur réaction avait été mitigée : certes, les Irlandais étaient de bons catholiques, mais pourquoi dédier un refuge aux seuls Irlandais alors que des Canadiens français vivaient également dans la misère ? Emma tâchait de leur faire comprendre qu'il ne s'agissait pas d'exclure qui que ce soit, mais de donner la chance à une communauté importante de la ville de Québec de gérer ses propres institutions. Emma récolta plus de vœux pieux que d'espèces sonnantes et trébuchantes mais, loin de baisser les bras, elle décida de louer une charrette et de faire la tournée des paroisses afin de recueillir des dons. À la fin de la journée, vêtements, provisions sèches et vieux meubles s'entassaient pêle-mêle dans la carriole.

Le Comité des dames de la charité vendit les objets donnés et réussit à récolter la somme de dix-huit livres, deux shillings et trois pences. C'était une somme modeste, mais elle permit au père McGauran de louer une maison de deux étages en bois et en brique située dans la rue Saint-Stanislas, près de l'église St. Patrick. La maison était vétuste et nécessitait quelques travaux de réfection, mais elle avait le mérite d'être vaste et pouvait abriter jusqu'à une quarantaine d'indigents. Le père McGauran était aux anges. Il travaillait d'arrache-pied depuis plusieurs années pour financer ce *home*. Lorsqu'il signa le bail et recueillit ses premiers pensionnaires, des veuves âgées qui ne pouvaient plus subvenir à leurs besoins et avaient été chassées de leur logis, il ressentit un immense sentiment de fierté.

৵

Eugénie s'était levée tôt. Depuis quelques jours, elle partageait ses journées entre le refuge du Bon-Pasteur et le St. Brigid's Home. Ce dernier accueillait maintenant plus de vingt-cinq indigents, en majorité des vieillards, mais aussi quelques familles et une demi-douzaine d'orphelins à qui Eugénie enseignait le français. Mrs. McPherson s'occupait de l'administration quotidienne tandis que le père McGauran présidait au secours des âmes et aux collectes de fonds : car il fallait nourrir et soigner tous ces misérables, et tout coûtait cher.

— Tu travailles trop, soupira Emma en regardant Eugénie ajuster son épingle à chapeau. On dirait que tu ne connais pas tes limites.

Eugénie haussa les épaules, cachant son agacement sous un sourire.

— La misère n'en a pas, de limites. De toute façon, je ne fais que leur donner un coup de main en attendant que les Sœurs Grises envoient d'autres bénévoles.

Emma n'ajouta rien. Elle se rendait bien compte qu'Eugénie trouvait lassant d'être l'objet de son inquiétude. Depuis qu'elle avait eu une pneumonie, Emma craignait toujours qu'elle ait une rechute. S'il pleuvait, elle veillait à ce qu'Eugénie n'oublie pas son parapluie ; lorsqu'il y avait un coup de chaleur, elle insistait pour qu'elle apporte une ombrelle. S'il y avait la moindre brise, elle exigeait qu'elle porte un châle. *Il faut que je la laisse tranquille,* se reprochait Emma. *Elle est fort capable de s'occuper d'elle-même sans que je sois toujours sur son dos.* Au fond, ce qu'Eugénie n'osait lui dire, mais qu'Emma devinait sans peine, c'est que son anxiété était un rappel douloureux d'une maladie qu'Eugénie cherchait à oublier. *Il est si difficile d'aimer sans s'inquiéter,* se dit Emma en regardant Eugénie s'éloigner dans la rue Sous-le-Cap.

Eugénie marcha jusqu'à la place du Marché, où passait l'omnibus. Ce dernier, tiré par deux chevaux, s'approcha de l'arrêt et s'immobilisa avec un grincement. Eugénie y monta et réussit à trouver une place libre à côté d'une ménagère qui tenait un panier de victuailles sur ses genoux. L'omnibus redémarra. Les roues crissaient sur les rails ; les chevaux soufflaient bruyamment, semblant renâcler sous le poids de tant de passagers. Un ouvrier, debout près d'Eugénie, portant tablier et casquette, fut pris d'une quinte de toux. De l'autre côté de la rue de la Fabrique, elle aperçut un garçon de dix ou onze ans, assis sous un arbre, qui pleurait. Elle éprouva un besoin presque irrépressible de descendre de l'omnibus, de prendre l'enfant dans ses bras et de le consoler.

Mais elle ne voulait pas arriver en retard au *home*. Il y avait tant à faire ! Elle se résigna à rester assise à sa place.

Eugénie descendit au coin des rues Saint-Jean et Saint-Stanislas, non loin du *home*. Elle aperçut des ouvriers qui construisaient une plate-forme devant la prison.

— Qu'est-ce qu'ils font ? demanda-t-elle intriguée à une passante.

Cette dernière eut un petit rire gêné.

— Un échafaud, je cré ben. Y a un prisonnier qui va êt' pendu dans que'ques jours.

Eugénie sentit un frisson lui parcourir l'échine malgré le temps doux.

La rue Saint-Stanislas, bordée d'entrepôts et de masures plus ou moins délabrés, ne payait pas de mine, mais c'était une belle journée ; on aurait dit que les rayons du soleil qui doraient les façades et les trottoirs masquaient la pauvreté des lieux. Eugénie s'arrêta à la hauteur du refuge. Un simple écriteau en bois placardé sur la porte indiquait : *St. Brigid's Home*. Elle tira sur une corde reliée à une clochette à l'intérieur de l'édifice. Une jeune novice vint lui ouvrir. Petite femme au visage plein et aux grands yeux rieurs, elle faisait partie de la congrégation des Sœurs Grises de Montréal, mais avait été « prêtée » par la communauté, avec deux autres religieuses, pour aider le père McGauran à démarrer son refuge. Eugénie vit tout de suite à sa mine déconfite que quelque chose n'allait pas. En entrant dans le hall obscur, elle fut étonnée d'entendre des éclats de voix. Elle crut reconnaître le timbre grave de Mrs. McPherson et une voix plus claire.

— Que se passe-t-il ?

La jeune novice la prit par le bras, l'air résigné.

— Venez. Moi, personne ne m'écoute.

Elles s'avancèrent dans un couloir dont les murs avaient été blanchis à la chaux et débouchèrent sur une grande pièce bordée de longues fenêtres et qui servait à la fois de réfectoire et de salle de repos. Des tables et des chaises hétéroclites avaient été disposées au centre de la salle, et on avait placé des fauteuils contre les murs pour que les indigents les plus âgés puissent prendre du repos. Un énorme poêle trônait au fond, adossé à un mur de brique et muni d'un tuyau qui traversait le plafond. Eugénie aperçut Mrs. McPherson qui gesticulait et parlait fort, les joues enflammées. Une jeune femme, portant un fichu et une robe sale et déchirée par endroits, lui répliquait d'une voix que la colère rendait aiguë. Elle tenait un jeune garçon serré contre elle.

— *I'm sorry, your place is not here*, décréta Mrs. McPherson, son menton tremblant d'indignation. *St. Brigid's Home is a respectful asylum. Please go away.*

— *I've said a thousand times that I don't have anywhere else to go!* s'écria la jeune femme, exaspérée. *We haven't eaten in days! We're starving! Please help us!*

Mrs. McPherson sembla se radoucir.

— *Look. I'll fetch something to eat in the kitchen. But you'll have to leave the premises right after.*

La jeune femme fit un geste de lassitude.

— *Go to hell, y'old witch!*

Mrs. McPherson se mordit les lèvres. Ses pommettes étaient devenues cramoisies, mais le reste de son visage avait pâli. La jeune femme prit son fils par la main et l'entraîna vers la porte, repoussant quelques chaises sur son passage. Elle croisa Eugénie sans lui jeter un regard, enfermée dans son ressentiment. Eugénie eut un serrement au cœur. Cette jeune femme n'avait sûrement pas plus de vingt-deux ou vingt-trois ans, mais son visage trop fardé et ses traits durcis lui donnaient quelques années de plus. Lorsque la pauvreté augmentait, la prostitution suivait en flèche. Elle-même n'y aurait peut-être pas échappé si Emma ne l'avait pas recueillie chez elle. L'idée que cette jeune mère et son enfant retourneraient à la rue sans ressources la révolta. Mrs. McPherson avait le cœur sur la main, mais elle était parfois trop à cheval sur ses principes. D'un mouvement impulsif, Eugénie partit à la poursuite de la femme et de l'enfant. Elle exigerait qu'ils soient hébergés au moins pour la nuit, le temps qu'elle leur trouve une place au refuge du Bon-

Pasteur, même s'il fallait pour cela affronter la désapprobation de Mrs. McPherson…

Lorsque Eugénie parvint au hall d'entrée, à bout de souffle, toute une surprise l'attendait : elle vit la grande silhouette noire du père McGauran qui tenait la jeune femme dans ses bras. Cette dernière sanglotait, tandis que le petit garçon les regardait, les yeux agrandis par l'anxiété et une sorte de soulagement.

XLVII

« L'exécution de Jacques Cloutier, le meurtrier de Ouindigo, aura lieu lundi matin devant la prison de Québec, située dans le quadrilatère formé par les rues Saint-Stanislas, Sainte-Anne, Dauphine et Sainte-Angèle. L'échafaud vient d'être terminé. Les ouvriers finissent d'installer le gibet. »

Oscar laissa tomber sa plume sur le pupitre. Il avait été assigné par son patron pour couvrir l'« événement », comme on l'appelait sobrement à la rédaction, mais il ne le faisait pas de gaîté de cœur. Les procès et les crimes, même les plus sordides, faisaient partie du quotidien d'un journaliste et lui plaisaient plutôt, tant qu'ils restaient sur papier. Ce qu'il avait de la difficulté à supporter, c'était d'être témoin de violence *pour vrai*. Car il lui faudrait assister à l'exécution. Juste d'y penser lui soulevait le cœur. Il n'avait jamais vu une pendaison de toute son existence. Enfin, il tâcherait de détourner la tête au moment fatidique.

L'autre chose qui le tracassait était qu'il était sans nouvelles d'Antoine. Ce dernier lui avait promis de revenir à la rédaction aussitôt sa « mission » terminée. Il connaissait le garçon depuis seulement quelques mois, mais il savait que, malgré ses dehors frondeurs, il pouvait compter sur lui. Pourvu qu'il ne lui soit rien arrivé ! Les rues de Québec pouvaient être dangereuses, même le jour, surtout depuis que le comité de police avait décidé de réduire ses effectifs pour des raisons d'économie. Antoine avait toujours refusé de lui dire où il habitait, mais il se doutait qu'il avait quitté le domicile familial et devait vivre dans des conditions précaires. Il lui avait souvent offert de partager son petit logement, situé au deuxième étage d'une tannerie, dans la basse ville, mais l'enfant lui répondait invariablement qu'il se débrouillait fort bien tout seul.

Oscar mordilla machinalement sa plume. Si Antoine ne donnait pas signe de vie avant la fin de la journée, il tâcherait d'en savoir plus long. Il eut soudain une crainte irraisonnée : il était arrivé quelque chose à la mystérieuse jeune femme à la robe couleur outremer, et Antoine avait subi le même sort. Il hocha la tête. Une autre maxime de son oncle Victor lui revint à la mémoire : « Un bon journaliste laisse son imagination dans le tiroir. Les faits, il n'y a que les faits, mon garçon ! » Juste au moment où il se replongeait dans son article, il aperçut une ombre sur sa feuille. Il leva la tête. Antoine était debout devant lui, les cheveux hirsutes sous sa casquette sale, les joues marbrées de larmes séchées et de poussière.

❧

La veille de l'exécution, monseigneur Turgeon, dans son homélie, exhorta ses paroissiens à ne pas se rendre à un spectacle aussi funeste, dans un lieu où la lie de la société se donnerait rendez-vous. Le notaire Grandmont, assis sur le banc appartenant à sa famille depuis deux générations, dans la première rangée de l'église Notre-Dame, approuvait les paroles de l'évêque avec componction, jetant un coup d'œil de temps en temps autour de lui pour prendre les autres paroissiens à témoin de la justesse du sermon. Marguerite n'assistait pas à l'office, ayant prétexté une migraine. Fanette, installée entre Philippe et Rosalie, écoutait les paroles de l'évêque d'une oreille distraite, toute à la pensée de cet homme qui avait assassiné sa sœur et qui allait mourir le lendemain. Sa haine ne la quittait pas. Elle coulait dans ses veines comme un poison. Philippe, comme s'il devinait ses pensées, glissa sa main dans la sienne sur le banc et la serra fort. Fanette continua de regarder devant elle, emmurée dans sa révolte.

— Mes bien chers frères, dit le prélat d'une voix emphatique, le bras de la justice séculaire va tomber demain. L'homme qui va périr sur l'échafaud mérite le châtiment le plus sévère. Mais je vous conjure de ne pas céder au désir d'assister à ce spectacle dégradant. Oui, dégradant. Car s'il est juste de punir les criminels, il n'est pas chrétien d'assister à la souffrance et à la mort d'autrui comme s'il s'agissait d'un divertissement. Ne vous y trompez pas : ce n'est pas la charité chrétienne qui guiderait vos pas vers l'échafaud, mais l'esprit de vengeance ou l'assouvissement de vos plus bas instincts…

Les paroissiens endimanchés opinèrent du bonnet. *Ce seront les mêmes paroissiens dévots qui se masseront demain devant la prison pour assister au rare spectacle d'une pendaison*, ne put s'empêcher de penser monseigneur Turgeon en observant toutes ces têtes qui s'inclinaient à l'unisson.

෧

Le lendemain, des milliers de citoyens se pressèrent pour assister à l'exécution : des hommes, des femmes, et même des enfants que leur mère tenait fermement par la main pour qu'ils ne s'égarent pas dans la foule. L'échafaud avait été dressé sur une plate-forme devant la porte principale de la prison, au-dessus de laquelle une inscription en latin disait : « Puisse cette prison venger les bons de la perversité des méchants. » Fanette était descendue du fiacre à quelques rues de la prison. Elle portait une robe en taffetas marron des plus simples et avait ajouté une voilette à son chapeau pour ne pas attirer l'attention. Philippe, qui avait deviné ses intentions en la voyant mettre son chapeau et enfiler ses gants, avait tenté de la dissuader de se rendre à l'exécution.

— Je t'en prie, n'y va pas, Fanette.

Elle était sortie et cherchait un fiacre des yeux. Philippe l'avait suivie.

— Sa mort ne fera pas revenir ta sœur. Qu'est-ce que la vue d'un homme pendu au bout d'une corde va t'apporter, sinon un goût amer de vengeance ?

— La vengeance, c'est mieux que rien.

431

— Je te connais. Tu seras incapable de supporter un tel spectacle.

— Laisse les sermons à monseigneur Turgeon.

Philippe, d'ordinaire si doux, s'était emporté :

— Très bien, fais à ta tête. Je ne suis pas médecin, mais j'en sais assez sur l'anatomie pour te dire que si la corde ne rompt pas le cou du supplicié, il va suffoquer pendant de longues minutes. Si ça t'amuse d'assister à l'agonie d'un être humain, tant pis pour toi !

Il était rentré dans la maison, claquant la porte derrière lui. Fanette eut honte. Elle savait au fond d'elle-même que Philippe avait raison, mais une force irrépressible la poussait à se rendre à l'exécution.

Oscar fut frappé par l'ambiance de fête foraine qui régnait sur la place. Des gens de toutes les couches de la société jouaient des coudes pour avoir les meilleures places. Des hommes échangeaient des plaisanteries salaces. Des femmes de mauvaise vie sillonnaient les lieux à la recherche de clients. Des marchands ambulants vendaient leur pacotille répandue sur des tréteaux branlants.

Le bourreau, portant une cagoule et une longue cape noire, s'avança sur la plate-forme en bombant le torse. Des huées et des sifflements l'accueillirent. Le bon peuple se réjouissait lorsqu'un homme allait être pendu, mais détestait celui qui procédait aux basses œuvres. Monsieur Baker était lui-même un criminel endurci, adepte des cartes et tenancier de bordel à l'occasion. Il avait accepté la fonction de bourreau, car les émoluments de cinquante dollars par pendaison lui permettaient d'assouvir sa passion du jeu. Il avait épousé la fille du bourreau qui l'avait précédé, car aucune famille ne voulait être associée à un homme qui exerçait un métier aussi infamant.

Oscar vit le bourreau s'approcher du gibet, vérifier la corde et le fonctionnement de la trappe. C'était un homme consciencieux. Il détestait infliger des souffrances inutiles.

Jacques Cloutier fut emmené sur l'échafaud, les mains et les pieds entravés, escorté par deux gardiens et un prêtre. Des injures jaillirent de la foule. Jacques Cloutier jeta un coup d'œil railleur aux gens qui vociféraient, comme pour leur dire : on va tous y passer, d'une façon ou d'une autre. Il avait refusé de porter le bonnet des condamnés. Il marchait droit, sans broncher, ignorant le prêtre qui le suivait en psalmodiant des prières. Oscar prenait rapidement des notes dans son carnet, s'imbibant de l'atmosphère des lieux pour rendre son papier plus vivant. Tant qu'il écrivait, il était presque capable d'oublier sa terreur et son dégoût face à ce qui allait survenir. Après avoir griffonné quelques lignes, il leva la tête et jeta un coup d'œil à la foule bigarrée qui l'entourait. C'est alors qu'il la vit : la jolie dame, comme Antoine l'avait sur-nommée. Elle portait une voilette, mais il l'aurait reconnue entre mille. Il ne fut pas autrement surpris de la voir en un lieu aussi macabre. Antoine lui avait avoué ses mésaventures :

— J'ai vu la jolie dame, avait-il raconté, avalant presque ses mots tellement il parlait vite, de mes yeux vue. Elle est entrée dans la prison.

Qu'allait-elle y faire, sinon rendre visite à un prisonnier ? Il ne doutait pas un instant que ce prisonnier fût Jacques Cloutier. Il admira le courage de cette jeune femme. Fallait-il qu'elle veuille retrouver sa sœur, fallait-il qu'elle l'aime pour affronter seule l'horreur d'une prison, le désespoir crasseux de ses détenus !

Fanette regrettait déjà d'être venue. La foule s'était massée autour d'elle et, d'un mouvement imperceptible, la poussait comme une vague plus près de l'échafaud. Tout à coup, le regard de Jacques Cloutier croisa le sien. Il esquissa un faible sourire. Fanette détourna les yeux. Sa haine était tombée d'un coup. Elle ne voyait plus qu'un homme qui allait bientôt mourir. En avant, près du gibet, elle aperçut une femme aux cheveux gris qui attendait, le visage pétrifié par une douleur muette. C'était Pauline Cloutier. Fanette fut envahie par un sentiment de pitié devant la souffrance sans nom de cette mère. Puis le bourreau mit la corde autour du cou du prisonnier tandis que le prêtre continuait de réciter des prières à mi-voix. Des injures fusèrent à nouveau, quelques rires nerveux, des cris. Le bourreau actionna la trappe. Fanette se détourna au même moment. La foule rugit puis soupira. Le silence était tombé comme une chape de plomb sur la place. On n'entendait que le grincement de la poulie. C'est alors que Fanette l'aperçut. Elle était debout, à une dizaine de pieds derrière elle. Un fichu marron cachait en partie des cheveux d'un roux étincelant. Un pendentif en forme de trèfle brillait sur sa poitrine. Amanda ! C'était Amanda, il n'y avait aucun doute possible. Ses yeux gris était rougis par la fatigue et les privations mais elle reconnut le regard indomptable, la ligne pure des sourcils, la bouche ferme et bien dessinée. Elle voulut crier, mais comme dans les cauchemars, aucun son ne sortait de sa bouche. Le regard d'Amanda se posa soudain sur elle. Une surprise indicible se lisait sur ses traits. *Elle me reconnaît*, se dit Fanette, le cœur battant, *elle me reconnaît !* Fanette ne voyait plus la foule, n'entendait plus ses cris, elle ne voyait qu'Amanda, comme si le temps avait été suspendu. D'un mouvement guidé par le seul instinct, elle commença à se frayer un chemin dans la foule, indifférente aux protestations. Amanda disparut derrière une haie de gens.

— Amanda !

Le son était sorti de la bouche de Fanette sans qu'elle prenne conscience que c'était sa propre voix. Elle était redevenue la fillette de neuf ans qui attendait sa sœur sur le bord du chemin et pleurait lorsqu'elle revenait bredouille à la ferme des Cloutier. Elle fendit frénétiquement la foule. Pourquoi Amanda la fuyait-elle ? Pourquoi l'abandonnait-elle une deuxième fois ? Fanette aperçut une tête rousse se faufiler derrière un gros homme en redingote qui fumait tranquillement son cigare, les yeux rivés sur l'échafaud. Le corps de Jacques Cloutier se balançait encore sur la corde. Fanette courut dans la direction qu'Amanda avait prise, trébucha sur un panier posé par terre, s'agrippa au bras d'une ménagère qui la toisa, indignée.

— Eh, ma p'tite dame, mettez-vous donc les yeux en face des trous !

La foule était devenue un peu plus clairsemée. Fanette regarda autour d'elle, vit un morceau de tissu par terre, le ramassa : c'était le fichu d'Amanda. Elle avait dû le perdre en courant. Elle porta le foulard à son nez et le respira. Elle reconnut son odeur, un mélange d'anis et de thym. Elle le glissa dans son corsage tout en jetant un regard circulaire autour d'elle. Elle crut un moment avoir perdu Amanda de vue, puis l'aperçut qui courait dans la rue Saint-Stanislas. Elle partit en flèche dans cette direction, déjà en nage, la gorge en feu. Plus rien d'autre ne comptait pour elle que de rattraper sa sœur. Elle voyait les cheveux rouges danser dans le vent. Elle parvint au coin de la rue Saint-Jean et dut s'arrêter pour laisser passer une calèche qu'un percheron tirait au petit trot. Aussitôt que la calèche se fut éloignée, elle s'élança dans la rue. Elle ne vit pas le carrosse qui arrivait en sens inverse.

— *Get out of the way ! Get out !* hurla le cocher en tirant frénétiquement sur les rênes.

Fanette faillit être frappée par l'un des chevaux. Elle vit dans un éclair les sabots au-dessus de sa tête, le mors qui dégageait les dents jaunes du cheval en un rictus de panique. Elle leva les bras dans un réflexe pour se protéger, puis sentit une main qui la tirait en arrière.

Le carrosse passa à un cheveu d'elle sans ralentir. Elle entrevit à travers ses rideaux rouges légèrement entrouverts un visage en lame de couteau, un regard d'une étrange intensité, des cheveux d'un roux flamboyant. Le carrosse poursuivit sa route en direction de la rue Saint-Stanislas. Les roues faisaient un bruit d'enfer sur le pavé. Une voix s'éleva derrière elle.

— Vous l'avez échappé belle.

Elle se retourna. Oscar Lemoyne la regardait, les yeux remplis d'inquiétude.

Fanette resta un moment au coin de la rue, encore engourdie par le choc. Le jeune journaliste la prit respectueusement par le bras.

— Venez, il vaut mieux ne pas rester ici.

— Je l'ai vue, elle était là, c'était elle, c'était ma sœur. Elle a traversé la rue et est partie par là ! s'écria Fanette en désignant la rue Saint-Stanislas.

— Il n'y a rien, sur cette rue, que des entrepôts et des maisons abandonnées.

— Je dois la retrouver !

Elle se dégagea et traversa la rue. Il la vit courir vers la rue Saint-Stanislas. Il fut pris par une tentation presque irrésistible de la suivre, mais une sorte de pudeur le retint. Il resta debout au même endroit, ne se résignant pas à partir, jusqu'à ce qu'il la perde de vue. Par un étrange tour du destin, il s'était trouvé là au bon moment. Sans lui, le carrosse l'aurait heurtée de plein fouet et l'aurait sans doute blessée, tuée peut-être. Un sentiment de fierté l'envahit. Après tout, même un journaliste pouvait se comporter en héros… Puis il se rendit compte que, dans le feu de l'action, il avait oublié de lui demander son nom.

Fanette s'arrêta dans la rue Saint-Stanislas et regarda autour d'elle, espérant apercevoir la tête rousse de sa sœur au coin d'une ruelle ou derrière une porte cochère. En vain. Il n'y avait que des entrepôts, quelques maisons délabrées qui semblaient inhabitées. Un cri perçant la fit sursauter : un chat s'enfuyait, le poil dressé sur le dos, poursuivi par un chien galeux.

La jeune femme était sur le point de retourner sur ses pas lorsque son regard fut attiré par une maison en meilleur état que les autres. *St. Brigid's Home*, lut-elle sur l'enseigne. Ce nom lui semblait familier… Puis elle se souvint de sa visite à sa mère au refuge du Bon-Pasteur. Cette dernière lui avait parlé d'un comité dont Eugénie faisait partie, qui cherchait à ouvrir un refuge pour les Irlandais. C'était donc ça. On avait posé des volets neufs aux fenêtres, fraîchement peints en vert. La façade de brique avait été refaite. Elle hésita devant la lourde porte. Une femme âgée portant un châle rongé par les mites s'arrêta devant la maison, tira sur une corde attachée près de la porte. Une clochette retentit. Après un moment, la porte s'ouvrit, laissant entrevoir la cornette noire d'une religieuse.

— Oui ?

— *Is this father McGauran's home ?*

La religieuse fit signe à la vieille femme d'entrer. Puis la porte se referma. Fanette resta sur le pas de la porte, saisie. *Father McGauran !* Se pouvait-il que ce fût le prêtre qu'elle avait connu à la Grosse Isle ? Elle se rappelait un homme grand, au visage émacié, au regard empreint de douceur et de gravité. Il avait permis à sa famille de quitter le bateau, tenu sa main quand sa mère était morte. Elle se souvint des longues rangées de tentes blanches, des prêtres en soutane qui allaient et venaient sur le rivage ; elle revit le charnier à ciel ouvert, l'odeur de fumée, le voyage en fiacre jusqu'à la ferme des Cloutier, la main longue et blanche du prêtre qui lui caressa la tête avant de remonter dans la voiture, ses pleurs lorsque la portière se referma sur lui et que la voiture s'éloigna sur le chemin plein d'ornières. Elle eut la certitude qu'Amanda était ici, entre ces murs. Elle se mit à frapper à grands coups sur la porte, comme si elle voulait abattre ce dernier obstacle entre elle et Amanda. Elle entendit une voix derrière la porte, comme dans un rêve.

— Qui va là ?

— Laissez-moi entrer ! Je vous en supplie !

La porte s'entrebâilla. La même religieuse se profila sur le seuil. Son visage rond, d'ordinaire jovial, montrait de l'irritation.

— C'est quoi tout ce raffut ! Vous allez réveiller mes pauvres vieux ! La sonnette est pas là pour les chiens…

Fanette fit un effort pour se calmer.

— Eugénie Borduas est ma tante. S'il vous plaît, laissez-moi entrer.

La religieuse jeta un coup d'œil perplexe à la jeune femme qui était devant elle. Contrairement à ses visiteurs habituels, elle était propre et bien habillée ; son teint était rose et clair, son corps mince mais vigoureux indiquait qu'elle était en bonne santé et mangeait à sa faim. Mais ses yeux étaient si implorants qu'elle eut pitié d'elle.

— Entrez.

Fanette s'avança dans le hall de la maison, éclairé faiblement par une lanterne de tôle à parois vitrées suspendue à un crochet, puis se tourna vers la religieuse :

— Je crois que ma sœur est ici. Amanda O'Brennan. Je voudrais la voir.

— Attendez-moi ici, lui dit la religieuse, qui s'éloigna dans un couloir sombre et étroit.

Fanette jeta un coup d'œil autour d'elle. Le hall était pauvrement meublé : un banc en bois accoté sur le mur, une catalogne usée à la corde, un bahut. Elle entendait une faible rumeur, comme le bourdonnement de voix. Une voix la fit tressaillir.

— *Miss !*

Elle leva les yeux, essayant de distinguer la forme dressée devant elle. C'était une femme grande et solide, au chignon sévère.

— *I'm Mrs. McPherson, the manager of St. Brigid's Home.*

Elle poursuivit dans un français laborieux :

— Vous cherchez votre sœur ?

Le cœur de Fanette battait fort, au point qu'elle sentait des pulsations dans son crâne.

— Oui. Amanda O'Brennan.

La dame secoua la tête.

— *I'm sorry*, nous n'avons personne de ce nom ici.

Fanette insista :

— Elle a vingt-trois ans, elle a les cheveux roux, longs, et les yeux gris.

Fanette crut détecter une lueur dans le regard de Mrs. McPherson, comme si la description qu'elle lui avait faite d'Amanda lui rappelait quelqu'un.

— Vous la connaissez, n'est-ce pas ? Elle est venue ici ? s'écria Fanette, pleine d'espoir.

Mrs. McPherson secoua la tête.

— *There's no Amanda O'Brennan here.*

La déception coula dans ses veines comme du plomb.

— Vous en êtes sûre ?

Le ton de Mrs. McPherson devint plus sec. Elle était visiblement agacée que sa parole fût mise en doute :

— *I'm sorry.*

Elle fit mine de tourner les talons. Fanette la retint.

— Je voudrais voir le père McGauran.

Cette fois, le visage de Mrs. McPherson afficha une certaine stupeur.

— *Father McGauran ? Why do you want to see him ?*

— Est-ce qu'il est ici ?

— *No. He's gone for a few days.* Il est parti à Montréal pour chercher… *you know, funds for the home.*

— Je vais revenir.

Fanette retourna vers la porte d'entrée. Mrs. McPherson l'interpella :

— *Miss ! What's your name ?*

— Fanette O'Brennan, répondit-elle, utilisant spontanément son nom de jeune fille.

— Fanette… *Isn't it a French name ?*

Fanette lui expliqua, la gorge serrée :

— Mes parents sont morts quand j'avais sept ans. J'ai été adoptée.

— *Oh dear, the potato famine. Poor girl.*

La dame fit quelques pas vers Fanette, lui entoura le menton de sa grosse main rougeaude. Son visage sévère s'était adouci.

— *Sometimes, the past is better forgotten.*

Elle s'éloigna dans le corridor. Fanette vit à distance une porte s'ouvrir sur une grande salle d'où sortait un flot de lumière ; elle entendit des pleurs d'enfants, des bruits de vaisselle qui s'entrechoquait, des toussotements de personnes âgées. Puis la porte se referma et le silence revint, comme si Fanette avait été séparée du monde des vivants.

XLVIII

Fanette, encore bouleversée par les derniers événements, descendit du fiacre qui venait de s'arrêter à quelques coins de rue de la maison de la Grande Allée et fit le reste du chemin à pied, appréhendant les explications qu'elle devrait donner au notaire pour justifier sa longue absence. Des nuages gris fer s'amoncelaient dans le ciel et l'air était chargé d'humidité. Elle fut étonnée d'apercevoir le carrosse du notaire devant la maison. Joseph, soufflant comme une forge, transportait une malle avec l'aide d'un valet.

Fanette s'arrêta à sa hauteur, surprise.

— Que se passe-t-il, monsieur Joseph ?

— Mam'selle Rosalie est sur son départ.

La porte de la maison s'ouvrit. Un deuxième valet en sortit avec deux valises à la main. Fanette croisa madame Régine dans le hall. Elle se contenta de hocher la tête, trop émue pour parler. Fanette se précipita vers l'escalier et se rendit jusqu'à la chambre de Rosalie. Cette dernière, debout devant le miroir de sa coiffeuse, replaçait un peigne dans son chignon. Les deux amies s'étreignirent.

— Je t'en prie, ne pars pas !

— Ne me rends pas les choses plus difficiles, murmura Rosalie, essuyant les joues de son amie avec un mouchoir qu'elle avait sorti de sa ceinture.

Les deux amies se regardèrent longuement, comme si elles puisaient l'une en l'autre le courage de se séparer.

— Tu m'en veux ?

Fanette fit oui de la tête, luttant bravement contre les larmes.

— Tu m'aimes encore ?

Fanette acquiesça à nouveau, les yeux brouillés.

Une pluie torrentielle s'était mise à tomber. Des branches aux reflets violets ployaient sous le vent qui soufflait du nord. Madame Régine, la mine sombre, aida Rosalie à enfiler une pèlerine.

— Si le Bon Dieu avait voulu que vous deveniez religieuse, y nous aurait pas envoyé la pluie, marmonna-t-elle.

Madame Régine était profondément croyante, mais elle avait vu Rosalie grandir, l'avait bercée quand elle souffrait de coliques, l'avait endormie en lui racontant des histoires de sa propre enfance, pleines de sorciers et d'esprits bons et mauvais. Elle ne pouvait imaginer sa Rosalie dans un costume noir qui la ferait ressembler à une corneille.

Rosalie ne dit rien. À quoi bon ? Sa décision était irrévocable. Le notaire s'avança vers elle, l'air gourmé et digne, mais son regard fuyant trahissait son malaise.

— Rosalie, vous faites honneur à votre famille. Votre mère est souffrante, mais elle vous transmet ses vœux.

Il l'embrassa sur le front, évitant de la regarder. À l'idée de s'éloigner de son père, de ne plus avoir à supporter son regard à la fois inquisiteur et plein de honte, Rosalie ressentit un calme qui ressemblait presque au bonheur.

Philippe s'avança vers sa sœur, l'enlaça tendrement.

— Prends soin de toi. J'espère que tu changeras d'idée en chemin.

Rosalie ne put s'empêcher de sourire. Même enfant, Philippe se servait de l'humour comme d'un paravent contre leurs peines. Fanette l'embrassa à son tour. Elle avait les yeux rouges, mais faisait un effort louable pour contenir ses larmes. Rosalie ferma les yeux pour juguler l'émotion qui lui montait à la gorge. Puis elle les rouvrit doucement. C'est alors qu'elle aperçut sa mère, debout en haut de l'escalier. Elle était pâle et amaigrie, et s'appuyait sur la balustrade.

— Mère ! s'écria Rosalie.

Le notaire Grandmont tourna vivement la tête vers sa femme.

— Marguerite, vous feriez mieux de retourner à votre chambre.

— Ma fille va s'enterrer au couvent, c'est bien le moins que je lui fasse mes adieux, répliqua madame Grandmont, la voix étonnamment ferme.

Elle descendit les marches, la main sur la rampe, puis s'arrêta à la hauteur de sa fille.

— Rosalie, je veux que tu saches… Je n'étais pas d'accord avec la décision de ton père.

Rosalie voulut parler, mais elle l'en empêcha.

— Laisse-moi finir. J'aurais dû m'y opposer, mais je n'en ai pas eu le courage. Pardonne-moi.

— Je n'ai rien à vous pardonner.

Madame Grandmont, dans un rare geste d'affection, lui effleura la joue avec la main.

— À défaut d'être heureuse, je te souhaite d'être en paix avec toi-même.

La porte s'ouvrit. Le cocher se montra sur le seuil. Son chapeau était couvert de petits morceaux de glace. Des grêlons s'étaient mêlés à la pluie. L'un des deux valets de pied tenait un parapluie ouvert.

— Le char est grayé, mam'selle Grandmont, dit le cocher.

Il ajouta en hochant la tête :

— Un temps à pas sortir un chien.

Rosalie suivit le cocher, abritée par le parapluie que le valet tenait au-dessus de sa tête. Ils marchaient tous les deux courbés sous les rafales. Philippe voulut refermer la porte, mais Fanette l'en empêcha. Elle courut rejoindre Rosalie, l'enlaça une dernière fois.

Rosalie monta dans le carrosse, aidée par le valet. La portière claqua en même temps que le fouet du cocher. La voiture s'ébranla, hachurée par la grêle. Les roues traçaient un sillage bleu sur le pavé noir. Fanette resta debout sous la pluie jusqu'à ce que la voiture ne soit plus qu'un minuscule point noir.

Le carrosse s'arrêta devant le monastère. Rosalie contempla les bâtiments en pierre grise avec une soudaine angoisse : c'est entre ces murs qu'était née son amitié pour Fanette, et entre ces mêmes murs qu'elle s'enfermerait pour toujours.

Sœur de l'Enfant-Jésus l'accueillit en personne au parloir. Elle lui tendit les mains.

— Ma chère enfant, bienvenue dans votre maison. Dieu a entendu votre appel. Soyez digne de lui.

— Merci, ma mère, murmura Rosalie en inclinant docilement la tête.

— Sœur Marie de la Visitation va vous montrer votre chambre.

La mère supérieure disparut derrière une porte en chêne.

Rosalie attendit un moment, trop agitée pour s'asseoir. Elle regarda le portrait de Marie de l'Incarnation. Son visage serein semblait lui dire : « Soyez en paix avec vous-même. » Elle entendit un bruit de pas qui se rapprochait. La porte s'ouvrit. Sœur Marie de la Visitation s'avança vers elle. Son visage était toujours le même, comme si la vie monastique avait arrêté le temps. Rosalie remarqua une légère tension dans son sourire bienveillant. Sœur Marie prit gentiment Rosalie par le bras.

— Il est temps. Suivez-moi.

Sœur Marie revint vers la porte. Rosalie la suivit. La porte se referma sur elle sans bruit.

La religieuse s'engagea dans un corridor en dallage d'ardoise surmonté d'un plafond voûté. Des fenêtres encastrées dans le mur épais laissaient filtrer une clarté diffuse. Tout baignait dans un profond silence ponctué par le vent qui faisait parfois grincer les fenêtres. L'air était imprégné d'un léger parfum de cire d'abeille et d'encens. Un escalier en chêne soigneusement astiqué luisait dans la demi-pénombre. Sœur Marie s'y arrêta.

— Cet escalier mène aux chambres des postulantes, expliqua sœur Marie d'une voix feutrée.

Les deux femmes parvinrent au premier palier. Leurs pas résonnaient sur les marches ; celui de Rosalie était irrégulier, à cause de son pied bot. Une rangée de portes semblables longeait le couloir. Là encore, le silence était si profond que le couvent semblait inhabité. Sœur Marie s'immobilisa devant une porte. Elle l'ouvrit, puis s'effaça pour laisser entrer Rosalie.

— C'est votre chambre. Je l'ai choisie moi-même. Elle a une jolie vue sur le verger.

La pièce était petite, peinte en blanc, meublée avec sobriété : un lit, un secrétaire, une armoire en pin, une table de nuit sur laquelle on avait placé un broc et un bassin en porcelaine blanche. Les bagages de Rosalie avaient été déposés au pied du lit. Rosalie s'approcha de l'armoire en pin, l'ouvrit. Deux robes noires assorties d'une coiffe et d'un collet blancs y avaient été suspendues : son costume de postulante, qui avait été confectionné par les religieuses couturières du couvent d'après les mesures que Rosalie leur avait fournies. Ce serait désormais les vêtements qu'elle porterait tous les jours, jusqu'à son noviciat. *Ce n'est pas si différent des uniformes de tartan ou de coburg gris des couventines*, se dit-elle pour se donner du courage. La voix douce de sœur Marie la sortit de sa rêverie.

— Quand je suis entrée ici comme postulante, j'avais une compagne dont la chambre était juste à côté de la mienne. Elle s'appelait Lucienne. Ses parents voulaient à tout prix qu'elle devienne religieuse. Une question d'héritage, semble-t-il. Elle a quitté le couvent avant d'avoir terminé son noviciat.

Rosalie leva les yeux vers sœur Marie, qui était debout sur le seuil de la porte.

— Pourquoi me dites-vous cela, ma sœur ?

— La vocation est une chose mystérieuse. L'appel est différent pour chaque personne, mais il est important qu'il soit authentique.

— Vous croyez que le mien ne l'est pas ? dit Rosalie sur la défensive.

— Je n'ai pas dit cela. Vous serez postulante pendant six mois, novice pendant deux ans. Ne craignez pas de prendre ce temps précieux pour réfléchir à cette question. Une religieuse qui a pris le voile sans le souhaiter au fond de son cœur sera toujours très malheureuse.

Sœur Marie s'éclipsa, laissant Rosalie songeuse. Elle fit quelques pas vers la fenêtre. En contrebas, des dizaines de pommiers déployaient leurs branches chargées de fruits. Désormais, chaque jour de sa vie, elle se lèverait et regarderait ces arbres.

XLIX

Après le départ de Rosalie, le notaire Grandmont s'enferma dans son bureau. Il s'installa derrière son pupitre et se plongea dans la lecture d'un contrat. D'habitude, le travail était un dérivatif efficace contre les pensées sombres qui l'assaillaient parfois, mais les mots dansaient devant ses yeux. Il relut la même phrase à plusieurs reprises sans même en comprendre le sens. L'image de Rosalie l'obsédait : son sourire résigné lorsqu'elle lui avait annoncé qu'elle acceptait de se plier à sa volonté et irait au couvent ; sa démarche boitillante lorsqu'elle était sortie sous la pluie battante et avait grimpé dans la voiture qui l'emmenait chez les Ursulines. *J'ai pris la bonne décision*, se répétait-il sans y croire lui-même. *Tu l'as enfermée contre sa volonté*, lui répondait une voix intérieure. *Je l'ai fait pour son propre bien !* s'encouragea-t-il. *Tu l'as fait pour qu'elle expie tes propres fautes !* Il repensa à la phrase de Marguerite : « À défaut d'être heureuse, je te souhaite d'être en paix avec toi-même. » Il jeta le contrat sur son pupitre, irrité.

N'y tenant plus, il se leva, ouvrit son cabinet et en sortit une bouteille de scotch. Il remplit un verre à ras bord. *Ça me calmera*, se dit-il en avalant une large rasade du liquide ambré. Il ferma les yeux. C'est alors qu'il la vit, aussi clairement que si elle eût été dans son bureau. Elle souriait, tendait ses jolis bras blancs vers lui. Il ouvrit les yeux, tâtonna pour trouver son verre, le termina d'un trait. La liqueur lui brûla la gorge ; des larmes lui vinrent aux yeux, causées par l'alcool, ou peut-être par le remords. *Oublie-la, oublie-la*, se répéta-t-il comme un leitmotiv. Il se servit un autre verre pour se donner du courage. *Voilà, c'est fini, n'y pense plus...* L'image de Cecilia s'était superposée sur celle de sa fille. Son sourire radieux, ses bras tendus... Elle avait tapé des mains comme un enfant lorsqu'il lui avait annoncé son intention de la présenter à ses parents et de l'épouser. Il l'avait serrée contre lui, avait senti sa poitrine contre la sienne, les battements de son cœur, les larmes sur sa joue. Il l'avait possédée, sur ce petit lit au matelas usé à la corde, dans cette petite chambre pauvrement meublée qui sentait le savon et la chandelle. Il l'avait aimée. De cela, il était certain. Si elle n'avait pas eu le malheur d'attendre un enfant... Son enfant. Quand elle lui avait annoncé la nouvelle, il avait nié. Ça ne pouvait être le sien. Mais la souffrance dans son regard et sa peine lorsqu'il l'avait accusée de l'avoir conçu avec un autre étaient si bouleversantes, si sincères, qu'il avait fini par la croire. Il avait même éprouvé un sentiment de fierté. Quel imbécile il avait été, prêt à ruiner son avenir, sa vie même, pour une pauvre petite vendeuse de chapeaux...

Il se servit machinalement une troisième rasade de scotch. Par chance, il était revenu à la raison, comme lorsqu'on se réveille d'un rêve et qu'on reprend pied dans la réalité. Il avait réussi à maîtriser ses sentiments et à surmonter tous les obstacles. Mais à quel prix ? Il ferma à nouveau les yeux et porta son verre à ses lèvres.

༄

Le ciel était encore pâle, mais annonçait l'une de ces journées d'été radieuse où la nature semble avoir été créée pour rendre les hommes heureux. Il avait loué un fiacre dans la basse ville, sous un faux nom, et avait attendu Cecilia à l'aube, comme convenu, à quelques coins de rues de chez elle. Ravissante, dans sa robe en cotonnade blanche et son chapeau de paille qui faisait une corolle claire sur ses cheveux sombres, elle riait en montant dans le fiacre, amusée par l'aventure.

— Où m'emmènes-tu ? s'était-elle écriée, les joues roses d'excitation.

— Une promenade d'amoureux, avait-il répondu en refermant la portière.

Le fiacre roula sur le chemin qui menait au lac Saint-Charles, fréquenté par les amoureux et les familles bourgeoises de Québec, qui y faisaient des pique-niques et des randonnées en barque.

Après quelques heures de route, ils arrivèrent au lac. Il attacha le cheval à une vieille clôture, derrière un immense chêne dont les branches ressemblaient à une main géante ouverte sur le ciel. Le lac scintillait au loin, à travers les saules. Les Hurons l'avaient baptisé *Tiora datuec*, le lac brillant, expliqua-t-il à Cecilia en l'aidant à descendre du fiacre. Il la prit par la main et l'entraîna sur un sentier qui longeait le lac. L'endroit était désert. Des montagnes vertes et bleues bordaient la rive nord et se reflétaient dans l'eau calme. Cecilia s'arrêta pour admirer le paysage.

— C'est beau, murmura-t-elle.

Il fut ému par l'expression de joie qui irradiait sur son visage. Cecilia vivait trop modestement pour avoir les moyens de se payer un fiacre pour sortir de la ville. Tout l'enchanta : le chant d'un rouge-gorge, le parfum suave des épinettes, les sauts que faisaient parfois les truites à la surface de l'eau. Ils marchèrent ainsi un bon quart d'heure sur le sentier tapissé de feuilles et d'épines sèches qui craquaient sous leurs pas. Cecilia faillit se tordre une cheville en butant sur une racine, mais il la soutint par le bras. Son regard rempli de reconnaissance le bouleversa. C'est à ce moment, alors qu'il la tenait par le bras, et que le lac et le ciel se reflétaient dans ses yeux, qu'il remit son funeste projet en question.

— Partons, dit-il, la voix éraillée par l'émotion.

— Oh non, pas déjà !

La vieille barque était amarrée au quai, près de la cabane de pêcheurs abandonnée, là où il l'avait remarquée lorsqu'il avait fait une randonnée avec sa famille, quelques semaines auparavant. Une rame vermoulue avait été laissée dedans. Cecilia voulut faire une promenade sur le lac. D'abord, il refusa. Mais elle insista. C'était si romantique ! Il finit par céder. Elle poussa de petits cris de joie en prenant pied dans l'embarcation qui tanguait. Il embarqua à son tour et poussa la barque à l'aide de la rame.

La barque creusait un sillon clair dans l'eau noire. Des branches de saule ployaient sur les rives. Une brise légère froissait les feuilles. Soudain, deux perdrix surgirent d'un buisson et s'enfuirent à tire-d'aile. Cecilia se leva à demi dans l'embarcation en criant de frayeur. La barque se pencha, Cecilia perdit l'équilibre et tomba à l'eau. Tout s'était passé si rapidement, qu'il eut à peine le temps de voir la chute. Il vit Cecilia se débattre dans l'eau en criant d'effroi. Son premier geste fut de lui tendre la rame, mais Cecilia s'agitait si frénétiquement qu'elle n'eut pas le réflexe de s'en saisir. Il eut beau lui crier de s'y accrocher, c'était comme si elle n'entendait plus rien. Puis elle disparut dans l'eau sombre.

— Cecilia !

Sa voix se réverbéra dans le silence. Cecilia refit surface. Son chignon s'était défait, son chapeau s'éloignait sur le lac. Il se pencha vers elle, voulut lui prendre la main, mais elle agitait les bras comme une aveugle. Elle coula à nouveau. Il ne fit pas un geste, hypnotisé par l'onde créée par le corps qui s'était enfoncé dans l'eau. Puis plus rien. L'eau était redevenue plane et lisse comme un miroir. Il resta immobile, engourdi par l'incrédulité. Ce n'était pas possible. L'instant d'avant, elle était là, assise dans le bateau, les manches en dentelle de sa robe agitées par la brise, et puis... Il se pencha par-dessus bord, tentant de discerner le blanc de sa robe dans les profondeurs vertes et noires. Il ne vit rien. Elle avait disparu. Pendant un moment, il songea à plonger. Mais à quoi bon ? Il était trop tard. Il se mit à trembler. Il entendit un bruit de claquement, se rendit compte que c'étaient ses propres dents qui s'entrechoquaient. Pris de panique, il s'empara de la rame et se mit à pagayer frénétiquement. La barque fit demi-tour, puis fendit l'eau qui bouillonna autour de la coque. Un vent vif commença à s'élever. Il rama contre le vent, mais ne semblait pas se rendre compte de l'effort. La barque atteignit le rivage avec un son mat. Il jeta la rame dans la chaloupe, ne prit pas la peine de la rattacher et courut sur le sentier. Il trébucha à plusieurs reprises sur des racines, mais sans tomber, indifférent aux moustiques qui commençaient à bourdonner autour de ses oreilles et à la sueur qui mouillait ses tempes. Ce n'était pas sa faute. Il ne voulait pas… Elle s'est noyée… C'était un accident… Un accident… Il se prit les pieds dans un tronc mort qui obstruait le sentier et tomba sur les genoux en gémissant de douleur. Il réussit à se relever. Son pantalon était déchiré et sale. *Il faudra m'en débarrasser*, se dit-il sans même y penser. Il aperçut avec soulagement le cheval et le fiacre qui l'attendaient au même endroit. Il s'approcha de la voiture, puis s'arrêta sur ses pas, sentant une présence. Il entendit un craquement de branches, se retourna brusquement. Une petite fille le regardait, debout, à l'orée de la forêt. Elle portait une tunique en peau et un bandeau brodé de sequins sur le front. Elle le dévisagea un moment de ses grands yeux sombres, puis détala dans le bois, agile comme une biche. Une Huronne. Une tribu wendate vivait dans le village de la Jeune Lorette, non loin du lac. Il détacha la monture, grimpa sur le siège du cocher et fouetta violemment le cheval. La pauvre bête rua, puis galopa à l'épouvante, comme si le diable était à ses trousses. Il tira tellement sur les rênes que le mors s'enfonça cruellement dans la bouche du cheval qui hennit de douleur. Il roula à bride abattue sans s'arrêter en route. Lorsqu'il vit les remparts de Québec se profiler à distance, il eut le sentiment qu'une éternité s'était écoulée depuis son départ, alors qu'il avait fait à peine deux heures de route. Il remit l'attelage au carrossier à qui il l'avait loué, retourna chez lui à pied, passant par des ruelles pour ne pas être remarqué. Une fois arrivé devant la maison paternelle, sur la Grande Allée, il la contourna et entra par les communs. La cuisinière, affairée devant ses fourneaux, ne le vit pas se faufiler entre les casseroles. Il s'engagea furtivement dans le couloir sombre qui menait de la cuisine à la salle à manger, s'assura qu'il n'y avait personne, puis se dirigea vers l'escalier monumental menant à l'étage où se trouvaient les chambres. Une voix le fit tressaillir.

— Louis ! Mais que vous est-il arrivé ? Vous êtes crotté comme un manant !

Il se cramponna à la rampe de l'escalier pour ne pas défaillir. Il se tourna lentement, réprimant mal ses tremblements. Son père se tenait au pied de l'escalier. C'était un homme de petite taille, mais il en imposait par son port altier et son regard bleu perçant.

— Je suis tombé de cheval, bredouilla-t-il.

Son père le toisa en silence, puis lui fit un signe de la tête.

— Allez vous changer. Nous sommes attendus chez le juge Dugas, ce soir.

Chaque jour, Louis avait surveillé les journaux auxquels son père était abonné. Puis, le temps passant, absorbé par ses études et les fréquentations mondaines, il n'y pensa plus, comme un mauvais rêve qu'on s'empresse d'oublier et dont même le souvenir devient flou.

Un samedi matin, en se rendant au marché Champlain avec ses parents, il vit un attroupement qui s'était formé près des quais. Il s'approcha, aperçut des pêcheurs et des matelots qui gesticulaient et criaient. Un canot en écorce de bouleau accosta. Deux Hurons en débarquèrent. Un troisième resta dans le canot et prit une forme enveloppée dans une couverture qu'il tendit à un pêcheur. Ce dernier déposa la forme sur le quai. La couverture se déplaça, découvrant une chevelure noire et une robe blanche déchirée et tachée de boue. Puis il entendit des cris stridents, comme ceux d'un animal. Une femme courait sur le quai, suivie par un jeune homme aux cheveux roux. Il était grand et bâti, mais quelque chose d'enfantin dans le visage lui fit dire qu'il n'avait pas plus que quatorze ou quinze ans. Le jeune homme réussit à agripper la femme par le bras, la retint contre sa poitrine. La femme sanglotait. Louis fut frappé par sa ressemblance avec Cecilia. Il comprit que c'était sa mère. Louis savait qu'il aurait dû partir, mais il était incapable de faire un geste, hypnotisé par la forme blanche étendue sur le quai. Soudain, il sentit un regard braqué sur lui. Le jeune homme aux cheveux roux le fixait. Ils se regardèrent ainsi quelques secondes. Louis eut le sentiment étrange que ce jeune homme *savait*.

— Je ne voulais pas ! C'était un accident ! s'écria le notaire, les doigts crispés sur son verre.

Il n'entendit pas la porte de son bureau s'ouvrir et ne vit pas la silhouette de Marguerite qui apparut sur le seuil.

— Louis, qu'avez-vous ? Je vous ai entendu crier.

Le notaire Grandmont regarda sa femme, les yeux égarés. Ses longs cheveux noirs tombaient sur ses épaules blanches. Pendant un moment insensé, il crut que c'était Cecilia. Puis il réussit à reprendre la maîtrise de ses émotions.

— Ce n'est rien, Marguerite. Je me suis endormi dans mon fauteuil et j'ai fait un cauchemar.

Il répéta, comme pour s'en convaincre lui-même :

— Ce n'est rien.

L

Philippe, à la demande de son père, partit à l'aube afin de rencontrer monsieur Gilmour à sa nouvelle résidence de Cap-Rouge et lui faire approuver la dernière version de son contrat d'achat, qui avait nécessité un important échange de correspondance. Le marchand naval était d'une méticulosité presque maniaque. Pas un détail, pas une nuance d'une clause ne lui échappaient. Il faut dire que c'était une transaction d'importance : l'acquisition du chantier naval situé en contrebas de la falaise de Cap-Rouge, au confluent de la rivière, ainsi que du moulin à scie qui y était attaché.

Après quelques heures de voyage et un bref arrêt à une modeste auberge qui servait également de relais postal, Philippe arriva enfin à Cap-Rouge. La falaise se dressait au-dessus du fleuve. Un immense nuage noir traversa le ciel. Philippe se rendit compte que c'était des milliers de tourtes qui migraient vers le sud. Il entendit quelques coups de feu. Les chasseurs étaient déjà à l'œuvre. À Québec, un règlement interdisait la chasse aux tourtes à partir des balcons, pour éviter que les citoyens mettent le feu à leur maison avec la décharge de leur fusil.

Philippe dut demander à plusieurs habitants le chemin pour se rendre à la demeure d'Alistair Gilmour, que l'on appelait familièrement « le château ». Il finit par trouver un chemin escarpé et raboteux qui serpentait jusqu'au faîte de la montagne. En haut, un spectacle inouï l'attendait. Une immense maison de cinq étages se dressait sur le promontoire de Cap-Rouge. Philippe comprit mieux le nom de « château » que les gens du coin avaient accolé à la fastueuse demeure. Une quinzaine d'ouvriers s'affairaient encore à en terminer la peinture et à y planter des arbustes lorsqu'il se présenta devant le portique de style néo-classique soutenu par des colonnes en marbre blanc. De toute évidence, le marchand écossais avait de l'argent à ne plus savoir qu'en faire. Chaque pierre, chaque planche, chaque dalle de marbre avait dû être transportée sur des charrettes tirées par des hommes et des chevaux. Il avait fallu des mois de défrichage ardu avant d'entreprendre les travaux de construction. La rumeur voulait même qu'un ouvrier ait perdu la vie en tombant dans un ravin.

Philippe fut accueilli par un majordome qui le guida à travers un dédale de pièces toutes plus somptueuses les unes que les autres. Philippe n'attachait pas beaucoup d'importance aux choses matérielles, mais il apprécia le goût exquis qui avait présidé au choix des meubles, à l'agencement des draperies et des tapis de Perse. Il reconnut, parmi les tableaux qui décoraient les murs, une peinture du célèbre William Turner, *La Tempête de neige*. Il s'y arrêta un moment, ému.

— Magnifique, n'est-ce pas ?

Philippe tressaillit, se retourna. Un homme de grande taille, aux cheveux d'un roux flamboyant, était debout à quelque distance de lui. Il était habillé avec une élégance raffinée. Ses yeux, d'un vert tirant sur le jaune, le fixaient sans ciller.

L'homme fit quelques pas vers lui, s'arrêta à la hauteur du tableau.

— On a l'impression d'être au cœur de la tempête, dit-il dans un français presque sans accent.

Puis, il tendit la main avec un sourire qui découvrit des dents blanches.

— Alistair Gilmour.

Il y avait une bonne demi-heure que Philippe était assis dans le bureau de son client. Ce dernier, installé dans un fauteuil en face de lui, lisait le contrat ligne par ligne, en silence, les sourcils froncés. Une servante avait apporté du thé et des petits-fours sur un plateau en argent délicatement ouvragé, mais il y avait déjà un moment que Philippe avait bu le sien et mangé les petits-fours. Il sentait la nervosité le gagner peu à peu. Pourvu que monsieur Gilmour ne trouvât pas à redire sur le contrat ! Son père serait furieux s'il revenait bredouille. Monsieur Gilmour leva soudain les yeux vers lui et pianota sur le pupitre.

— Tout est parfait. Je suis prêt à signer.

Philippe contint un soupir de soulagement et tendit une plume à son client. Ce dernier l'ignora et choisit plutôt sa propre plume, qui était fichée dans un socle de marbre. Tout respirait le luxe et le raffinement dans l'immense pièce : les lambris de chêne qui couvraient les murs, les plafonds en caisson, le pupitre en bois de rose, les tapis en soie ornés de fils d'or.

— Vous n'aimez pas votre travail, n'est-ce pas monsieur Grandmont ? dit soudain le marchand, la plume à la main.

Philippe, pris de court par la question, garda un silence embarrassé. Monsieur Gilmour eut un sourire amusé.

— Vous avez examiné chaque détail de ce bureau, du plafond jusqu'aux franges des tapis depuis que vous êtes assis dans ce fauteuil.

— Vous m'en voyez navré, dit Philippe, très mal à l'aise.

Monsieur Gilmour haussa les épaules.

— Pourquoi l'être ? Entre vous et moi, rédiger des contrats à longueur de journée, ce n'est pas la chose la plus excitante au monde…

Quel étrange personnage, pensa Philippe en observant sa tignasse d'un roux fauve qui tombait en longues mèches rebelles sur ses larges épaules et lui donnait une allure farouche qui contrastait avec l'élégance de sa mise. Cet homme pouvait ergoter sur la moindre clause d'un contrat et, la seconde d'après, parler art ou analyser les sentiments avec une finesse remarquable.

— En fait, je… j'aurais voulu être médecin.

— Et pourquoi ne l'êtes-vous pas devenu ?

Le malaise de Philippe s'accentua. Il eut l'impression que cet homme pouvait lire en lui comme un livre ouvert. Son premier réflexe fut de lui servir une réponse conventionnelle, mais à son grand étonnement, il en eut une autre, beaucoup plus révélatrice :

— Par amour.

Le sourire d'Alistair Gilmour s'accentua.

— Voilà une excellente raison. J'espère que votre femme mérite le sacrifice que vous avez fait pour elle.

— Mille fois ! répondit Philippe avec une passion contenue.

L'Écossais le regarda longuement.

— Je vous envie, finit-il par dire.

Une lueur de souffrance apparut dans ses yeux d'un vert ambré. La rumeur voulait que monsieur Gilmour était veuf et sans enfants. Il ne s'était jamais remarié et semblait vivre seul dans son immense manoir, même si on lui prêtait de nombreuses conquêtes dans la haute ville.

— Que vous a-t-on dit sur moi ? fit soudain le marchand, ses yeux perçants fixés sur Philippe.

Ce dernier balbutia :

— Rien de particulier.

Philippe se racla la gorge.

— Auriez-vous l'obligeance de signer vos contrats, monsieur Gilmour ?

Le marchand garda ses yeux fixés sur Philippe pendant quelques instants, puis trempa sa plume dans son encrier et signa les trois exemplaires du contrat. On entendait sa plume gratter le papier. Après les avoir paraphées, il en remit deux copies à Philippe et garda la troisième. Philippe les glissa dans sa serviette, serra la main de son client et se leva pour prendre congé. Monsieur Gilmour lui demanda, juste au moment où il franchissait la porte :

— Comment s'appelle votre femme, monsieur Grandmont ?

— Fanette.

— Fanette, répéta le marchand. Étrange prénom.

— Son véritable prénom était Fionnualá, dit Philippe, heureux de pouvoir parler de sa femme. C'est devenu Fanette après son arrivée à Québec.

Une légère tension apparut sur le visage de monsieur Gilmour.

— Votre femme est donc d'origine irlandaise ?

Philippe remarqua le changement survenu chez son client.

— Oui.

Alistair Gilmour devint songeur. Philippe, piqué par la curiosité, fut sur le point de lui demander en quoi les origines de sa femme pouvaient bien l'intéresser, mais le marchand naval le salua d'un bref mouvement de la tête, lui signifiant que l'entretien était bel et bien terminé.

Une fois la porte refermée, le visage d'Alistair Gilmour s'assombrit. Il fit quelques pas, s'arrêta devant le tableau de William Turner. Cette information l'avait troublé plus qu'il ne l'aurait voulu. Mais cela ne changerait rien à son plan. Strictement rien. Ce que la justice séculaire n'avait pas accompli, lui l'accomplirait. *Le notaire Grandmont paiera cher pour son crime.* Lui, Andrew Beggs, détruira sa réputation, le mènera à la ruine, jettera sa famille sur le pavé. Il anéantira le bonheur qu'il avait vu dans les yeux de son fils.

Comme pour se conforter dans sa résolution, il retourna dans son bureau, tira une clé de sa poche, ouvrit un coffret qu'il avait rangé dans un tiroir de son pupitre, en sortit un portrait. C'était le beau visage d'une jeune femme dessiné au crayon. Elle souriait avec timidité, mais l'artiste avait réussi à capter le bonheur dans son regard. Une douleur familière revint le hanter. Ce dessin lui avait coûté cinq shillings, sa paye pour une semaine de travail quand il était docker au port de Québec, à l'âge de seize ans. Sa sœur avait d'abord refusé de faire faire son portrait par un peintre de la rue, mais Andrew avait insisté. Il lui aurait donné la lune, s'il l'avait pu. L'amour qu'il ressentait pour sa sœur aînée était si fort qu'il aurait tué pour elle. Il embrassa doucement le portrait.

— Cecilia, murmura-t-il.

Il remit le portrait dans le coffret et le referma.

LI

Fanette aurait peut-être dû écouter l'étrange conseil de Mrs. McPherson : « *Sometimes, the past is better forgotten.* » Mais elle était incapable d'oublier le passé. C'était plus fort qu'elle : il fallait qu'elle aille jusqu'au bout de sa quête, et elle sentait que le père McGauran pouvait en détenir une clé importante. Elle résolut de retourner au St. Brigid's Home. Mais il ne lui restait plus un sou pour prendre un fiacre et Philippe ne reviendrait de Cap-Rouge que le lendemain. Elle passa devant la porte du bureau du notaire, qui était fermée. Elle hésita, puis frappa. Elle tendit l'oreille : aucun son. Puis la porte s'ouvrit brusquement. Le notaire était debout sur le seuil. Il avait les traits tirés, les yeux injectés de sang. Fanette eut presque peur en le voyant dans cet état. Elle prit son courage à deux mains :

— Je voulais vous demander la permission de faire atteler la voiture.

— Encore une visite de charité ? dit le notaire, une étrange lueur dans les yeux.

Fanette s'efforça de soutenir son regard.

— Oui. C'est un nouveau refuge, le St. Brigid's Home. Eugénie Borduas y travaille parfois comme bénévole.

— Faites mes salutations à mademoiselle Borduas.

Fanette fut soulagée qu'il ne pose pas d'autres questions.

— Merci, je n'y manquerai pas.

❧

Monsieur Joseph conduisait la calèche. Durant le trajet, une sourde appréhension tenailla Fanette. Et si le père McGauran n'était pas revenu de voyage ? Et s'il était de retour, la reconnaîtrait-il, après toutes ces années ? Peut-être qu'il ne savait rien sur le sort d'Amanda…

La voiture s'arrêta devant la porte du St. Brigid's Home. Fanette en descendit, se tourna vers le cocher.

— S'il vous plaît, monsieur Joseph, attendez-moi ici.

Elle tira sur la sonnette. La même religieuse aux joues rondes lui ouvrit la porte.

— Encore vous ? dit-elle, gentiment moqueuse. Au moins, vous avez appris à vous servir de la sonnette.

Mrs. McPherson vint à sa rencontre, essayant d'être aimable sous son air contraint.

— Est-ce que le père McGauran est ici ? demanda Fanette, cachant mal son anxiété.

— Oui, mais il est au presbytère. *A case of bad flu.*

Devant la mine consternée de Fanette, elle ajouta :

— *Come back in a few days.*

La porte s'ouvrit sur ces entrefaites. Une grande silhouette noire se découpa sur le seuil. Mécontente, Mrs. McPherson poussa une exclamation.

— *Father McGauran ! You promised you would have some rest !*

— *I feel perfectly well, Mrs. McPherson.*

Une quinte de toux accompagna la réplique. Mrs. McPherson hocha la tête. C'était le père McGauran tout craché. Il consacrait tout son temps aux pauvres, mais était incapable de prendre soin de lui-même ! Puis, voyant que Fanette était toujours là, elle la désigna d'un mouvement impatient du menton.

— *This young person wishes to see you.*

Le père McGauran tenta de discerner les traits de la jeune femme debout dans la pénombre, à quelque distance de lui. Elle s'avança d'un pas. Un rayon de soleil provenant d'une fenêtre étroite éclaira son visage. Où l'avait-il vu, ce regard unique, qui se confondait avec le ciel ?

— Je suis Fanette Grandmont. Nous nous sommes connus quand j'étais enfant, à la Grosse Isle.

Il la regarda attentivement. Il fut frappé par l'intensité de son regard, le bleu outremer de ses yeux. Sans savoir pourquoi, l'image d'un goéland lui vint à l'esprit. Puis, après un moment, il murmura, la gorge serrée :

— Fionnualá…

⁀

Le notaire s'apprêtait à se remettre au travail lorsqu'il entendit une voiture s'arrêter devant la maison. Intrigué, il se rendit à sa fenêtre. Deux femmes descendaient du boghei, dont l'une portait un chapeau à larges bords. À sa grande surprise, il reconnut Emma Portelance et Eugénie Borduas.

Le notaire s'avança vers les deux femmes, la main tendue, un masque affable sur le visage.

— Que nous vaut l'honneur de votre visite ? dit-il, la voix suave.

Emma fut étonnée par l'amabilité inhabituelle du notaire.

— Nous voulions voir Fanette.

— Votre fille a quitté la maison il y a à peine vingt minutes.

Il se tourna vers Eugénie.

— Elle devait se rendre au St. Brigid's Home pour vous tenir compagnie. N'êtes-vous pas au courant ?

Eugénie comprit à demi-mot la délicatesse de la situation.

— Je me rappelle que Fanette devait effectivement venir au refuge. J'ai dû confondre la journée.

Le notaire ne crut pas un mot de ce qu'Eugénie Borduas venait de dire. Il se jura de savoir la vérité sur les mystérieuses absences de sa belle-fille.

⁀

Fanette était assise sur une chaise bancale dans un petit bureau dont les murs étaient blanchis à la chaux, sans autre ornement. Le père McGauran, accoudé sur un pupitre couvert de paperasse, la regardait comme s'il cherchait dans les traits de Fanette l'enfant qu'il avait connue. Les cheveux noirs du prêtre avaient blanchi légèrement aux tempes, mais son visage avait gardé une sorte de candeur qui le rajeunissait.

— Fionnualá. Vous êtes devenue une jeune personne accomplie.

Elle lui sourit, émue. Ils restèrent un moment sans parler.

— Je cherche ma sœur, Amanda O'Brennan. J'ai pensé que vous pourriez peut-être m'aider à la retrouver.

Une ombre passa sur le visage du prêtre.

— Mrs. McPherson m'en a glissé un mot.

Fanette lui jeta un regard intense.

— Vous avez vu Amanda ?

Le père McGauran garda un long silence, puis finit par acquiescer.

— Oui, je l'ai vue.

Fanette se pencha en avant. Sa chaise branla légèrement.

— Ici ?

Il hésita à nouveau puis, devant la mine suppliante de Fanette, décida de répondre :

— Ici même.

La joie de Fanette d'avoir enfin retrouvé la trace de sa sœur fut teintée d'une inquiétude diffuse.

— Pourtant, Mrs. McPherson m'a dit…

Le père McGauran soupira.

— Je sais.

Elle le regarda sans comprendre. Il poursuivit donc avec douceur :

— Votre sœur préférait… Elle ne voulait pas que vous sachiez qu'elle vivait dans un refuge.

— Où est-elle, mon père ? Je veux la voir.

— J'ai bien peur que ce ne soit pas possible.

Fanette se leva, faisant grincer sa chaise.

— Pourquoi ?

— Votre sœur est partie.

Fanette secoua la tête. Elle n'avait pas fait tout ce chemin pour se buter à un mur aussi bêtement…

— Partie ? Où ?

— Je n'en sais rien. Je n'étais pas encore de retour de Montréal, lorsqu'elle a quitté le *home*.

— Elle a sûrement laissé une adresse !

— Malheureusement, non.

Fanette, ne tenant plus sur ses jambes, reprit place sur la chaise et se couvrit le visage avec ses mains. Le prêtre se leva et fit quelques pas vers elle.

— Fionnualá, il ne faut pas perdre espoir.

Fanette releva la tête. Ses joues étaient mouillées de larmes.

— Quand Amanda a quitté la ferme des Cloutier, elle m'a juré de revenir, sur la tête de notre mère. Et maintenant que je l'ai enfin retrouvée, elle me fuit comme la peste…

Fanette, qui avait oublié son mouchoir, s'essuya les yeux du revers de la main. Le père McGauran fouilla dans sa poche et lui tendit un mouchoir blanc.

— Il est propre, dit-il embarrassé.

Fanette se moucha. Il éprouvait une immense compassion devant la douleur de la jeune femme, mais comment lui dire la vérité sans trahir la confiance qu'Amanda lui avait témoignée ? Fanette sentit le malaise du prêtre juste à la façon dont il détournait le regard. Elle se leva à nouveau et lui prit les mains d'un geste spontané.

— Vous savez quelque chose, n'est-ce pas ? Quelque chose qu'Amanda ne veut pas que j'apprenne ?

Le prêtre ne répondit pas, mais Fanette ne le quitta pas des yeux.

— Dites-le-moi. J'ai le droit de savoir.

— Votre sœur m'a fait promettre de garder le secret.

Fanette se dégagea, troublée.

— Pourquoi aurait-elle des secrets pour moi ?

— Amanda n'a pas eu une existence facile. Elle cherche à vous épargner.

Fanette était devenue pâle.

— M'épargner ? Mon père, vous en avez trop dit, ou pas assez.

Ils restèrent debout l'un devant l'autre un long moment. Le prêtre marchait visiblement sur des charbons ardents. Il vit bien, à l'air résolu de Fanette, qu'elle ne partirait pas avant de savoir la vérité. Il se résolut donc à ne lui en révéler qu'une partie. Que Dieu et surtout Amanda le lui pardonnent !

— Tout ce que je puis vous dire, c'est qu'elle a eu un enfant.

Fanette accusa la surprise, Amanda était mère… Mais qu'y avait-il de répréhensible au fait d'avoir un enfant ? À moins que…

— Et le père ? dit-elle la voix étouffée.

— Inconnu, dit le prêtre à mi-voix.

Père inconnu… Ces mots, qui scellaient le sort de tant de jeunes filles, les jetaient dans la disgrâce, éclairèrent d'une lumière crue la situation de sa sœur et la raison pour laquelle elle ne voulait pas revoir Fanette.

— Comment s'appelle l'enfant ? dit-elle la voix blanche.

— Ian.

Fanette ressentit une vive émotion.

— C'était le prénom de mon père.

Après un temps, elle demanda, la gorge serrée :

— Quel âge a-t-il ?

— Neuf ou dix ans, je crois.

Neuf ou dix ans. Pendant toutes ces années, Amanda avait été mère, et elle ne l'avait jamais su. Le père McGauran vit une telle souffrance sur le visage de Fanette, qu'il vint vers elle et mit une main compatissante sur son épaule.

— Il faut lui pardonner.

Fanette secoua la tête. Son corps tremblait légèrement.

— Vous ne comprenez pas. Je n'ai rien à lui pardonner. Elle ne voulait pas que je sache qu'elle avait eu un enfant, comme si j'allais la juger ! Comment peut-elle si mal me connaître ? Et maintenant, il est trop tard, je ne les reverrai plus jamais !

Elle sortit de la pièce, le mouchoir du père McGauran roulé en boule dans son poing. Le prêtre reprit place derrière son pupitre, accablé. Il regrettait amèrement d'avoir parlé. Heureusement, il avait réussi à lui épargner le pire. Il pria en silence.

Fanette s'appuya contre un mur dans le couloir et prit une grande inspiration. Un fils de neuf ou dix ans. Elle fit fébrilement le calcul. Amanda serait donc devenue enceinte en… 1849, peut-être en 1850. Amanda était partie avec monsieur Bruneau en mars 1849. Toutes ces dates restaient gravées dans sa mémoire. Elle se rappela à nouveau les paroles d'Amanda, juste avant son départ : « Il faut que je parte, Fionnualá, Jacques est méchant, il m'a fait du mal et j'ai peur qu'il recommence. » Une pensée terrifiante lui vint à l'esprit : *Non, c'est impossible, il ne peut pas être le père. Il faut que ce soit quelqu'un d'autre. Quelqu'un qu'elle aurait rencontré après avoir échappé à Jacques Cloutier. Quelqu'un qui l'aurait hébergée, protégée. Aimée, peut-être.*

Fanette fut soudain prise d'une violente nausée ; elle n'eut que le temps de courir vers une bassine qui était déposée sur une table et elle fut malade. Elle vit à peine une main longue et pâle se tendre vers elle. Le père McGauran la prit doucement par les épaules et l'aida à se redresser.

Il lui trouva un fauteuil un peu moins inconfortable que les autres. Fanette était pâle comme un linge et se sentait faible. Elle eut une autre crise de nausées. Mrs. McPherson lui tendit une bassine, lui tapotant gentiment le dos.

— *Don't worry, my dear girl, everything will be fine.*

༄

Oscar Lemoyne, installé derrière son pupitre à la rédaction du journal *L'Aurore*, triait machinalement le courrier lorsqu'il tomba sur une lettre adressée à « F.O. ». Son cœur se mit à battre. C'était une réponse à l'annonce que la mystérieuse « F » avait placée. Il n'avait pas revu la jeune femme depuis qu'il l'avait sauvée des roues de ce carrosse, rue Saint-Jean, après l'exécution de Jacques Cloutier. Il espéra de toute son âme qu'elle reviendrait. Sinon, il trouverait bien un moyen de retrouver son identité, foi d'Oscar Lemoyne !

❧

Le notaire faisait les cent pas dans son bureau. Il tira une montre de son gousset, la regarda : il y avait plus de trois heures que Fanette était partie. Il fut tenté de faire atteler sa calèche et de se rendre lui-même au St. Brigid's Home, mais il décida de n'en rien faire. Il ne fallait surtout pas qu'il fît un geste d'éclat qui risquerait de ternir la réputation de sa belle-fille, voire la sienne. Il attendrait Fanette de pied ferme et aurait une explication dès son retour.

Une demi-heure plus tard, n'y tenant plus, il descendit dans l'intention de partir à la recherche de Fanette lorsqu'il entendit le claquement d'un fouet et la voix de monsieur Joseph. Il se précipita vers la porte d'entrée, l'ouvrit. Un spectacle inusité l'attendait. Il vit un prêtre sortir de la voiture, suivi par Fanette, qu'il soutenait avec l'aide de Joseph. Fanette était pâle et semblait marcher avec difficulté. Le prêtre et Joseph, la tenant chacun par un bras, l'escortèrent jusqu'au portique. Le prêtre se contenta de dire au notaire :

— Je suis le père McGauran. Fanette était à mon *home*, elle a eu un malaise. Prenez bien soin d'elle.

❧

Le père McGauran avait décidé de revenir au *home* à pied. La marche était toujours d'un grand secours pour lui remettre les idées en place. Ses retrouvailles avec Fanette l'avaient ému plus qu'il ne l'aurait imaginé. Il n'était pas aussitôt arrivé au refuge que Mrs. McPherson se précipita vers lui, dans un état proche de la panique.

— *Father ! Father ! There's two officers who want to see you. I told them you were not here, but they said they would wait for you…*

Elle indiqua le bureau du prêtre d'un mouvement de la tête. Le père McGauran, surpris et contrarié – il arrivait parfois que des policiers à la recherche de prétendus criminels s'introduisent dans son *home* –, se dirigea vers son bureau, dont la porte était entrouverte. Deux policiers en uniforme étaient debout dans la pièce. Le plus âgé des deux s'adressa au prêtre :

— Père McGauran ?

— C'est moi.

— Nos excuses pour le dérangement, mon père. On est à la recherche d'une femme, vingt-deux ou vingt-trois ans, les cheveux roux. Son nom est Amanda O'Brennan.

Le prêtre accusa le coup. Puis il leva des yeux calmes vers le policier :

— Je ne connais personne de ce nom, dit-il.

Mrs. McPherson fut sur le point de pousser une exclamation, mais le prêtre la cloua du regard. Elle referma la bouche. C'était la première fois de sa vie entière qu'elle prenait un serviteur de Dieu en flagrant délit de mensonge.

Le lendemain, Fanette fut à nouveau prise de nausées. Philippe, qui venait tout juste de revenir de Cap-Rouge, mort d'inquiétude, insista pour aller chercher le docteur Lanthier. Heureusement, le docteur était encore chez lui.

Il ausculta Fanette, puis hocha la tête en souriant.

— Tu n'es pas malade, ma chère Fanette. Tu attends un enfant.

Remerciements

Jamais je n'aurais eu le courage de me lancer dans une aussi folle aventure sans mon éditrice, Monique H. Messier. Son flair, ses commentaires précis et stimulants, sa délicatesse et sa force sont autant de qualités dont je ne saurais plus me passer... Je tiens à remercier Johanne Guay pour son appui et sa confiance, ainsi que toute l'équipe du Groupe Librex qui a contribué à la production de mon roman.

J'aimerais également rendre hommage à Ginette Tremblay, archiviste de la ville de Québec (une véritable perle !), dont les informations et les références m'ont considérablement aidée dans mes recherches.

Toute ma reconnaissance va à Martina Branagan, professeur d'irlandais à l'Université Concordia, qui a généreusement accepté de traduire certains passages de mon roman en irlandais. Merci également à Kester Dyer, directeur adjoint du Centre of Canadian Irish Studies de l'Université Concordia, qui m'a référée à Mme Branigan.

Merci de tout cœur à Christine Turgeon, directrice-conservatrice du Musée des Ursulines, qui m'a remis des documents et des références fort utiles sur le couvent et l'œuvre d'éducation des Ursulines, ainsi qu'à Marguerite Chénard, o.s.u., présidente du conseil d'administration, dont le chaleureux accueil m'a particulièrement touchée.

L'historien et professeur Jean-Claude Robert a pris la peine de m'informer en détail sur le fonctionnement des seigneuries au

XIXe siècle; quant à mon conjoint, Robert Armstrong, ses renseignements sur l'histoire économique de l'époque m'ont été des plus précieux. Robert Blondin a partagé avec moi ses livres et ses connaissances sur les voiliers; enfin, j'ai eu le plaisir de m'entretenir au téléphone avec Pierre Gingras, chroniqueur émérite au journal *La Presse*, sur la flore et la faune aviaire du XIXe siècle dans les régions de Québec et de Charlevoix, avec les cris de son fameux perroquet en arrière-fond sonore… Je leur demande leur indulgence quant aux libertés que j'ai parfois prises avec la réalité historique au nom de la fiction.

Ces remerciements ne seraient pas complets sans y inclure ma sœur, Danielle Aubry, professeur de littérature à l'UQÀM, qui connaît le XIXe siècle comme le fond de sa poche et m'a fait profiter de ses lumières. Merci à mon agent, Évelyne Saint-Pierre, dont l'appui a été constant, ainsi qu'à mes amies et lectrices, Cécile Braemer et Françoise Mhun, qui ont pris la peine de lire mon manuscrit et de me livrer leurs impressions avec intelligence et générosité. Quant à Richard Caron, il m'a tenu la main à distance.

f Restez à l'affût des titres à paraître chez
Libre Expression en suivant Groupe Librex :
facebook.com/groupelibrex

libreexpression.com

Cet ouvrage a été composé en Cochin 12,25/14,7
et achevé d'imprimer en février 2021 sur les presses de
Marquis imprimeur, Québec, Canada.